北京古籍叢書

[清]周家楣 [清]繆荃孫 編纂
左笑鴻 點校

光緒順天府志

第八册

圖書在版編目（CIP）數據

光緒順天府志. 第八册 /（清）周家楣,（清）繆荃孫編纂；左笑鴻點校. — 北京：北京出版社，2018. 2

（北京古籍叢書）

ISBN 978-7-200-13598-5

Ⅰ. ①光… Ⅱ. ①周… ②繆… ③左… Ⅲ. ①北京—地方志—清代 Ⅳ. ① K291

中國版本圖書館 CIP 數據核字（2017）第 284874 號

項目策劃：安　東　　項目統籌：許　可
責任編輯：喬天一　許　可　　責任印製：宋　超
裝幀設計：郭　宇

北京古籍叢書

光緒順天府志

第八册

［清］周家楣　［清］繆荃孫　編纂

左笑鴻　點校

出　版　北京出版集團公司
　　　　北京出版社
地　址　北京北三環中路六號
郵　編　一〇〇一二〇
網　址　www.bph.com.cn
總發行　北京出版集團公司
經　銷　新華書店
印　刷　北京京華虎彩印刷公司
開　本　八八〇毫米×一二三〇毫米　三十二
印　張　十五
字　數　二七一千字
版　次　二〇一八年二月第一版
印　次　二〇一八年二月第一次印刷

書號　ISBN 978-7-200-13598-5
定價　128.00 圓

故事志六

黄岡洪良品纂　江陰繆荃孫覆輯

雜事上

論語云：不賢識小。太史公云：其軼乃時時見於他説。班孟堅撰漢書，葛稚川取其所遺棄者，録之爲西京雜記，蓋遺文墜事，雖若瑣委，往往足以擴見聞，資攷證焉。順天爲古燕都，自遼、金、元、明以逮我朝，千有餘年，事蹟繁多，凡諸史百家，下至稗官野乘之書，旁徵側見，莫可紀極。其大者詳諸各門，而於小者薈於此録。至於述兒女之私情，有傷風化；敍鬼狐之幻跡，事近虚誣；類皆有意删除，慎勿貽譏漏略也。志雜事。

昔人言：有知不死之道者，燕君使人受之，不捷而言者死，燕君甚怒其使者，將加誅焉。幸臣諫曰：人所憂者，莫急乎死，己所重者，莫過乎生。彼自喪其生，安能令君不死也？乃不誅。列子。

昔者燕相得罪於君，將出亡，召門下諸大夫曰：有能從我出者乎？三問，諸大夫莫對。燕相曰：嘻！亦有士之不足養也。大夫有進者曰：亦有君之不能養士，安有士之不足養者？凶年饑歲，糟粕不厭，而君之犬馬有餘穀粟；隆冬寒烈，士短褐不完，四體不蔽，而君之臺觀，帷𢅥錦繡，隨風飄飄而弊。財者，君之所輕，死者，士之所重也。君不能施君之所輕，而求得士之所重，不亦難乎？燕相遂慚遁逃，不復敢見。新序。

燕莊侯佗，左帶玉具劍，右帶環佩，左光照右，右光照左。亢倉子。

燕昭王坐通雲堂，亦曰通霞臺，以龍膏爲燈，光耀百里。拾遺記。

燕昭王坐祗明之室，升於泉昭之館。此館常有白鳳、白鸞繞集其間。拾遺記。

朔人獻燕昭王以大豚，年百二十矣，人謂豕仙。王命豕宰養六十五年，大如沙墳，足如不勝其體。王異之，令衡官橋而量之，折十橋，豕不量。又命水官舟而量之，其重千鈞。其巨無用，燕相謂王曰：奚不饗之？王乃令膳夫烹之。夕見夢於燕相曰：造化勞我以豕形，食我以人穢，吾患其生久矣，仗君之靈得化吾生爲魯之津伯。燕相游乎魯津，有赤龜奉璧而獻。符子。

燕昭王坐握日之臺，時有黑鳥白頸，集王之所，銜洞光之珠，圓徑一尺，此珠色黑如漆，而懸照於室內，百神不能隱其精靈。此珠出陰泉之底，陰泉在寒山之北圓水之中，言波瀾常圓轉而流也。有黑蜂飛翔而來去於五岳之上。昔黃帝時，務成子遊寒山，得黑蜂在高崖之上，故知黑蜂能飛矣。至燕昭王時，有國獻於昭王，王取瑶漳之水洗其泥沙，乃嗟歎曰：自懸日月而來，見黑蜂生珠已八九，一遇此蜂，千歲一生珠也。珠漸輕細，昭王常懷握此珠，當隆暑之月，體自輕涼，號曰銷暑招涼之珠也。拾遺記。

燕昭王種長春樹，葉如蓮花，樹身似桂樹。花隨四時之色，春生碧花，春盡則落；夏生紅花，夏末則凋；秋生白花，秋殘則萎；冬生紫花，遇雪則謝。故號爲長春樹。述異記。

燕昭王二年，廣延國來獻善舞者二人，一名旋娟，一名提謨。並玉質凝膚，體輕氣馥，綽約而窈窕，絶古無倫，或行無跡影，或積年不飢。昭王處以單綃華幄，飲以瑞珉之膏，飴以丹泉之粟。王登崇霞臺，乃召二人來側。時香風吹起，二人徘徊翔轉，殆不自支，王以纓縷拂之，二人皆舞。容冶妖麗，靡於鸞翔，而歌聲輕颺。乃使女伶代唱其曲，清響流韻，雖飄梁動木，未足嘉也。其舞名縈塵，言其體輕，與塵相亂。次曰集羽，言其婉轉，若羽毛之從風。末曰旋懷，言其支體纏曼，若人懷袖也。乃設麟文之席，散荃蕪之香。香出波弋國，浸地則土石皆香，著朽木腐草，莫不鬱茂，以熏枯骨，則肌肉皆生。以屑噴地，厚四五寸，使二女舞其上，彌日無跡，體輕故也。時有白鸞孤翔，銜千金穟，穟於空中自生花，實落地即生根葉，一歲百穫，一莖滿車，故曰盈車嘉穟。麟文者，錯雜寶以飾席也，皆爲雲霞麟鳳之狀。昭王復以衣袖麾之，舞者皆止。昭王知其神異，處於崇霞之臺，設枕席以寢讌，遣侍人以衛之。王好神仙之術，玄天之女託形作此二人。昭王之末，莫知所在。拾遺記。

燕昭王七年，沐胥之國來朝。有道術人名尸羅，問其年，云百三十歲。發其國，五年乃至燕都。善衒惑之術，於其指端出浮屠十層，高三尺，諸天神人皆長五六分，列幢蓋，鼓舞繞塔，而又吹指上，浮屠漸入雲裏。又於左耳出青龍，右耳出白虎。拾遺記。

燕人長於楚，老而還，過晉，同行者紿晉之城，指曰：此燕國之城。其人愀然變容。紿指社曰：此若里之社。乃喟然而歎。指舍曰：此若先人之廬。乃泫然而泣。指壠曰：若先人墓。其哭不自禁。同行者啞然大笑曰：余等紿若，乃晉國耳。其人慚，及至燕國之城社，真見先人之廬冢，悲心更微。列子。

衛人能以棘刺之端爲母猴，燕王説之，養之以五乘之奉。王曰：吾試觀客爲棘刺之母猴。客曰：人主欲觀之，必半歲不入宮，不飲酒食肉，雨霽日出視之晏陰之間，而棘刺之母猴乃可見也。燕王因養衛人，不能觀其母猴。鄭有臺下之冶者，謂燕王曰：臣削者也，諸微物必以削削之，而所削必大於削。今棘刺之端不容削鋒，難以治棘刺之端，王試觀客之削，能與不能可知也。韓非子。

燕人李季好遠出，其妻私有通於士。季突至，士在內中。妻患之，其室婦曰：令公子裸而解髮，直出門，吾屬徉不見也。於是公子從其計，急走出門。季曰：是何人也？家室皆曰：無有。季曰：吾見鬼乎？婦曰：然。爲之奈何？曰：取五姓之矢浴之。季曰：諾。乃浴以矢。（韓非子。）

郢人有遺燕相國書者，夜書，火不明，因謂持燭者曰：舉燭。因而誤書舉燭。舉燭，非書意也。燕相受書而説之，曰：舉燭者，尚明也。尚明也者，舉賢而用之。燕相白王，大説，國以治。（韓非子。）

王次仲隱居范陽，變篆籀之體，始爲隸書。秦始皇既定天下，三詔之，使入秦，不至。復命使以檻車載之，次仲忽化以大鳥，翻然出車。使者驚拜曰：無復命，必見誅，惟神人憫之！鳥徘徊空中，拔墜三翮。使者得之以進。秦始皇悔恨，因名其地爲落翮山。（真仙通鑑。）

燕王旦在明光殿，欲入所卧户，三間盡閉。使使者二十人開户，户不開。（論衡。）

田疇，北平人也。劉虞爲公孫瓚所害，疇追慕無已，往虞墓設雞酒哭之，音動林野，翔鳥爲之悽鳴，走獸爲之悲吟。疇卧於草間，忽有人通云：劉幽州來，欲與田子泰言。疇神悟遠識，知是劉虞之魂，既進，而疇泣不自止，因相與進雞酒。疇醉，虞曰：公孫瓚購子甚急，竄伏避害。疇對曰：君臣之道，生則盡其義。今見君之靈，願得同歸九泉，骨且不朽，安可逃乎？虞曰：子萬古之高士也，深慎爾儀！奄然不見。而疇醉亦醒。

拾遺記。

盧充，范陽人。家西三十里，有崔少府墓。充年二十，於冬至一日，出宅西射，獵麞，中之。麞倒而起，充逐之，不覺遠。忽見道北高門瓦屋，四周有如府舍，不復見麞。門中一鈴下唱：客前！有一人投一襆新衣，曰：府君以遺郎。充著訖進見。少府語充曰：尊府君不以僕門鄙陋，近得書，爲君索小女爲婿，故相迎耳。便以書示充。父亡時，充雖小，然已識父手跡，卽歔欷不復辭。便敕内：盧郎已來，可使女莊嚴，既就東廊。至黄昏，内白：女郎莊嚴畢。崔語充：可至東廊。既至，婦已下車，立席頭，却共拜。時爲三日，給食。三日畢，崔謂充曰：君可歸，女生男當以相還，生女當留養。敕外嚴車送客，充便辭出。崔送至中門，執手涕零。出門，見一犢車，又見本所著衣及弓箭故在門外。充上車，去如電逝，須臾至家。母見問故，充悉以狀對。别後四年，三月充臨水戲，忽見旁有犢車，乍沉乍浮，既而上岸，同坐皆見，而充往開其車後户，見崔氏女與三歲男共載。女抱男以還充，又與金椀，並贈詩曰：煌煌靈芝質，光麗何猗猗！華豔當時顯，嘉異表神奇。含英未及秀，中夏罹霜萎。榮耀長幽滅，世路永無施。不悟陰陽運，哲人忽來儀。今時一别後，何得重會時！充取兒、椀及詩，忽不見。充後乘車入市賣椀，冀有識者。有一婢識此椀，還白大家曰：市中見一人乘車，賣崔氏女郎棺中椀。大家卽崔氏親姨母也。遣兒視之，果如婢言。乃上車，敍姓名，語充曰：昔我姨嫁少府，女未出而亡，家親痛之，贈以金椀著棺中。可説得椀本末。充以事對。此兒亦爲悲咽，齎還白母。母卽令詣充家，迎兒還。諸親悉集，兒有崔氏之狀，又復似充貌。兒、椀俱驗，姨母曰：我外甥也。卽字温休。温休者，是幽婚也。遂成令器，歷郡守。子孫冠蓋，相承至今。搜神記。

晉張華，生挺聰慧，好觀奇異圖緯之學，捃拾天下遺逸，自書契之始，考驗神怪及世間里閭所説，撰博物志四百卷，奏武帝。帝曰：卿才綜萬代，博識無倫。記事採言，多所浮妄，宜更删翦，無以冗長成文。昔仲尼删詩書，不及鬼神幽昧之事，不言怪力亂神，今見卿此志，驚所未聞，異所未見，將恐惑亂於後生，繁蕪於耳目也。可更芟截浮疑，分爲十卷。卽於御前賜青鐵硯，此鐵是于闐國所獻，而鑄爲硯。又賜麟角管，此遼西國所獻也。側理紙，萬番南越所獻也。南人以海苔爲紙，其理縱横斜側，因爲名焉。拾遺記。

張華爲太守，善易卦，下吏罪人畏之，不敢犯令。或當死者，悉放歸辭父母。時有一人犯盜處死，尅日欲誅，放歸辭別，限滿赴州就刑。其人在路號哭。經趙朔家，趙朔問：何故哭？答曰：某拙謀爲盜，犯法當死，昨蒙太守給假辭父母，限滿赴州就刑，所以悲泣。朔曰：何不逃去？答曰：使君明於易筮，前後逃者皆獲得，是以不敢違日。朔曰：

汝不用哭，吾令汝生，但用吾計，自當獲免。汝可取三遍到行，渡河卽取竹筒盛水三尺長，安於腹上，仍黄沙中卧三日，然後可還，終始擒汝不得也。其人一依朔言。至假滿，法司怪久違限，乃以名聞。華乃觀易，六卦成，斷曰：何故腹上水深三尺，背卧黄沙？此人必投水死，更不用尋也。其人經一年，改名姓處於鄉里，既脱其死，卽賫重賂酬於朔，朔一無受焉。搜神記。

燕惠王墓上有狐狸已經千餘歲，神變無比，世罕有之。聞晉司空張華博學多才，狐狸化爲二少年書生，才容奇美，乘馬而出墓前，過問華表神。謂曰：子欲何之？狸曰：我聞晉司空張華，博學多才，今欲詣門與之論談。木精曰：張司空之才，難可比也。若去，非但喪汝二軀，我亦遭累。狸曰：縱伊廣覽，豈能勝予？終爲之而旋爲累子矣。木精曰：實謂自貽伊戚，其可乎？不取吾言，終有悔日。狸不答而去，乃持刺謁華。華引入，談論三日不屈。華甚疑之：此必妖也。乃埽榻延留，留人防禦。時雷孔章來訪華，華以書生白之，此必妖異。孔章聞此語，忽然大笑曰：公爲國之棟梁，吐飡納士，賢者進用，不肖者黜退，何故妬賢嫉能，不以己之不才，而言人之妖異？如此爲天下笑耳！華益加防衛，勿遣東西。孔章曰：若疑之，何不呼獵犬試之？乃命犬以試，竟無憚色。狸曰：我之才智，天地産之，反以爲妖，以犬試我，遮莫千試萬慮，其能爲患乎？華聞益怒，曰：此必真妖也。乃曰：是百年之精，獵犬見之卽變，若千年之妖，以千年神木火照之卽變。章曰：千年神木，何由可得？華曰：世説燕惠王塚前有華表木，已經千年，發遞馬使，往取其木。使欲至木所，空中有一青衣小兒來，問使曰：君何來也？使曰：張司空忽有二少年，多才巧辭，疑是妖異，使我取華表照之。青衣曰：老狸不知，不聽我言，今日禍已及我，其可逃乎！乃發聲而泣，倏然不見。使乃伐其木，木中血流。使將木歸，照之，其精乃變，華乃烹之。搜神記。

王浚領幽州刺史，謡曰：幽州城門似藏户，中有伏尸王彭祖。晉書列傳。

王浚謀將僭號，有狐據虎門，翟雉入廳事。俄爲石勒所殺。册府元龜。

桃豹字安步，范陽人，少時以膽勇騎射稱，常攘臂大言曰：大丈夫遭魏太祖，不封萬户侯位上將者，非丈夫也。時類笑之。豹駡言：爾鼠子輩，安知君子豹變之志乎！從起中原，豹爲十八騎之雄，事勒甚恭。十六國春秋後趙録。

石勒既克薊城，問棗嵩曰：幽州人士，誰最可者？嵩曰：燕國劉翰德，素長者；北平無終陽裕，幹事之才。勒方欲任之，裕乃微服潛遁。晉書載記。

燕人龐世爲光禄勳，奏案豪强，苛刻人物，咸懼疾之。及卒，門無弔客。時人爲之謡曰：龐家巷，車轔轔，泥丸之日無弔賓。弔賓不來何所因？繇性苛刻寡所親。御覽四百六十五引崔鴻前秦録。

盧昌衡，字子均，小字龍子，沉靖有才識，風神淡雅，容止可法，博涉經史，工草行書。從弟思道，小字釋奴，宗中稱英妙。昌衡與之俱被推重，故幽州語曰：盧家千里，釋奴龍子。北史。

張鴻，范陽人也，仕慕容皝爲黄門郎，甚寵愛之。鴻頤下忽生鬚三根，長寸餘。皝由是不悦，乃遣出宫，使看鵝鴨。十六國春秋。

後魏延興初，文安縣人孫願，捕魚於五渠水，有羣魚自西而來，其以柴塞之。忽有人謂願曰：須臾當得大魚，若欲多求，宜勿殺也。願下網，果得大魚，狀如鯉，而頭大，殺食之。俄風雨晝昏，惟聞鳥飛聲，比風息雨霽，有人乘船至，云見羣魚無數飛入於海，願遂不復漁矣。因呼入海之處曰飛魚口。霸州朱志引三郡記。

太延元年，有鄙婦人持方寸印，詣潞縣侯孫家。既而亡去，莫知所在。玉色鮮白，光照内映，印有三字，爲龍鳥之形，要妙奇巧，不類人跡，文曰旱役平。魏書世祖紀。

後魏趙邕，爲幽州刺史，貪與范陽盧氏爲婚。女父早亡，其叔許之，而母不從。母北平陽氏，攜女至家藏避規免。邕乃考掠陽叔，遂至於死。陽氏訴冤，邕坐處死，會赦免。通志。

後魏王瓊女，適范陽盧道亮，不聽歸其夫家。女卒，哀慟無已，瓊仍葬之別所，冢不即塞，常於壙内哭泣，久之乃掩，當時深怪之。通志。

北齊漁陽王紹信，歷特進開府中領軍護軍，青州刺史。行經漁陽郡，有鉅富人鍾長命，紹信引與同坐，太守鄭道蓋來謁，長命欲起，紹信不聽，曰：何物小人，乃煩主人公爲起！乃與長命結爲弟兄，使其妃行家人禮，責長命贈賄百萬，鍾氏因此貧乏，齊滅，死於長安。通志。

江陵高偉，入齊，向幽州淀中捕魚，後病，每見羣魚齧之而死。顏之推家訓。

渤海封述，娶范陽盧莊之女爲息。述逕府訴云：送贏乃嫌脚跛，評田則云鹹薄，銅器又嫌古廢，皆爲吝嗇所及。每歲紛紜。北齊書。

開皇八年四月，幽州人家以白楊木懸竈上，積十餘年，忽生三條，皆長三尺餘，甚鮮茂。隋五行志。

燕榮爲幽州總管，性嚴酷，范陽盧氏代爲著姓，榮皆署爲吏卒，以屈辱之。嘗按部道次，見叢荆堪爲笞捶，命取之，輒以試人，人或自陳無咎，榮曰：後若有罪當免爾！及後犯細故將撾之，人曰：前日被杖，使君許有罪宥之。榮曰：無過尚爾，況有過耶！棒捶如舊。隋書。

李靖舞劍臺，靖往伐高麗，過此臺也。臺石特堅，後之人不可得鑿。有唐李從簡來遊，刻數字焉，字各徑五寸。嶺上一石如人著幞頭坐而叉腰，土人嘲之曰石尉遲。截江網。

河間邢文宗，家接幽燕客，稟性麤險。貞觀中，忽遇惡風疾，旬日之間，眉鬚落盡，於後就寺歸懺，自云：近向幽州路，逢一客將絹十餘匹，迴澤無人，因卽刦殺。猝遇一老僧，文宗懼事發覺，揮刃擬僧。僧叩頭曰：乞存性命，誓願終身不言。文宗殺之，棄之草間。二十餘日，行還過僧處，時當暑月，視之若生。文宗因下馬，以策築僧之口，口出一蠅，直入文宗鼻，久悶不出，因得大病，歲餘而死。冥報拾遺。

幽州人劉交，戴長竿高七十尺，自擎上下，有女十二，甚端正，於竿上置足跨盤獨立，觀者不忍，女無懼色。朝野僉載。

狄仁傑初令昌平，境多虎。邑有老媪，子入山樵，虎噬焉。媪待子爲命，痛子噬於虎，乃控之公。公爲檄山神，約日驅虎訊。至期，羣虎交集。公曰：若不皆噬媪子也，惟噬者留，否則去。一虎獨留。公曰：食人子，罪無赦。對衆殺之。昌平白羊城有神，能幻禍福，居民祠之，不祠且災，歲必祭，祭必以童男，弗敢恤也。仁傑廉知其事，獨往詣，則一白羊耳，拔所佩劍斬之，輒化爲龍氣飛去，因毁其祠，民不復祭，終亦不復有災。昌平舊志。

開元初，范陽盧融，病中獨卧，忽見大鳥自遠飛來，俄止庭樹，高四五尺，狀類鶚，目大如杯，嘴長尺餘，下地上階，頃之入房登牀，舉兩翅，翅有子持小鎗，欲以擊融，融伏懼流汗。忽復有人從後門入，謂鳥云：此是善人，慎勿傷也。鳥遂飛去，人亦隨出。融疾自爾永差。廣異記。

開元中，有幽州衙將姓張者妻孔氏，生五子而卒。後妻李氏悍戾，虐遇五子，日鞭捶之。五子不堪其苦，哭於母墓前。母忽於塚中出，撫其子，悲慟久之，因以白布巾題詩贈張曰：不忿成故人，掩涕每盈巾。死生今有隔，相見永無因。匣裏殘粧粉，留將與後人。黄泉無用處，恨作塚中塵。有意懷男女，無情亦任君。欲知斷腸處，明月照孤墳。五子得詩，以呈其父，其父慟哭，訴於連帥，帥上聞。敕：李氏决一百，流嶺南，張停所職。本事詩。

清河崔廣宗，開元中爲薊縣令，犯法，張守珪梟其首。形體不死，舁歸，飢即畫地作飢字，家人進食於頸孔中，飽卽書止字。家人等有過犯，書令决之。如是三四歲，世情不替，更生一男。一日書地曰：後日當死。如其言。廣異記。

唐張守珪之鎮范陽，檀州密雲令有女年十七，姿色絶人，女病踰年，醫不愈。密雲北山中有道者，衣黄衣，在山數百年，稱有道術，令自至山請之。道人既至，與之方，女病立已。令喜，厚其賫財。居月餘，女夜卧，有人與之寢而私焉。其人每至，女則昏魘，及明人去，女復如常。如是數夕。女懼，告母，母以告令，乃移床近己，夜而伺之，覺床動，掩焉，擒一人。遽命燈至，乃北山道者。令縛而訊之，道者泣曰：吾命當終，被惑乃爾。吾居北山六百餘載，未嘗到人間，吾今垂千歲矣。昨蒙召殷勤，所以到縣，及見公女，意大説之，自抑不可，於是往來。吾有道術，常晝日能隱其形，所以家人不見。今遇此厄，夫復何言！令竟殺之。紀聞。

幽州石老者，賣藥爲業。年八十，忽腹大，十餘日不食，惟飲水而已，其疾猶扶持而行。比明，其子號泣，呼四隣云：適來有病，白鶴入吾父室中，吾父亦化爲白鶴，同飛去矣。遂指雲中白鶴，擗地號呼。人異而觀之，皆焚香禮拜。節度使李懷仙差兵馬使朱希來驗，見室中有穿紙格出入處，逼問人，四鄰皆言石老化爲白鶴飛去，翔翥雲間。移時節度使賜絹一百匹、米一百石與石老子家，遠近傳石老得仙。太乙宫道士段常著續仙傳，備載石老升仙事。月餘，其子與鄰人争鬬，官中訊鞫，乃爲分絹不平。云：石老病久，其夕奄忽將終，其子以木貫大石，縛父屍沉於桑乾河水，妄指雲中白鶴是父。州縣復差人檢驗子所説沉水處，澇漉得屍，懷仙遂杖殺其子。辨疑志。

益州刺史張全，養一駿馬，甚保惜之，惟自乘跨，每令二人曉夕以專飼飲。一日，馬忽化爲婦人，立於廄中。左右遽白張公，公親自察視。婦人前拜而言曰：妾本是燕中婦人，因癖好馬，每睹之必歎美其駿逸。後數年，自醉倒，俄化成馬，遂奔躍南走，近將千里，被一人收之，以至君廄中，幸君保惜。今偶自追恨，淚下入地，神奏於帝，遂命還復爲人。思往事如夢覺。公大驚異，安存於家。經十餘載，婦人忽爾求還鄉，張公不允，婦人仰天號叫，自撲，忽化爲馬，突而出，不知所之。瀟湘記。

沛國劉洪，性剛直，薛楚玉之在范陽，召爲行軍。洪隨之薊，因得給事楚玉，楚玉説之。楚玉補屯官，洪請行。檀州有屯曰太和，住者輒死，屯遂荒廢，洪乃請爲之。楚玉以凶難之。洪曰：妖由人興，妖不自作。洪且不懼，公何惜焉？楚玉遂以爲太和屯官。洪將人吏到屯，屯有故墟落，洪依之架屋。匠人方運斧而度，木自折舉，擊匠人立死。洪怒，叱吏卒，扶匠人起，而笞之，詢曰：汝是何鬼？吾方治屯，汝則千之，罪死不赦！笞數發，匠人言説：願見寬恕。吾非前後殺屯官者也。殺屯官者，自是輔國將軍，所居去此不遠，吾乃守佛殿基鬼耳。此故墟者，舊佛殿也，以其淨所，故守之。吾因爲人有罪，配守此基。基與地平，吾方得去，今者來，故訴於公。公爲平之，吾乃去爲人矣。洪曰：汝言輔國不遠，可卽擒來。鬼曰：諾。須臾，匠人言曰：劉洪，吾輔國將軍也。汝爲人强直，兼有才幹，吾甚重之，將任汝職，今當辟汝，卽大富貴矣，勉之。因索紙作詩二章。其匠人，兵卒也，素不知詩，及其下筆，書跡特妙，可方王右軍。薛楚玉取而珍之。其詩曰：烏烏在虚飛，玄駒遂野依。名今編户籍，翠過葉生稀。其二章曰：箇樹枝條朽，三花五面啼。移家朝度日，誰覺□□□。詩成而去。匠人乃屯屬役。數日疾甚，舁至范陽，其父謁名醫，薛亦會疾，洪語如常，而二人密冷氣侵，未幾乃卒。洪初得鬼詩，思不可解，及卒，皆黑，遂以載棺，名今編户籍。蓋洪名生稀者，言洪死像也。其二章箇樹枝條朽，故條枝朽也。三花五面啼者，洪家有八口，洪又二人亡，所謂三花也。五人哭之，所謂五面啼。洪死後二十日，故吏野外見洪，紫衣，從二百騎，神色甚壯，告吏曰：吾已爲輔國將軍所用，大富貴矣。今將從騎向都迎母。母先在都，初，洪舅有女，養於劉氏，年與洪齒，嘗與洪言曰：吾聞死者有知，吾二人，先死必擾亂存者，使知之。是日，女在洪母前行，忽有引其衣者，令不得前，女怪之，須臾得前，又引其巾，取其梳，如相狎者。洪母驚曰：汝存日嘗有言，須來在軍，久絶書問，今見死乎？何與平生言協也？母言未畢，洪卽形見庭中，衣紫金章，僕從多至，母問曰：汝何緣來？洪已富貴，身亦非人，福樂難言，故迎母供養。於是車輿皆進，母則昇輿，洪乃侍從遂去。去後而母殂。其見故吏時，亦母殂之日也。太平廣記。

朱滔括兵，不擇士旅，悉令赴軍，自閲於毬場。有士子容止可觀，進趨閑雅。滔召問之曰：所業者何？曰：學爲詩。問：有妻否？曰：有。卽令作寄内詩。援筆立成，辭曰：

握筆題詩易，荷戈征戍難。慣從鴛被暖，怯向雁門寒。瘦盡寬衣帶，啼多漬枕檀。試留青黛著，回日畫眉看。又令代妻作答。曰：蓬鬢荆釵世所稀，布裙猶是嫁時衣。胡麻好種無人種，合是歸時底不歸？滔遺以束帛，放歸。按：唐詩紀事，計有功紀事云，河北人洪景盧萬首唐人絶句作幽州士子詩。

唐乾符末，范陽人李全忠，爲棣州司馬。忽有蘆一枝生於所居之室，盈尺三節焉。心以爲異，以告别駕張建章。建章曰：昔者蒲洪，以池中蒲生九節爲瑞，乃姓蒲，後子孫昌盛；蘆者茅也，合生陂澤之間，而生於室，非其常也，君後必有分茅之貴，三節者，傳節鉞三人，公可誌之。北夢瑣書。

李匡威，少年好勇，不拘小節，以飲博爲事，漁陽士子多忌之。曾一日，與諸游俠輩釣於桑乾赤欄橋之側，自以酒禱曰：吾若有幽州節制分，則獲一大魚。果釣得魚長三尺，人甚異焉。北夢瑣言。

斐旻爲龍華軍使，守北平。北平多虎，旻善射，常一日斃三十有一。既而於山下四顧自矜，有老父至曰：此皆彪也，似虎而非，將軍若遇真虎，無能爲也。旻曰：真虎安在？老父曰：自此而北三十里，往往有之。旻躍而往，次叢蒲中，果有一虎騰出，狀小而勢猛，據地一吼，山石震裂，旻馬辟易，弓矢皆墜，殆不得免。自此慚懼，不復射虎。國史補。

張建章爲幽州行軍司馬，後歷郡守，好經史，聚書至萬卷，所居有書樓。曾賚府戎命往渤海，遇風濤，乃泊其船。忽有青衣泛一葉舟而至，謂建章曰：奉大仙命，請大夫。建章乃應之，至一大島，見樓臺巍然，中有女仙，侍翼甚嚴，器食皆建章故鄉之常味也。食畢，告退。女仙謂建章曰：子不欺暗室，所謂君子也。勿患風濤之苦，吾令此青衣往來導之。及還，風濤寂然，往來皆無所懼。又回至西岸，經太宗征遼碑，半在水中，建章則以帛包峻屑置於水中，摸而讀之，不失一字。薊門之人，皆能說之。北夢瑣言。

幽州從事温璉，燕人也，以儒學著稱，與瀛王馮道幼相善。曾經兵亂，有賣漆燈椀於市者，璉以爲鐵也，遂數錢買之。累日家人用然膏燭，因拂拭，乃知銀也。大小觀之，靡不欣喜。惟璉憫然曰：非義之物，安可寶之？遂訪其賣主而還之，彼曰：某自不識珍奇，鬻於街肆，郎中厚加酬置，非强買也，不敢復收。璉固還之，乃拜受而去。別賣四五萬，將其半以謝之。璉終不納，遂施於僧寺，用飾佛像，冀祝璉之壽也。當時遠近罔不推服，以其有仁人之行。後官至尚書侍郎卒。劉氏耳目記。

劉仁恭爲幽州節度使。仁恭微時，曾夢佛幡於手指飛出，或占曰：君年四十九，必有旌幡之貴。後如其夢。册府元龜。

幽州劉守光，錢面文曰應天元寶，背曰万。泉志。

趙王鎔，命馬彧使於燕，劉守光命韓定辭館之時，燕之酒伎轉轉者，一代名姝，韓之所眷也，每當酒席，馬頻目之。韓曰：昔文公分叔隗於趙衰，伯符輟小喬於公瑾，蓋爲名色可奉名人，所慮倡婦不勝賢者顧矚，願垂一詠，故得奉之。彧卽題命文，筆不停輟，作轉轉之賦，其首曰：玳筵既啟，雅樂斯陳。霧卷羅幕，花攢錦茵。有西園之上客，命南國之佳人。邈逞嬋娟，縱玉韻而傾國；步移縹緲，蹴羅襪以生塵。遂載以歸。五代詩話。

遼太祖援石晉，自潞州迴入幽州，幸大悲閣，指白衣觀音像曰：我夢神令送石郎爲中國帝，卽此也。遼史。

五代時，南北分據，限以疆界，幽燕之地鹽絶者歲餘，百姓病之。忽有姥語人曰：此地可煮土成鹽。遂教以煮法，不數日，俄失所在。居人神之，謂爲聖母，後有人新其像。越日忽報臺南十里，皎白如雪，約十數頃，厚積寸餘，趨視之，則皆鹽也。居民競收之，名曰瑞鹽。甯河關志。

幽薊數州，自石晉敗入戎後，懷中華不已，有使北者，見燕中傳舍，壁畫墨鴉甚工，旁題詩云：星稀月明後，皆欲向南飛。五代詩話。

竇禹鈞，家豐，年三十無子，夜夢亡祖、亡父聚謂之曰：汝早修行，緣汝無子，又壽不永。禹鈞唯諾。禹鈞爲人素長者，先有家僮盜用房錢二百千，慮事覺，有女年十二三，自寫券繫女臂云：永賣此女與本宅，償所負錢。自是遠遁。禹鈞見而憐之，卽焚券，以其女屬妻曰：善撫養之。既，並以二百千擇良配，得所歸。後僕聞之乃還，感泣，訴以罪。禹鈞不問。由是父子圖禹鈞像，晨興祝壽。嘗因元夕往延慶寺，於後殿階側得遺銀二百兩、金三十兩，持歸，明日侵晨詣寺，候失物者。須臾，一人果泣涕而至。禹鈞問之，對曰：父罪犯至大辟，徧懇親知，貸得金銀，將贖父罪；昨暮以一親置酒，酒昏，忽失去，今父罪不復贖矣。禹鈞驗其實，遂同歸，以舊物還之，加以憫惻，復有贈賂。同宗外有一喪不能自舉，爲出錢葬之。由禹鈞而葬者，凡二十七。喪孤遺女及貧不能嫁，爲出錢而嫁之。由禹鈞而嫁者，凡二十八人。故舊相知，雖有一日之雅，遇其窘困，必擇其子弟可委以財者，隨多寡貸以金帛，俾之販鬻。由禹鈞活族者數十家。禹鈞每量歲之出入，除伏、臘供給外，皆以濟人之急，家惟儉素，無金玉之飾，室無衣帛之妾，於宅南建書院四十間，聚書千卷，禮文行之儒，延致師席，凡四方孤寒之士，無供頓者，咸爲出之，無問識與不識，有志於學者，聽其自至，故其子見聞益博。由禹鈞之門登貴顯者，前後接踵求拜禹鈞門，必命左右扶公坐，受其禮。及亡，蒙恩深者有持心喪三年以報遺德。其後，復夢亡祖、亡父告之曰：汝三十年實無子，壽且促，嘗告汝。今汝數年以來，名掛天曹，陰府以汝有陰德，特延算三紀，賜五子，各顯榮，仍以福壽而終，後當留洞天，充真人位。言訖，復謂曰：陰陽之理，大抵不異，善惡之報，或發於見世，或報於來生，天網恢恢，疎而不漏，此無疑也。禹鈞愈積陰功，年八十二，沐浴別親戚，談笑而卒。世稱教子者，必曰燕山竇十郎云。范文正公竇諫議事跡記。

太宗征幽州，曹翰爲東路濠寨總管，善風角。一夕角聲送風至帳，翰促令環帶，曰：寇至之兆也。未幾果然，大敗寇兵於城下。玉壺清話。

曹翰所部攻城之東南隅，卒掘土得蟹以獻，翰謂諸將曰：蟹，水物而陸居，失所也。且多足，虜救將至，不可進拔之象，其班師乎！已而果然。東都事略。

肅王與沈元用同使虜，館於燕山愍忠寺。暇日無聊，同行寺中，偶有一唐人碑，辭皆偶儷，凡三千餘言。元用素强記，卽朗讀一再。肅王不視，且聽且行，若不經意。元用歸，欲矜其敏，取紙追書之，不能記者闕之，凡闕十四字。書畢，肅王視之，卽取筆畫補其所闕，無遺者，又改元用謬誤四、五處，置筆他語，略無矜色。元用駭服。陸游老學庵筆記。

范仲淹以言事去國，余靖論救之，尹洙請與同貶，歐陽修移書責司諫高若訥，皆坐謫。蔡襄作四賢一不肖詩，都人士争相傳寫，鬻書者市之，得厚利。契丹使適至，買以歸，張於幽州館。宋史蔡襄傳。

蘇子由爲賀遼生辰國信使，在元祐四年八月，子瞻有詩送之。既至，國人每問：大蘇學士安否？子由經涿州寄詩曰：誰將家譜到燕都？識底人人問大蘇。莫把聲名動蠻貊，恐妨他日臥江湖。子瞻得詩，韻云：氈毳年來亦甚都，時聞鴃舌問三蘇。那知老病渾無用，欲向君王乞鑑湖。聞曩時有刻石於使館者，今無存矣。陸嘉淑辛齋詩話。

張芸叟奉使大遼，宿幽州館中，有題蘇子瞻老人行於壁間者，聞范陽書肆亦刻子瞻詩數十篇，謂之大蘇集。張芸叟蠅水燕談録。

淳化中，范至能使北，在燕京會同館，守吏微言有羈留之議，乃賦詩曰：萬里孤臣致命秋，此身何止一浮漚？提攜漢節同生死，休問羝羊解乳不。鶴林玉露。

洪皓使金，不屈，被留，永祐陵崩於五國城，皓於燕山開泰寺爲文祭太上皇曰：千歲厭世，莫逐乘雲之仙；四海遏音，同深喪考之戚。況故宮爲禾黍，改館徒饋於秦牢；新廟游衣冠，招魂但歌於楚些。雖置河東之賦，莫止江南之哀。遺民失望而痛心，孤臣久縶唯謳血。伏願盛德之祀，傳百世以彌昌；在天之靈，繼三后而不朽。故臣讀之，無不流涕。宋詩紀事。

先公在燕山，赴北人張總侍御家集，出侍兒佐酒。中有一人，意狀摧抑可憐。叩其故，乃宣和殿小宮姬也。坐客翰林直學士吴激作詞云：南朝千古傷心地，還唱後庭花。舊時王謝堂前燕子，飛入人家。恍然在遇，天姿勝雪，宮鬢堆鴉。江州司馬，青衫淚溼，同是天涯。詞名人月圓，聞者揮淚。容齋隨筆。

張維，字正綸，燕山三河人。家君初出使至太原，維以陽曲主薄館伴。嘗言，宣和乙巳，同邑有郫民頗知書，以耕爲業，年六十餘。一夕，驚魘而覺，戰栗不自持，謂其妻曰：吾命止此矣。妻驚詰其故。曰：適夢行田間，見道上有七騎，内一白衣，乘白馬，怒謂我曰：汝前身爲唐蔡州卒，吴元濟叛，我以王民治塹，爲汝所殺，我銜恨久矣。今方得見，雖隔世，猶當償我命，引弓射我心，因顛仆而寤。吾必不免，明日當遠竄，以避此患。妻云：夢耳，安足信？汝妄思所致。民益恐，未旦而起。其家甚貧，令小孫攜被，欲往六十里外一親故家避之。行草徑三十餘里，方出官道，有二十里許，遇數人同行。忽有騎馳至，連叱衆住，行者皆止。此民迴視，正見七騎内一白衣人，騎馬，宛如夢中所見。因大駭，絶道奔走，騎厲聲呵止之，不聽，白衣大怒曰：此煞可惡人。遂鞭馬逐之，引弓射心，應弦而斃。夷堅志。

遼季年，常勝軍校龐太保妻耶律氏，詣燕山樂先生卜肆問命。卦成，樂驚曰：平生所閲人，無如婦人之貴，非后妃不足以當之。今服飾若此，何也？耶律笑曰：吾夫一營卒耳，近以微功，方遷隊首，猶未免飢寒，安望王侯！樂曰：夫人不大貴，吾當焚五行之書。既而金滅遼，首領烏珠至燕，見耶律氏美，納之，而殺其夫，後封越國王妃。妃方頤修頷，權略過男子，烏珠驚畏之。先公在燕時，熟識其狀。夷堅志。

予憩燕京會同館，有梁大使者，先朝内侍官也，入館傳旨，賜金瀾酒二瓶銀魚、牛魚二盤。瓶、盤皆金銀爲之，升龍交錯，形製甚精古，且並令留之。古樂府日月穆穆，以金波、金瀾之名，其取諸此乎？然金瀾，金運其將闌也。銀魚，長尺餘，比南方者尤大。牛魚，出混同江，其大如牛，或云可與牛同價，故名。又燕中暑月，於冰窖造御酒甚清洌，使至，嘗被賜。女真人多釀糜爲酒，醉則殺人。盛饌以雁粉爲貴，以木枓貯之，其瀋黑色，以生葱、蒜、韭之屬置於上，臭不可近。又俗重茶食。阿骨打開國之初，尤尚此品，若中州餅餌之類，多至數十種，用大盤累飣高數尺，所至供客，賜宴亦用焉。一種名金剛鐲，最大。宋詩紀事。

宛平張孝善，有子曰合得。大定十二年三月旦，以疾死，至暮復活，云：本是良鄉人王建子喜兒。而喜兒前三年已死。建驗以家事，能具道之。尚書省奏，此蓋假屍還魂，擬付建爲子。上曰：若是則姦倖小人，競生詐僞，黷亂人倫，止付孝善。金五行志。

王啟，字希畢，大興人，正隆二年進士。章宗即位，遷工部侍郎，即以河南北路提刑使拜吏部尚書使宋。使還，出爲絳陽軍節度使，致仕還鄉里，與左丞董公、參政馬公、宣徽盧公、尚書郭公爲九老督。中州集。

趙質，字景道，遼相思温之裔，大定末舉進士不第，隱居燕城南，教授爲業。明昌間，章宗游春水，過焉，聞絃誦聲，幸其齋舍，見壁所題詩，諷詠久之。召至行殿，命之官，固辭，曰：臣僻性野逸，志在長林豐草，金鑣玉絡，非所願也。上益奇之，賜田畝千，復之終身。金史隱逸傳。

大定末，武清人趙士銓，商販西京，每過白登，多宿張孝通家，其妻私焉。孝通知，陰圖之。一日，乘士銓醉，與其子定國縊殺之，投屍野中。士銓久不歸，子來白登訪之。孝通先與店户白忠友有讐，私告趙子，云：汝父去向，白忠友宜知之。趙子訴官，官繫忠友，訊掠，不勝苦楚，雖已誣服，而獄終不決。明昌初，白妻訴於朝。朝差賈公守謙往廉之。賈密訪縣人，人有言一異事云：張孝通及其子驅一騾往某處，憩於道旁樹下，騾逐草而逸。定國怒，鞭之，騾忽人語云：你殺趙客，更來打我？父子相顧失色。他日孝通婦汲水飲騾，騾又語云：你殺人，却寃白家。孝通父子恐語泄，謀殺之以滅口，而縣人無不知者。賈公以是歸報朝廷，隨差刑部員外孫某馳驛至縣，收孝通父子，一問即承。人知神理之不可誣也。賈公仕至右丞。續夷堅志。

武清張瀶，幼有志節，慕荆軻、聶政爲人，年三十始折節讀書，時人高其行誼，目曰張古人。金史孝友傳。

吕卿，字祥卿，大興人，刺汝州，一月而罷，題詩望嵩樓，有珍重樓中舊山色，好將眉黛事新官。未幾物故，人以爲詩讖云。續夷堅志。

從舅張伯達，知徵飛卿翱，崇慶二年正月，同赴省試。所挈僕夫，戲以王興目之者，宿迎鑾坊，夜起便，旋足纔出門，見對街一鬼，青面赤髮，目光如炬，腕懸一劍而坐，旁一卒侍立，獰惡尤可怖，興大叫而仆。三四時許乃甦，問之，言所見如此。續夷堅志。

大安末，都城頻歲大火，凡被焚之家，或牆壁間先有朱書字記之，尋卽火起，互相訪，無不然者凡延燒三數萬家。市中佛閣，自唐日有之，遼人又謂之護國仁王佛壇千手眼大悲閣，字虞世南所書。及閣被焚，衛紹王有旨，令救世南書牓，顧盼中已無及矣。識者謂護國壇被焚，不祥之甚。不一年，遂有虎賊弒逆之禍。續夷堅志。

京師法雲寺僧律師，失明數年，夢中有人授一方治内外障，但瞳神水在者，皆可療焉。蔓菁子二兩，枸杞、蒺藜、甘菊、荆芥穗各一兩，當歸、地黄、川芎、赤芍藥、防風各一兩半，十一味末之，水麪糊丸，桐子大，空腹食前，温水下三二十丸。僧服之，目復明，因目曰夢靈丸。續夷堅志。

燕都廟學有夾銅鼎焉，高二尺，受數斛，篆有離明神鼎養火六字，後歸裕陵，竟不曉古人作何用也。續夷堅志。

持嘉君實，女真人，居燕城，畫竹學劉自然，頗有意趣。圖繪寶鑑。

澤州李俊民用章，舉承安五年進士第一。金亡後，其同年三十三人，惟高平趙楠僅存，又挈家之燕京，俊民感舊游，以詩題登科記後云：試將小録問同年，風采依稀墮目前。三十一人今鬼録，與君雖在各華顛。又云：君還攜幼去幽燕，我向荒山學種田。千里暮鴻行斷處，碧雲容易作愁天。録中張儒卿介甫，晁李中寳臣，伯德維公理，孔天昭文安，王毅知剛，趙銖敬之，皆中都大興府人。函山旅話。

元裕之寄書耶律中書，薦當時士大夫在河朔者：固安李天翼，漁陽趙鑄，燕人張舜俞、曹居一、王鑄，且曰：凡此諸人，雖其學業操行參差不齊，要皆天民之秀，有用于世者也。按：虞文靖學古録：有田氏先友翰墨序，稱彰德田師孟緝，其先友手翰中有劉伯熙字善甫，曹居一字通甫，趙著字光祖，俱燕人，其稱著曰大俠。按：元集作鑄者字才卿，別是一人也。函山旅話。

國初，宋丞相文文山被執至燕京，聞軍中之歌阿剌來者，驚而問曰：此何聲也？衆曰：起於朔方，乃我朝之歌也。文山曰：此正黃鐘之音也，南人不復興矣。蓋音雄偉壯麗，渾然若出於甕。至正以後，此音凄然，出於唇舌之末，宛如悲泣之音，又尚南曲齋郎、大元强之類，皆宋衰之音也。元孔齊至正直記。

今順天府學，因宋丞相義盡之柴市，祠丞相學宮中，曰教忠坊。廬陵人祠丞相學外，曰懷忠會館。按：公授命，至元壬午十二月初九日，風沙晝晦，宮中皆秉燭行，百官入，亦秉燭前導。世祖以問天師張，悔之，贈特進金紫光禄大夫、太保、中書、平章政事、廬陵郡公，謚忠武。命積翁書神主，洒埽柴市，設壇祀。丞相博囉行初奠禮，旋風起，捲神主雲中。雲中雷啍啍如怒聲，晝逾晦。乃改前宋少保、右丞相、信國公，天乃霽明。歐陽夫人從東宮得令旨收公。江南十義士，舁稾都城小南門外五里道傍，誌其處。大德二年，繼子陞至都，順城門内，見石橋織綾婦人。婦，公舊婢緑荷也，爲陞語。劉牢子乃引到舊處，大、小二僧塔，其大塔小石碑刻信公二字，舊塔南石址焉。至元二十年，歸葬廬陵。帝京景物略。

世祖築京城，開基得一巨穴，内有紅頭蟲數萬。世祖問劉秉忠曰：此何祥也？秉忠曰：異時代國家者乃此物也。續弘簡録。

自世祖崇帝師八思巴，卽於殿上置白繖一頂，泥金書梵字於其上，每歲二月望日迎繖，周遊皇城，撥鼓手百二十人，殿後軍五百人，雜用五百人，宣政院所轄宦寺三百六十，掌供幢幡、寶蓋，凡三百六十壇，每壇擎執二十六人，鈸鼓僧十二人，大都路掌供金門大社百二十隊，教坊司雲和署掌供大樂四百人，興和、祥和二署掌雜扮男女角戲三百人，儀鳳司掌漢人、回鶻，河西三種細樂各三隊，凡三百二十四人，諸執役者，皆官給鎧仗袍服，出宮由西宮門外垣海子南岸，至厚載門、東華門，過延春門而西。帝及后、妃、公主，結綵樓觀焉。仗衛之侈，雖郊壇鹵薄不過也。陔餘叢考。

元初，京師禪學分萬松、延洪二門。比邱尼智公，參萬松者也。耶律楚材因請其開堂，住報先寺。析津日記。

元貞丙申秋，大都南城武仲祥家，有乳犬懷胎，在脅下忽瘇成瘡，六七日後，於瘡生五子，色皆青蒼，每當脊梁自頂至尾生逆毛一道，又數日，瘡亦平復。輟耕録。

廉右丞園，名花萬本，號爲京城第一。時營繕東宮，工部請曰：牡丹名品，惟相公家，乞移置數本，太子知出廉公家矣。公曰：若出特命，雖先業一無所靳，我早事聖主，備位宰相，未嘗曲丐恩澤，方爾病退，顧以花求媚耶？請者愧止。宸垣識略。

白雲平章求仙於燕京西山頂，一日適出，滕玉霄訪之不值，因戲題于壁曰：西風短褐吹黃埃，何不從我遊蓬萊？振衣長嘯下山去，後夜月明騎鶴來。竟不留名。白公疑吕仙過之，朝野輻輳，寵賚山積。後知爲玉霄題，白雲公戒以勿泄，厚貺之。宸垣識略。

漁陽鮮于樞伯機，於廢圃中得怪松一株，移置所居旁，名之曰支離叟，名其齋曰困學，又作霜鶴堂。落成之日，會者凡十有二人，楊構、趙名叔、郭右之、燕公楠、高彦敬、李仲賓、趙子昂、子俊、張師道、石民瞻、吴和之、薩天錫。研北雜志。

燕京昔有一雄象甚大，凡傷死數人，官吏欲殺之，不得已，乃明其罪，象遂弭帖就殺，凡得象油四十八大甕。癸辛雜識。

燕士張文季，讀書不求官，治生不務富，稍有贏餘，卽購求古器書畫。仙露寺僧寶藏商鼎有年，不惜百金易而得之。王秋澗惲爲作商鼎歌云：兩耳高撐足拱三，六乳附觚何的歷。饕餮繞腹雜雷紋，紫翠英英悵猶溼。細觀欵識商父丁，崑玉南金非所惜。宸垣識略。

大都玉馬坊耿氏，石獅猛水出如霧，予時爲御史，目睹其事，耿出微賤，而遽當台鉉，不祥之極也。秋澗集。

李仲賓希衎，父少孤貧，居燕城中。荒地多枸杞，一日踰隣寺頹垣，往采杞子，日正午，方行百餘步，忽迷失故道，但見廣沙莽莽，非平日經行境界，心甚異之，舉頭見異色，昏猶能認大悲閣爲所居之地，遂向日南行，循閣以尋歸路，忽見一壯夫，白帶方巾，步武甚健，厲聲問：往何方？方錯愕間，遽以手捽其胸。李素多力善搏，急用拳捶之，其人仆，已失其首。心知爲鬼物。然猶踉蹌相向，李復以拳仆之，隨仆隨起者十餘次，其人遂怒而去。既稍前，則無首者踞坐大石上以俟，意將甘心焉。然路所必經，勢不容避，忽記腰間有采杞之斧，遂持以前。其人果起而迎之，遂斧其頸，鏗然有聲，乃在青石上，其人寂然不見。乃私識其處而歸。家人見其神采委頓，問之，則不能語。越宿，方能道所以，遂偕數人往訪其處，果有斧痕在石上，遂啟其石，下乃智井，井中皆枯骨也。詢之，蓋亡金兵亂中死者，遂函其骨遷窆他所，後亦無他。癸辛雜識。

李仲賓云：向在燕，爲太常令史，太常官廨向爲大興獄，聞有物怪，往往能殺人。時年少氣壯勇，方秋初，一夕守宿官舍，一僕自隨，亦以暑甚出外舍，遂獨據炕酣寢。至夜半，忽房門軋然有聲而開。驚覺，則胸前憒悶若壓氣，不甦醒。極力微開目，見一人黑色，乘月率率有聲而前，既進復退。於是恐甚，極力瞠目起坐，則房門未嘗啟也。頃之，其人復來。思有以禦之，適無他物，僅有皮靴一雙於其前，俟其稍近，以靴擲之，劃然有聲，如雉鳴，用手斜拉窗眼而去。至曉觀之，其手拉窗處，每窗眼皆圓竅數十，破處皆如一，紙雖破而不脱，竟不知爲何怪也。癸辛雜識。

至正二十七年，宫牆外長慶寺所掌成宗鄂爾多内大槐樹，有龍纏其上，良久飛去，樹皮皆剥。元五行志。

槜李顧淵白入京獻燕都賦，翰長元公復初不喜，曰：今大朝四海一統，六合一家，燕蓋昔時戰國名，何燕之稱？慚恨而歸。輟耕録。

燕人王鐸字振之，嗜古成癖，慕米元章爲人，以賂求爲襄陽令，後果得之，號王襄陽。研北雜志。

聖朝建都燕山，民物日富。八九十歲翁，朝廷優之，歲時得升殿上，上皇帝壽。每大朝會，百官衣朝服，鞠躬以進，視班次惟謹，毋敢越尺寸。而諸耆老高幘博褐，從容暇豫，以齒後先，門者不加誰何，俟百官退，乃陟峻陛，承清光歸而娛嬉井陌。大駕出宮，則龐眉黄髮，序勾陳環衛間，見者咸曰：樂哉太平之民也！張進中居京師有年，耆老之一。進中字子正，善爲筆，管以堅竹，毫以鼬鼠，極精鋭宜書，人争售之。淇上王仲謀，上黨宋齊彦，吴興趙子昂，皆與之善。尚方時有所需，非進中所爲者不用也。進中自持筆以入，必賜以酒。年益高，被璽書蠲其徭役，至八十以終。延祐七年，葬宛平縣岡村。文翰類選。

姚文公爲承旨，一日玉堂燕集，聲伎畢奏。有真真者，操南音，公疑而問之。泣對曰：妾建甯人，西山之苗裔也。父司筦庫於濟甯，坐盜用官財，賣妾以償，遂流落娼家。公憫之，遣使白丞相三寶努爲落籍，且謂翰林屬官王棣曰：汝無妻，以此女配汝，吾卽其父也。貲裝皆出于公。棣字棣華，後官至翰林待制。篔谷筆談。

樊事真，京師名妓也。周仲宏參議嬖之。周歸江南，樊飲餞于齊化門外。周曰：别後善自保持。樊以酒酹地曰：妾若負君，當刳一目謝君子。亡何，有權豪子來，爲母所逼。後周來京師，樊曰：非不保持，卒爲豪勢所逼，昔日之誓，豈徒設哉！乃抽金篦，刺左目，流血遍地。好事者編雜劇曰樊事真金篦刺目。青樓集。

至元三年夏，大都桑果葉皆有黃色龍文。元史五行志。

至元五年，京師童謠云：白雁望南飛，馬扎望北跳。至正十五年，京師童謠云：一陣黃風一陣沙，千里萬里無人家。此皆詩妖也。同上。

李嘉謨以口役部發歲，運至元都，嘗夜對月獨歌曰：萬里倦行役，秋來瘦幾分。因看河北月，忽憶海東雲。夜靜，聞隣婦有倚樓泣者，明日訪其家，則宋舊宮人金德淑也。因過明之。德淑曰：客非昨暮悲歌人乎？李答曰：昨所歌詩，實非己作，有同舟人自杭來，每吟此句，故能記之爾。德淑泣曰：此亡宋昭儀黃惠清寄汪水雲詩，我亦宋宮人也。昭儀舊同供奉，極相親愛，今各流落異鄉，彼且爲泉下人矣。夜聞君歌其詩，不勝悽感。因言：當日吾輩皆有詩贈水雲。乃自舉所作望江南詞，歌畢，又泣下。金姬別傳。

張怡雲能詩詞，善諧笑，名重京師。趙松雪、商正叔、高房山爲寫怡雲圖以贈。姚牧庵、閻靜軒每於其家小酌。一日，鐘樓街遇史中丞，中丞欲偕行，速從者歸攜酒饌，因共造海子上之居，姚閻呼曰：怡雲，今日有佳客，此中丞史公子也。張便取酒壽史，歌雲間貴公子玉骨秀橫秋水調歌一闋，史甚喜。有頃，酒饌至，史取二錠酬歌。席終，左右欲徹金玉酒器，史云：休將去。賞音如此。青樓集。

古妓女多以雙字名，南齊則蘇小小，唐有薛瓊瓊、關盼盼、張好好、李端端、王蓮蓮、鄭舉舉、張住住、王蘇蘇、曹保保、張紅紅，宋有李師師、毛惜惜、楊愛愛、唐安安，至元人尚詞曲，青樓得名者如趙真真、于盼盼、于心心、李心心、魏道道、汪憐憐、顧山山、馮六六、孫秀秀、荆堅堅、李當當，皆大都妓，餘未能悉數也。花南老屋歲鈔。

孫秀秀，都下小旦色也，名公巨卿多愛重之。京師諺曰：人間孫秀秀，天上鬼婆婆。青樓集。

燕人何失，世以織紗縠爲業，與張進忠製筆齊名。失獨工詩，其燕都雜題詩云：一夜春陰徹曉寒，玉山無奈酒杯乾。青蛾知有愁多少，狼藉殘粧懶對看。揭徯斯贈詩云：心事巢由上，文章陶阮間。其爲士大夫所重如此。宋元詩箋。

喬達字達之，燕人，官至翰林直學士，善丹青，山水學李成，墨竹學王庭筠，後更學文同。竹派。

至正二十五年夏五月，大都雨毛，長尺許，或曰龍鬚也，拾而祀之。草木子。

范益精于醫脈，元至正間，爲大都醫官，年七十矣。有老嫗詣其門曰：家有二女病，欲延公往治之。問其家何在，曰：西山。益憚途遠，以老辭，曰：可攜來就診耳。嫗去良久，攜二女至，皆少艾。益診之，噩然曰：何以俱非人脈？謂嫗：爾無隱，當實告我。

媼曰：妾實非人，乃西山老狐也。知公神術，能生吾女，故來投，今已覺露，幸仁人憐之。益曰：濟物，吾心也，固不爾拒。然此禁城中，帝王所在，百神呵護，爾何得至此？媼曰：真天子自在濠州，城隍社令皆移守于彼，此間空虛，故吾得出入。益異其言，授以藥。媼及二女拜辭去。是時太祖龍潛淮右云。庚巳編。

忠肅王壽元年元，命上王留京師，上王構萬卷堂于燕邸，召李齊賢充府中，迎致文儒閻復、姚燧、趙孟頫、虞集等與之從遊，以考究書史自娱。東國史略。

遂初堂在府南，元詹事張九思別業，繞堂花竹水石之勝，甲于都城。九思常以休沐與公卿賢大夫觴咏于此，從容論説古今，以達于政理，非直爲遊樂也。明一統志。

燕留守府參謀劉正卿，坐事就死，屬其孤于友人姜迪禄。既籍故，姜爲伸理其子，達官怒其僭，張弓擬之，姜不少懼，即裸胷以逆，遂義而從其請。自是姜以義烈聞燕趙間。後折節從趙雲夢學，非其義，一介不取諸人。丞相史公賢之，以賓客禮焉。姜世燕人，子尚其字。秋澗集。

房山高克恭彦敬，有二琴：其一後題金儒鳴玉，唐大中五年，處士金儒斲此琴，其名鳴玉。下刻高士談家寶藏六字，已爲人削去，尚存書跡。琴乃宣和御府故物，後歸於金。高士談者，金人，以與宋通被殺，故或者惡而去之。其色赤如新栗殼，斷文引起如蛇虬，奇物也。其一三足鼎峙，皆美玉。咸通中，張鉞斲，款用小篆精妙，又有銘文，漫漶不可識。雲煙過眼録。

元人善畫者多，其在大都，山水則劉融伯熙、喬達達之、韓紹煜子華、高克恭彥敬、李希閔克孝。竹石則李希衍仲賓、子士行遵道、張德琪廷玉、李有仲芳、劉德淵仲淵及張敏夫、高吉甫、劉廣之。花果則謝祐之。人物則李士傳。傳寫則焦善甫、冷起巖。而浮屠羽士之善畫繪事者，不與焉。粉墨春秋。

宛平李通，知音善歌，其音屬羽，如玉笙之吹瓊館，清而且潤，名貫薊北。又有王善甫、俞允中、俞景中、靳士名、梅景初，皆宛平人，劉彥達、李時敬，通州人。嘯餘譜。

三休道人税居燕城之市，榜其庵曰貧樂。湛然居士集。

至正末年，京師大饑疫，民死者相枕藉。朴不花欲要譽，請於帝，市地收瘞之，自南北兩城抵蘆溝橋，掘深及泉，男女異壙。人以一屍至者，遂給鈔數貫，舁負相踵。既覆土，就萬安壽慶寺建無遮大會，又於大悲寺修水陸大會三晝夜，凡居民羸者予之藥，死不能歛者給以棺。翰林學士張翥爲文頌其事，曰善惠之碑。續弘簡録。

元雜劇：喬孟符有黄金臺，沈和甫有燕山逢故人，又無名子有燕山夢，皆演大都舊事也。朔記。

都城南，有道者居松鶴堂，暇日同東平王繼學爲避暑之遊，因作聯句云：偃雲聳層霄，驚露落古雪。虬枝喜垂澗，鷺羽陋鳴垤。蟠石千歲苓，頂朱百齡血。胎禽哺春巢，乳脂凝沍節。舞蓋竿籟喧，啄粒苔蘚囓。元玉薫麝煤，碧脛隘雞桀。陟岳秦爵崇，授甲衛軒劣。沐髮豹霧深，引吭鳳竹裂。風馭八極小，河舟三翼拙。魯縞戛纚褷，夏社挺巀嶭。任重明堂材，言歸華表別。拳縮包胥立，堅綱伯夷烈。延世餌芳液，顧步炫高潔。作室擅茲美，觀物入獨閱。誓將束囊書，從爾解佩玦。石田集。

文皇在燕邸時，嘗微行，遇一相字者，書帛字與之。其人卽跪拜稱死罪。王驚問故。對曰：皇頭，帝腳，必非常人也。字觸。

太宗在藩邸，有風子李秀者啟上：某地貴不可言，殿下甯有可葬者乎？上怪其不祥，曰：無之。秀曰：固也，第不知殿下乳母誰與？上曰：死矣，藁葬於某原。秀請更葬。上從之。其地去西山四十里，平壤間卽聖夫人墓，呼奶母墳是已。九朝野記。

京師印賣春帖，有曰：雨露有恩沾萬物，乾坤無處不三陽。好事者遂以爲用三內相之徵。舊又有金臺千古地，正統萬年春之句。丁丑冬，忽復印行，新年乃有復辟大難事。水東日記。

京師娼女有高三者，自幼美姿容。昌平侯楊俊見之屬意，因與之狎，猶處子也。昌平去備北邊數載，高閉門謝客。天順復辟，昌平爲石亨所忌，謂正統十六年，駕陷土木，昌平坐視不救，爲不忠，朝廷命斬於市。親戚故吏無一往者，高獨素服往哭，親吮其血，仍以絲連其首，買棺殮之，遂縊而死。寓圃雜記。

天順七年，會試科場遇火，焚死士子九十餘人。國子學正閻禹錫請贈以進士。上切責不許。既而如其言，皆贈進士出身。上親製文祭之，斂其骸爲一塚，葬於朝陽門外，題曰：天下英才之墓。野獲編。

吴錫茹文中，居京師之高坡胡同，英宗復辟之年，百有十歲，召見便殿，予冠服帶履，宴順天府，又命公卿造其居賀之。宸垣識略。

成化間，都下諺云：韋英房，方梁馬，尚銘銀子似甎瓦。嘉靖間，都下又有諺云：滕太監房，麥太監馬，高太監金銀似甎瓦。滕名祥，御用監；麥名福，掌團營；高名中，内官監，監督諸工者。宙載。

孝宗嘗問一内侍云：在京各衙門官，每日早起朝參，日間坐衙，其同年同僚與故鄉親舊，亦須讌會，那得工夫？内侍答云：惟是夜間飲酒。孝宗曰：各衙門差使缺人，若使夜間飲酒，騎馬醉歸，何處覓燈燭？今後各官飲酒歸家，逐鋪各要燈籠傳送。自是兩京皆然，雖風雪寒凜之夕，夜半呼燈，未嘗闕乏。四友齋叢説。

成化庚子，京師有寡婦，善女紅，少而艾，足不盈四寸。諸富貴家相薦引，以教室女刺繡。見男子輒羞避，有問亦不答，夜必與教者共寢，亦必手自鑰户，嚴於自防，由是人益重之。有晉州聶村生員高宣，慕寡婦，必欲與私，乃以厥婦紿爲妹，貽鄰嫗往延寡婦，婦至，生潛戒其妻：將寢，則啟户如厠。妻如戒。生遽入，滅燭，婦大呼，生扼其吭，强犯之，則男子也。厥明繫送於官，訊鞫之，姓桑名翀，年纔二十四，自幼即縛足極小，圖富貴家女與之私。法司上其獄。憲宗以爲人妖，寘極典。蓬軒別記。

成化間一富商，寓齊化門外僧舍，丐施金，許之而未發也。僧利其貲重，寺又荒寂，夜約徒衆，先殺其二僕，絞商死，埋寺後坎中，實之以土，貲悉歸僧。越二日，有貴官偶過其寺，犬鳴嗥不已，逐之去復來。官心動，命人隨犬所往。犬至坎所，爪地悲號，官使發之。屍見，商猶作呻吟聲，灌之湯，少頃能言，遂聞於朝，盡捕其僧伏法。是歲例當度僧，因是而止。矩齋雜記。

趙司成永類，京師人，一日過魯學士鐸邸，魯公曰：公何之？司成曰：憶今日爲西崖先生誕辰，將往壽也。魯公曰：吾當與公偕。公以何爲贄？司成曰：帕二方也。魯公曰：吾贄亦應如之。入啟笥索帕，無有，躊躇良久，憶里中曾餽有枯魚，令家人取之，家人報以食僅存其半，魯公度家無他物，即以其半載與趙公俱往公所稱祝。公烹魚沽酒以飲二公，歡甚，卽事倡和而罷。賢奕編一。

涿州舊有塔，在桑乾河中，名鎮河塔。嘉靖元年塔崩，内有古錢，皆飛空如蝶。自後，河不時泛溢。長安客話。

嘉靖中，都門一道人，稱言，遇中山王將臺邊，授賈力法，以授人也。其法：用意蓄氣，周其身，處處運之。帝京景物略。

嘉靖中，禁中有貓，微青色，惟雙眉瑩潔，名曰霜眉。善伺上意，凡有呼召，或有行幸，皆先意前導。伺上寢，株橛不移。上最憐愛之，後死，敕葬萬歲山陰，碑曰虬龍冢。耳談。

楊爵用直言繫獄，暴風連作，都城皆恐，呼爲楊御史風。越章。

嘉靖庚戌，宿寺中，微雨簌簌，塔鐸忽歛，他聲作於下，籽籽然類蛩鼓翼者。視相輪，表青白，光晶瀅，大於五斗甕，上下閃欻，間一射人，衣亦青白色，可炊黍時乃定，則鐸聲發，他籽籽聲息也。塔倒影在大殿，日方中，闔殿中門，日入門罅，塔全影倒見石上。帝京景物略。

李文正公祠，祠近皇城迤西，孝宗賜第也。第久析爲民居。嘉靖乙酉，麻城耿定向首義贖還爲文正祠，祀公像。傳雙履，履二寸許，絆繫之。一麤紵小衫，公舉奇童時，著以見景帝者。耿爲具篋，撰文鏤篋，蓋衣已半敝。履朱，爛然熟桃痕，履繫乃不知色。今守祠者，人斂數錢，則出示之。帝京景物略。

甕山，去阜成門二十餘里，土赤墳，童童無草木。山南若洞而圮者，小鬲臺也。山初未名甕，居此一老夫，語人曰：山麓魁大而凹秀，甕之屬也。鑿之，得石甕一，華蟲雕龍，不可細識，中物數十，老父則携去，留甕置山陽，又留識曰：石甕徙，貧帝里。嘉靖初，甕忽失，嗣是物力漸耗，傳者謂弘治時世臣富，正德時内臣富，嘉靖時商賈富，隆慶、萬曆時游俠富，然流寓盛，土著貧矣。帝京景物略。

洪武以來，登第稀姓，正德六年，則有涿州人頓鋭，嘉靖十七年，則有薊州人步允遷。玉堂薈記。

海子西北隅，歲清明日，蟻億萬集，疊而成邱，中一邱高丈，旁三四邱高各數尺，竟日而散去。今士人每清明節往羣觀之，曰螞蟻墳。傳是遼將伐金，全軍没此，骨不歸矣。帝京景物略。

嘉靖中，京師縫人某姓者，擅名一時。所制長短寬窄，無不稱身。嘗有御史令裁員領。跪請入臺年資。御史曰：制衣何用知此？曰：相公輩初任雄職，意高氣盛，其體微仰，衣當後短前長；在事將半，意氣微平，衣當前後如一；及任久欲遷，内存冲挹，其容俯，衣當前短後長；不知年資，不用稱也。座右編。

嚴相嵩父子聚賄，滿百萬輒置酒一高會，凡五高會，而漁獵猶不止，京師名之曰錢痨。噴飯集。

先，京師解一水妖神來就訊，曰神在御園爲祟。上歷舉諸大臣名，皆不懼，惟云送南京海瑞處，則無聲。昨非庵録。

西内海子中有斗牛，即虬螭之類，遇陰雨作雲霧，常蜿蜒道旁，及金鰲玉蝀坊之上。時世宗齋居西内，宮女過見，驚仆。宮監以聞。上曰：此宜處山後，何爲在此駭人？是夜聞跋浪跳擲之聲，旦視之，湖冰破裂一道，已徙去。宸垣識略。

萬曆間，北監奏重刊二十一史，陸續竣事，進呈御覽，而校對鹵莽，訛錯轉多。至如遼、金諸史，俱有闕文，動至數葉，俱仍其脱簡按刻，文理多不相續。野獲編。

順成門外彭二胡同岳嫗，以子死，將棄之於橋下，而哭甚哀。忽一道士至，視之曰：兒未死，何爲棄之？嫗曰：何以得生？曰：汝抱歸時生。嫗不信。道士因書字授之，而封甚固，曰：汝子壽在其中，但不可開視，不然不祥。若此時，不足憂也。嫗受訖，抱子歸，果即活，大以爲異。偶向日微照其封，内書隱隱得十四字，以爲壽十四也，又照之，十四字上若有二字，以爲壽二十四也，至壽三十餘始病卒，發封，乃萬曆二十四年也。耳談。

萬曆二十九年，紫柏大師自五臺來，夜夢十六僧，請掛瓶鉢。亭午，有負巨軸售者，軸十六，貫休所畫羅漢也。軸軸展視，面面若舊曾識，夜請掛瓶鉢者僧俱是也。師歎畢，購之，各繫以贊，傳寺中。帝京景物略。

乙未、丙申間，畿南霸州、文安之間，忽有一健婦剽掠，渾名母大蟲。其人約年三十，貌亦不陋，雙趺甚纖，能於馬上用長鎗。置一豆於地，馳騎過之，下一鎗則剖爲二，再馳再下，則剖爲四，其精如此。遇之者不知其能，或與格鬭，必爲所殺。橫行者三、四年，前後有夫數人，稍不當意，卽手刃之。有一徽人王了塵者，善用鐵鞭，聞此婦絶藝，拚死與角，半日未解，此婦遂放杖講解，留以爲夫。有嫪毒之能，恨相見晚。王尋見此婦所殺太多，官軍漸謀取之，恐並入網，遂潛逃入京。此婦恨極，挈精卒數騎入京城蹤跡之。都下見其異，亟集選鋒軍往捕，此婦馳出城，追騎及之郊外，內一人敗，爲所殺，然諸軍愈盛，從騎俱逃散，就陣生擒之，磔於市。野獲編。

固安縣十八里之彭邨，武廟初，忽一童子詣邨長者言，童子李，請彭姓，爲長者牧。自是牧三十年，尚童，不更長也。每日中，忽驅牛歸，霍霍收場曝，俄則雨。雨中，忽拔欄放牛出，俄則晴。故邨之人漸問童子以旱溢，歲所宜畜植，已漸涉休咎徵，號之曰彭小仙。有以妖聞於都，捕者至，童子謂其家，無恐。自爲具，給捕者，給衆觀者，莫測所從致，則就繫，別其邨人曰：百年後兵來，白旗下者生矣。去，中道拾莖草，周於項，身首異焉。捕者以狀報。人乃收瘞邨北頭，曰彭小仙墓。十年後，邨有人見小仙坐陵道中，叩所由生，笑不言。歸，相與驗其藏，一履耳，仍封而像祀之，雨晴禱焉。崇禎己巳歲，大兵下固安，人望白旗下竄，旗書白旗都三周滿機云。周，薊人，其所掠，俱無馘殺，比去，則縱遣之。帝京景物略。

魯時生，萬曆年間官庶吉士，歿京師。左副都御史施邦曜同年生也，手治含斂，以女妻其子。嘗買一婢，命灑埽，至東隅，捧箒凝視而泣。怪問之。曰：此先人御史宅也，時墮環此地，不覺悽愴耳。邦曜卽分嫁女資，擇士人歸之。明史。

吴人楊泰毓，久居京師，善談謔，亦學詩，爲予友沈千秋客。沈負時藝盛名。楊有子將冠，令之執經從游，儇薄習爲蒱搏，每竊儕輩財物，楊屢扑責，胠篋不休，乃謀之妻弟張姓者，同出郊外，醉之，扼其喉，既絶，瘞之淺土。次日，其魂卽叩母舅扉索命。張不數日暴卒。楊生方憂撓，復日睹厥子入室，百端肆詈，楊感疾，涉旬亦殞。野獲編。

耶律楚材大有造於中國，功德塞天地，元世祖眷之亦異他將相，其封域想必屬當時恩錫者。近日一友人治別業於京師外西山，忽發一塜，開櫬，得大頭顱，加常人幾倍，不知爲何人葬地。予聞之，諫止之曰：此無論何代，殆必異人，盍早納其元，封閉之。未幾掘得碣石，則楚材墓也。野獲編。

工部馬之駿僦一寓，其室敞而直廉，得之甚愜意。初住亦無他，屋後隙地爲溲穢之所，但遇陰雨，則牆陰彷彿有所見，侍婢輩時時驚叫。馬呵止之，以爲妄。後告者屢屢，馬亦漸自疑，遂擬他徙，初不知有伏尸也。是後，人皆知爲非吉地，空閒者久之。會冉德升以參議聽調，初入京，未悉近事，亦利其華煥，僦居之。始與吏科徐紹吉往還，復數日不至，後相遇，詰以間闊之故，云方移居無暇。冉多姬侍，偕北者亦數輩，因曰：侍兒俱幾驚死，吾室後廢圃，頻有祟晝見。頃令人拆牆之將崩者，則倒植一少婦，顔貌如生，奔迸急走，至今心猶怦怦也。徐大駭怪，俾物色向爲何人私宅。則云馬户部故居。徐因忿忿，謂：此君少年負物望，乃敢生埋人土中，誓必重創之。以此彈章，遂不可遏，嗣後乃知馬僦舍之前，有士大夫妬妻殺妾而瘞之，其人已轉官移去久矣。野獲編。

京師最多凶宅，歸德沈宗伯爲史官，從里居補官入都，僦居以敞潔，與先寓密邇，告先人云：連夕内室燃燭不明，加至數十炬亦然，不知何故。先人勸其他遷，未舉。一日拆炕，見一少婦尸在焉，宛然如生。宗伯大驚，主移他所。此等枉死伏骼，京中往往有之。野獲編。

今京師全楚會館，故江陵張相第也，其壯麗不減王公，然特分宜嚴相第四分之一耳。會館之右一小房，雖不及大第十之一，然亦軒敞，先人以價廉僦居，不意其有祟也。遷寓不數月，妖魔百出。時龍虎山真人在都，面請手畫一符，懸中堂鎮之。是夜魅投瓦石，耑投符上，比明則糜爛無存。先人尋大病，給假南還。此房爲京師富人徐性善所得，重搆華甍，以餽吏部侍郎徐檢菴。侍郎先與先人比鄰，至是拓爲大第，未久，亦以白簡告歸。不數年，性善坐他事被籍没，此房亦爲官物矣。蓋自嚴相、張相以迄性善，猶未及三十年，凡三遭抄没，斷非吉地，宜其爲邪魔所窟穴也。先是，春月移植一梨樹，命工掘地，稍深見一巨石板，叩之空空有聲，先人疑其有伏藏，亟命掩土，梨亦他徙。觀後日安福鄒太史之被爇，則亟掩之見卓矣。野獲編。

一中貴夜巡，忽聞塚中人聲，蓋既瘞而甦者，發之，得一女子，云爲某翰林第七姬侍兒，遭鞭箠將斃，復置水上凍一夕，乃死。事聞，翰林自引過如魏丞相，上怒，罷其官。太白劍。

有孫太公者，自云安慶人，以方藥寓京師，專用房中術游縉紳間，乃調熱劑飲童男，久而其陽痛絶脹悶，求死不得，旋割下，和爲媚藥，凡殺稚兒數千百矣。爲緝事者所獲，下詔獄訊治，擬採割生人律，或以爲未允，士大夫尚有爲之求貸者，會逢大赦，當事恐其有詞，與奸人王曰乾等同斃之獄。野獲編。

涿州樓桑廟傍，農人王某，田間石磙傳自上世。忽有賈胡過視，欲購以十金。其家疑，不聽。賈既去，其兄弟以失價相詬，斧破之，中空，涵水一盂而已，清冽異常，不省所用，置神堂，婢竊飲之，數日膚潤面腴，髮黑如漆，通知未來事。其姑家相距百里，曰：姑家火發，已及奥室。又曰：家牛生犢，母子當不活。已而果然。聲聞於外，遠近填門。部使者表聞，中使下迎，婢忽不見。耳談。

京師顯靈宫道士買一魚，腹有秦白起妻字。耳談。

宋栗庵纁，爲吏部尚書，至長安街，有老婦著面衣，乘驢不下。從者誤爲男子，呵之。老婦大詬曰：我住京師五十餘年，見了千千萬萬，希罕儞這蟻子官兒！宋至部語同僚，笑曰：官亦不蟻子矣。此婦人眼孔大，所謂見慣渾閒事也。若深山窮谷，人見一頂紗帽，便戰栗失措矣。座右編。

山東臨邑有四瞽者，寓京師，皆業説書。一日行道，各誇説在某貴戚内璫家説書，得錢幾何。傍一惡少聞之，紿謂某家喚説書，引至墟草無人之地，出所佩金鐵擊瞽者，蒐其錢盡。一瞽獨曰：我帶結不可解，公爲我解，代我取錢。惡少與解，而瞽已扼其要害，力持之呼羣瞽，皆來助擊，至抉出其目睛，盡蒐其所奪，始相攜歸。耳談。

尉遲敬德造觀音像，自唐貞觀，一千一十二年至今，觀音古銅身三尺，不以髹塑，不以金塗飾，妙相慈顔，端若丈夫，槩具磊磊然也。下刻大唐貞觀十四年尉遲敬德監造字。舊供宣武門外晉陽庵，庵廢，内侍朱移像臭水塘，創古佛庵供之。庵今又廢，像復移置稽山會館也。帝京景物略。

狐之變幻，傳紀最夥，然獨盛於京師。聞以舉場爲窟穴，值鄉、會試期，則暫他徙。故老云：京師無厠，居者以婦人月水棄之地，狐竊食之，遂能變化百出，成千年狐，爲玄爲白，不可問矣。野獲編。

京都人以都城内外所有作對偶，其最可破顔者，如臭水塘對香山寺，奶子府對勇士營，王姑庵對韋公寺，珍珠酒對琥珀糖，單牌樓對雙塔寺，象碁餅對骨牌糕，碁盤街對旛竿寺，金山寺對玉河橋，六科廊對四夷館，文官果對孩兒茶，打秋風對撞太歲，白靴校尉對紅盔將軍，誠意高香對細心堅燭，細皮薄脆對多肉餛飩，椿樹餃兒對桃花燒賣，天理肥皂對地道藥材，香水池堂對醽醪酒館，麻姑雙料酒對玫瑰灌香糖，舊柴炭外廠對新蓮子胡同，奇味薏米酒對絶頂松蘿茶，京城内外巡捕營對禮部南北會同館，秉筆司禮僉書太監對帶刀散騎勳衛舍人。野獲編。

陳指揮鐸善詞曲，文善嘲謔，居京師作月令記二月下曰：是月也，壁蝨出，溝中臭氣上騰，妓靴爲輠。客坐贅語。

明陶成，寶應人，鄉薦赴南宫試，二月五日矣，語其壻朱應登升之曰：聞張家灣某氏丁香盛開，子其同吾游乎？升之曰：去試僅三日，公更何往？成不許。明旦升之他避，笑曰：彼欲進士急耶？買輿徑往，醉其家五日。及揭曉，升之登第。有鄉人醵錢爲賀，曰：公壻揭矣，幸爲我輩作圖以往。成曰：善。卽舉筆摹丁香一本，尤妙絶。無聲詩史。

天啟，有龍見北苑房之小河，長尺許，色黄碧，有爪無鱗，其地近朱。直房緡獲，以紅錦盛金合中，奏進，奉旨：送赴黑龍潭。天啟宫詞注。

鷲峯寺奉迎旃檀佛，在嘉靖戊戌。萬曆己未，寺僧濟舟在殿誦經次，一士人禮拜墀下，僧睹儀觀有異，乃迎上殿，士固不可，僧固迎不已，士自通曰：城隍也，殿有飛神呵護，我小神敢輕入？語罷不見。帝京景物略。

明萬曆中，京師有盗石而敗者，解南城御史，問：賊首何來？曰：江西建昌人，熊其姓。顧石高三尺餘，獲之正陽門外。御史詫曰：石豈有偷者乎？當必有異，汝不言，將不貸汝。對曰：微公問，固當言之，此實紫玉爾。御史曰：何以辨之？曰：其頂爲風雨所剥，玉質已露，每至夜分澄寂，輒有光徹天，真希世之玩也。某經度半載，不幸而敗，命矣夫！御史曰：汝既有真賞，當申奏朝廷，以邀天子之眷，而乃自干法紀，獨不思懷璧爲罪乎？然汝識若此，玉人安在？必爲我購而任之，成則賚汝，不然罪且不測。熊唯唯，攻之，果得玉，紫光騰那，約重數十觔。御史大喜，賚熊銀百兩，作賀表以進。詔貯庫焉。簪雲樓雜記。

京師大盜朱國臣，其黨爲劉煒、劉大、劉二、劉三等十人。一日，命其妻大作炊，供夜半之食。黨集，而其妻睡失炊，怒笞之，逸出東市，遇夜巡把總，訊之。故反詰云：爾爲何官？曰：吾夜巡把總也。曰：夜巡獲盜有功，當陞何官？曰：有功陞欽依，或參將。曰：吾語爾，吾家堂子胡同有强盜十人，可往擒之，然須養吾終身耳。把總諾之，果獲，十人無脱者，下法司，俱服，而朱國臣云：我等擒，京師清矣，夜户可無閉矣。但吾告若：凡訊獄不可不慎，如石駙馬街周皇親之殺，乃我也，而坐使女蕭荷花凌遲，家人斬，豈不寃乎！李皇親朝房人，亦我也，殺其婢與僕，棄首飾于道，而坐拾遺人以死，又一寃也。今吾不言，誰復爲鳴之者？於是法司追問所治荷花獄者，而免侍郎翁大立爲民，謫郎中徐一忠於外云。識小編。

燕人薛論道，有林石逸興十卷，皆雜曲也，其玉抱肚云：神仙無分，且藏身煙邨水邨，看白鷗撞破殘霞，靠青山界斷紅塵。清風明月共三人，去住悠然一片雲。又一闋云：淒涼時候，聽征鴻蕭蕭過樓。映疎簾明月泠泠，走空階落葉颼颼。教人腸斷淚交流。屈指歸期又半秋。律以元音，亦稱合作，問之都中故老，蔑有知其姓氏矣。蒓鮫詞話。

順天潘海濱者，年四十無子，努力爲善，嘗布金僧寺，而土關新寺及大覺寺兩老衲，感誦尤倍，時祝大士前，願化爲兒以報。一日，潘坐中庭，恍見兩衲排闥入，亟起出迎，忽失所在。而婢報閨中坐草矣。一産二子，隨遣使訪兩衲，則正以是日是時同圓寂。始知雙生卽兩衲也。二子一名某字宗海，一名士彦字慕海，并爲諸生。士彦中天啟辛酉科鄉試，時吕邦耀爲偈以贈云：兩衲是潘生，潘生在何處？潘生是兩衲，兩衲在何處？都人士競傳之。曠園雜志。

煙、酒古不經見，遼左有事調用廣兵，乃漸有之，自天啟年中始也。二十年來，北土亦多種之，一畝之收，可以敵田十畝，乃至無人不用。崇禎己卯，上傳諭禁之，犯者論死。庚辰有會試舉人，未知其已禁也，有僕人帶以入京，潛出鬻之，遂爲邏者所獲。越日而僕人死西市矣。相傳上以煙爲燕，人言喫煙，故惡之也。壬午，余入京，鬻者盈衢，初以爲異，已而知爲洪督所請，開其禁也。玉堂薈記。

吏部司務夏公官明往計偕在京，與數舉子遊於西山，探奇迤邐，遂至幽僻，日入欲返不能，隱隱見林際燈光，趨之，數里始得高門大廈，應門者曰：相公何來？衆告以故。曰：且止，待入白主人。有頃，數人舁一肥大婦人出，曰：佳客枉臨，山中卒不能授餐，奈何？衆曰：樂而忘返，但得托足於華居足矣。於是宿堂中。又强令從人宿内室。夜半，數人舁前婦人出，作嗔呼曰：諸公可出矣！衆呼從人。婦人曰：去遲，禍及公等，安得呼奴？衆錯愕奔出，莫知其故，立山頭回望，天已曙，盡失故宿處，再往覓從人，惟有殘骸，或手或足掛樹梢，鮮血淋漓，皆股栗膽落，痛哭而返，亦莫知其故。肥大婦人其狐鬼耶？耳談。

無錫王孟端工繪事，在京邸與一商人隣居，月下聞吹簫聲，甚喜。明日往訪其人，寫竹以贈，曰：我爲簫聲而來，當用簫材報之。其人不解事，以紅氍毹爲餽，乞再寫一枝爲配。孟端大笑，取前畫裂之，而還其餽。列朝詩集。

李尚書三才，家多勢僕，每劄委爲武職，其最著者曰李四，官至副總兵，尚爲主管田財。後三才歿，禍始於李四，家遂塗地。又三才盛時爲坊，題曰積德昌後。龍下爪碎之，更造石坊題署如故，龍復爪之不能碎，今已圮。通州高志。

天啟中，宫中塑關帝像二尊，一大，一小。時有日者甚神，熹宗指二像，令其推算。日者稱小者福壽綿遠，香火百倍大者。熹宗遂以小像棄置正陽門左側小廟，而供大像於宫中，增其祭品，以窮日者之言。未幾，闖賊入宫，大像毁，小者今香火日盛。術亦奇矣。茶餘客話。

忠賢盛時，一測字者來京，喧傳甚驗。乃易服潛往叩休咎。面書一因字與推，其人卽頓首稱奇。詰其何意，曰：國內一人也。忠賢駭服，以爲神異，厚犒而別。乃私語人曰：目下雖好，只是結局不佳。叩其何説，曰：一人懸在中間，將來必要弔死；四面俱無着落，家業自然蕩盡。後果應。遣愁集。

上虞倪公璐爲祭酒時，與温輔體仁忤，將請告。惠安鄭仰用者，善拆字，遇於官人席上，初未通名，取骰子中以緋飾四者予卜。鄭曰：京官四品，而掌印者惟祭酒爾，公其祭酒倪公耶？公頷之。曰：公必與當事忤，姓名中帶骨字者，其人也。蓋骰字骨所成，而四面稜角，不能刓圓，以是知不合也。又曰：公意欲圖歸乎？必得請矣。骰體方類口，四亦類口，乃回字也。字觸。

明末，薊州難婦題詩野店壁上，不著姓名。曰：俯首漫憑几，難將舊日題。夫君鎮紫塞，妾命落黄泥。風慘塵爲粉，天寒草作衣。何日歸桑梓？心酸只暗啼。味其詩，必守邊將帥之妻也。筠廊偶筆。

京師某春元，偶有老狐，盛衣冠，如六七十歲人來謁，求假其後庭三間。春元始不從，與之爭。聞東嶽甚靈，乃侵晨具香楮往禱，拜未起，已若拋磚於背者，回頭視之，狐亦拜禱在後，大笑：吾禱，汝亦禱，東嶽神安能制我！遂不得已，任其居處。間托其家辦酒筵客。是日見客老者、少者十餘人畢集，歡呼痛飲，抵暮送至門外而散。同年有爲侍御者不信，欲以其威彈壓之，因往拜，談及此，忽從空中墜大硯石一片於地，冠額幾碎，乃避去。耳談。

房山縣上方山有寺，分上、下院，相去不遠。上院封鍵多年，有二惡少强僧開視之，一無異也。僧曰：是上代相傳，豈無故與？少曰：不過托以惑人耳，余兩人今夕當醉眠其間。是夜果攜酒歌呼房中，方就寐，忽房外敲門有聲，兩人以爲僧也，不之理。少頃，其聲剥啄及窗户，窗户碎，有黑手大如傘，自外入，兩人奮劍砍之，哀啼聲如山巖崩裂，兩人懼，急奔下院，藏僧彌房，僧曰：悮我矣！達天曙，上院雷震鎗刀聲甫息，登山視之，上院片瓦不存。宿海手抄。

崇禎癸未秋，一夕，忽聞城上啾唧如羣哭聲，平明方止。識者曰：此城愁也，必有屠戮之禍。後果驗。蚓菴瑣話。

京城舊日，如勾欄胡同何關門家布，前門橋陳内官家首飾，雙塔寺李家冠帽，東江米巷党家鞋，大栅欄宋家靴，雙塔寺趙家薏酒，順承門大街劉家冷淘麪，本司院劉鶴家香，帝王廟街刁家丸藥，皆名著一時，起家鉅萬。至抄手胡同華家，專煮豬頭，内而宮禁，外而勳戚，皆知其名。薊鎮將帥，置走馬傳致，亦當日太平勝槩也。春明夢餘録。

丁野鶴充内廷教習，於米市築室，與王覺斯、傅掌雷、薛行屋、張坦公諸前輩賦詩其中。王敬齋額曰陸舫。後官椒邱廣文，忽念京師舊游，策長耳驢，冒風雪，日馳三四百里，至華嚴寺陸舫中，召諸貴遊山人、琴師、劍客，雜坐酣飲，笑謔怒駡，筆墨淋漓，盡興策驢而返。宸垣識略。

市民只造茶褐木綿鞋貨與人，西山人多做麻鞋，出城貨賣，婦人束足者亦穿之，仍繫行纏，欲便於登山故也。析津志。

楊勸農春卿，夜讀書，有鼠出，躍書几上，忽投膏甑中。楊取一方木覆之，隨突以出，環書册走不輟，作人語曰：油著！油著！楊笑，起曰：吾避汝。燕城闕前，晌午市合，更忙猝不能過，卽擎虛器云：油著！油著！人卽開避，故鼠亦云云，聞者爲笑。玉堂嘉話。

京師相傳有十可笑：光禄寺茶湯，太醫院藥方，神樂觀祈禳，武庫司刀鎗，營繕司作場，養濟院衣糧，教坊司婆娘，都察院憲綱，國子監學堂，翰林院文章。猶漢世諺稱，舉秀才，不知書，察孝廉，父別居之謂也。戴斗夜談。

甯河東南偪海，遇辰、戌、丑、未年春、夏之月，滈火潛發，洪波沸揚，焦橑灼楹，浮溢海面，百里内外蒸蒸然不可嚮邇，邑人謂之海燒。海燒者，云海龍王燒宮也。録異記載：海龍王宮在薊州東。甯河丁志。

蘇郡糧長徐仁，解糧至京，寓户部前，主人乃番役也。仁偶飯後往外閒遊，有銀五兩藏鞾筩中，歸索之，亡矣。主人問客：何事不樂？徐言其由。主人曰：無憂，當爲尋覓，斷不失故物。遂詢其銀幾何，并所遊之處，徑詣其地，揚言曰：午後曾有人至此，鞾中置銀五兩，計幾錠，幾塊，裹以布包，爲若輩盜去。此人乃吾家所主者，可速還之，不然，恐若輩不得安枕卧也。言訖，歸，謂徐曰：客可再往前地一步何如？徐不可，强之再三，納鞾而行。至向所遊處，竟無所見，悵悵而返。及門，主人迎笑曰：已得銀否？徐謝無有。入室坐定，又問，答之如初。主人曰：豈有此理！試探鞾中，則銀包在焉。開視，一無所失。周元暐涇林。

宛平李榮，家累萬金，將銀二千錠瘞于卧房庭前，蓋以石版，列植花卉于上，惟婦經目，子弗知也。父亡，子家業蕩盡，將宅轉售陳翁。母因子方浪費，秘不言。後貧窘日甚，衣食不周，痛自悔恨，母乃爲言藏銀處。子大喜，倩人持鍬鋤同至舊居，求見主人。應門者拒不與通。子大譁，聲聞于内。陳不得已出接，詰其來由；子具道母語，即欲入内發藏。陳曰：銀是爾父物，我豈妄認！此房乃吾卧室，子少俟，當令家人他適，任子入取。遂命具酒相款，耳語僮子，令集衆取銀。酒至，慇懃勸酬，子意不在酒，頃之三四起。陳翁免留，良久，僮出云：可入矣。陳意銀必歸己橐，與子偕行，子視土若新築者，頗疑之，將及石版，忽于石角得銀二錠，衆環視駭然，予益信爲主所竊，而此其誤遺者。及啟版，則滿中皆白銀，計其數得一千九百九十八錠，足以先所得，與母言相符。予喜躍過望，將二錠謝陳翁，肩而歸。陳弗能争也。第恨家人違其教，詈不已。其婦云：適發土起石，吾親自督率，但見清水一泓，緣土污吾指，掬水少許于外淨手，仍前掩之，方竊笑其子妄言，不意水復爲銀也。陳歎息而已。涇林。

明朝制錢，有京、省之異。京錢曰黄錢，每文約重一錢六分，七十文值銀一錢；外省錢曰皮錢，每文約重一錢，百文值銀一錢。自崇禎六、七年後，其價漸輕，至亡國時，京錢百文值銀五分。蚓菴瑣語。

京師人造酒，類用灰，觸鼻蜇舌，千方一味，南人嗤之。張汝弼謂之燕京琥珀。惟内法酒，脱去此味，風致自别，人得其方者亦不能似。麓堂詩話。

京師之甘露居、攔液局、荷葉露，名色數變，究只一甘耳。余飲之輒作嘔。二十年前，京師酒全非此味。南茶北酒，南人漸有繁言矣。予在京師，時過戚畹魏冷菴師貞，嘗留予品酒，罇罍雅潔，殽核精好，几前置一銀水火爐，列小銀壺十壺，各一種，約受數合許，嘗遍則更易十種，如是三四易，客已醺然，而主人之酒未能徧品也。都城破，冷菴盡驅眷屬於樓上，而縱火其下，身往赴之。有老僕往窗隙窺視，烈焰肆發，燃及巾曲，而冷菴雙趺宴坐，如入火不熱者，亦奇人也。以武冠，故無稱之者，哀哉！書影四。

定遠方孝傑校

故事志七

雜事下

黄岡洪良品纂　江陰繆荃孫覆輯

順治初，京師有賣水人趙遜者，未有室，同輩醵金謀爲娶婦。一日，於市中買一婦人歸，去其帕，則髮毿毿白，居然嫗也。遜曰：嫗長我且倍，何敢犯非禮？請母事之。居數日，嫗感其忠厚，曰：醵錢本欲得婦耳，今若此，反爲君累，且奈何？吾幸有藏珠一囊，紉衣中，當易金爲君娶婦以報德。越數日，於市中買一少女子，入門見嫗，相抱痛哭，則嫗之女也。蓋母子俱爲旗丁所掠而相失者，至是皆歸遜所。嫗卽爲之合巹成禮。嫗又自言，洪洞人，家有二子，今尚有珠數顆，可鬻之爲歸計。乃攜壻及女俱歸。二子者固無恙，一家大喜過望，嫗乃三分其産，同居終其身。人以爲遜忠厚之報云。香祖筆記。

鼎革初，京師有一孩，出胎卽自詫曰：我手如何頓小耶？父母驚問：汝是何怪？孩曰：我是江西客商，在湖廣販貨三載，適當兵馬絡繹之際，舟至安慶，遇一將弁，盡奪其三舟，我再三哀告，還我一舟，我聞其名爲白鞑子也，自此歸家不出。忽一日有肩輿至庭中迎我，忽忽乘之而往，至一院子，一交跌出，竟在此間，然自覺手足極小矣。其父笑曰：我卽白鞑子也。信徵録。

順治初，京師劉某，好收買舊物，一日至崇文門，有老媪持鐵器求售，式類碗，而制亦古，重觔許，賤價市之，不解所用。路遇一生，見而問曰：此前朝禁中物，爾從何處得來？劉心知有異，詭云：我固識之，君試言，驗其同異。生曰：嘉靖好道，步斗禮壇，然燈四十九盞，盞金質漆飾，此其一也。劉鎔之，不謬。乃造媪曰：鐵器尚有收貯者乎？願盡沽也。媪欣然引至屋後，地坎内堆積纍纍，皆鐵盞也，盡市以歸。秋燈叢話十。

龔芝麓尚書寓宣武門外，左有香嚴齋，海内文人延至門下。歲暮，各贈炭資。馬甸臣世俊下第，無以卒歲，袖文質公。讀而謂賢者爲之乎篇：數亡主於馬齒之前，遇興王於牛口之下，河山方以賄終，功名復以賄始等句，淚涔涔墮，曰：李嶠真才子也！贈金八百，並延譽之。明年辛丑狀元。藤陰雜記。

京師窮市，有古鐵條，垂三尺許，闊二寸有奇，中虚而外鏽澀，兩面鼓釘隱起，不甚可辨，欲易錢數十文，無顧問者。有高麗使旁睨良久，問價幾何。鬻者詭對五十金。如數畀之，先令一人負之疾馳去。時觀者漸衆，問：此何名？使者曰：此名定水帶。昔神禹治水，得此帶九，以定九區，此特其一。我國航海，每苦水鹹，不可飲，一投水帶，立化甘泉，可無病汲，此至寶也。好事者至高麗館試之，命貯苦水數斛，攪之以鹽，投以帶，水沸作魚眼，少頃甘洌無比，遂各驚歎。鬻者言：闖賊陷京師，得自老中貴家。蓋内府物也。然歷觀紀載，從未聞此，高麗使何由知之？予未敢信也。有范生者道之甚詳，周亮工書影中亦載此事。尊鄉贅筆。

白櫻桃生京師西山中，吾師北海先生退谷前有一株，歲以數十粒相貽。予有花間婉轉風團玉，月底依微露洗珠。自浣絳唇歌白苎，任他紅淚滴冰壺句。先生謬加嘆賞。但味微酸，亦不及朱櫻之甘碩也。書影四。

絳帖二十卷，原爲馮涿鹿物，今歸孫少宰，每幅有一軒二字印，印幾方廣二寸，元初方一軒也。押裝池有三城王印，間有無此二印者。紙皆横簾，搨手亦精，傳聞内府凡數部，皆不全，涿鹿擇其精者合成之也。識小録。

文王鼎，所見凡二，馮涿鹿、孫退谷二家所藏，形制皆同，孫氏翡翠尤勝，固倣作，然均非漢以後物。識小録。

順治末，社事甚盛。京師，衣冠人士輻輳之地，往來投刺，無不稱盟社者。後楊給事自西雍建疏言之，部議有禁，遂止不行。二十年來，京師通謁無不用年家眷三字，即醫卜星相亦然。有無名子戲爲口號曰：也不論醫官道官，也不論兩廣四川，但通名一概年家眷。亦可一笑也。甘分餘話。

龔璋字爾茂，杭州籍，生長燕京，性好善。因曝書籍，檢得梓潼帝君勸行陰騭文，讀而喜極，卽發願廣刊。施流布爲吏部當該，因竭力印，施徧行諸省，不下數十萬紙，又展轉勸化，不數年計至三百餘萬。康熙元年，於廳前印文處晝見帝君綠袍玉帶，降在堂中，因畫像供奉。合京感動，凡有禳災療疾，祈嗣保壽，皆至其家許願印文，一經爾茂禱告，無不立應。乃至盲人復明，顛人頓愈，神像點頭，枯樹重榮，種種異事。果見隨錄。

幽州妙峰山龍泉寺有巨石，一日有道人過之，曰：此中有寶。使匠鑿之，且屬曰：命汝止乃止。匠力倦，不如所戒，俄有二白鴿自石中飛去。道人歎曰：寶亡矣，何用鑿爲！易居錄。

京師冬月養花者，多鬻牡丹、芍藥、紅白梅、碧桃、探春諸花於廟市。其法置花樹於暖室地炕，以火偪之，猶癸辛雜識所記馬塍唐花亦作堂花之類。易居錄。

京師鬻花者，以豐臺芍藥爲最；南中所產，惟梅、桂、建蘭、茉莉、梔子之屬，近日亦有佛桑、榕樹。榕在閩廣，其大有蔭一畝者，今乃小株，僅供盆盎之玩。佛桑重臺者，永昌名花上花。香祖筆記。

鄭民部司直端，於京師午睡，見壁上人面如輪，須臾面化爲穴，望之洞然，往來人馬如織，俄傳貴人徑過，旌旗導從如王公。忽有青衣二人，持簡請民部公讌，簡爲侍生胡某。民部堅拒不可得，隨之而往。至則當世名賢，半在座間。民部問之，不一答。獨貴人意甚厚，獻酬無失禮，云：慕公久，特請一晤耳。良久，民部家人驚怪，爲夫人大呼而醒。後每向穴中望之，即昏然與貴人接見如初，意必爲狐妖也，移居而绝。筠廊偶筆。

康熙十一年，城北吴村莊頭周姓者，因放債，債家以一病驢償逋，礪刀將殺之。時周止一兒六歲，在側，倏以刀刺兒左右股肱，兒亦不知哭泣，但流血被體。其妻見之，驚慟，周方醒悟之，入室已死矣。周悔恨，投刀於河，放驢歸債主，誓不殺生。香河劉志。

燃燈古佛舍利寶塔，相傳宇文周時建，唐貞觀七年尉遲敬德監修。塔頂有鐵矢一，世傳金將楊彥升所射，明代猶存。每天氣清朗，日光麗空，則塔影映於白河中。河去州五里許，而奇異如此。元大德間，篤烈圖述再修；明成化間，州訓導楊明有重修舍利塔記。塔頂藏舍利數百粒，如小米，色淡黄微紅，瑩徹如珠。又佛牙一，長三寸許。國朝康熙十八年，地震，塔圮，舍利、佛牙俱墜地，人皆見之，存勝教寺中。知州吴存禮捐募重建，塔成，仍置於其上。通州高志。

大興趙邃，年十六入學，有眼疾，左目内障，醫言將傳至右目。又夢神告以壽不及四旬。心憂之，誓行功過陰隲以造命。康熙癸卯春，借友人園讀書，有鄰女來就，公力拒之。是秋中式，選保定教授，日誦感應經，一言一動，恐犯太上之戒。一夕，夢袁了凡揖之，語曰：汝誦感應篇，奉功過格，實能心體力行，將來自有效驗。公曰：吾患目障，奈何？袁曰：不盲于心，何患盲于目乎？後陞陝西米脂縣，左目忽明，壽六十，有三子，如升年十八登薦。感應經集注。

昌平州柳林邨，夜有物似馬，食人田禾，羣伺之不可得，乃相約攢弓矢射之，馬被創逸去。衆隨血跡尋之，至周皇親墓，一石馬身有血痕，始知食禾者乃石馬耳。居易録。

康熙戊申年，正陽門外挑濬御河，得玉印如升，篆文人不識。禮部出榜訪問，並原印印其後，數十日無辨之者。少府孫北海家居，聞之，曰：此元順帝祈雨時所刻龍神印也，各門俱有之，蓋雨後卽埋地下耳。因取一書送禮部，上刻印文，注釋甚詳，一時歎爲博物。宸垣識略。

外城西南隅聖安寺，寺殿有商喜畫壁。康熙庚申冬，高念東刑侍將歸淄川，予與施愚山、宋牧仲諸詞人飲餞於寺，共爲聯句五十韻。牧仲有句云：畫壁商喜留。按：崑山劉璋圭甫明書畫史：商喜善畫山水人物，畫虎得勇猛之勢。今大西天經廠殿壁龍神及大軸文殊、普賢變相，亦喜筆。喜宣德中授錦衣衛指揮，牧仲云：內官誤也。池北偶談。

康熙癸丑，滇逆未變時，有人喚兩輿夫，云欲往齊化門外嶽廟謁客。比至，下輿入廟，趨廊下，其中先有多人，切切低語，至晡不出。輿夫恐城門閉，入視之，閴無其人，神案上有僱值錢若干在焉。乃知非人也。居易録。

康熙三十二年，京城東田家有老嫗，已百三十歲，日飲啖止水米一酒盃，晝夜危坐，形如嬰兒。居易録。

西山清涼寺，有無名子題詩甚高古。竹垞爲予誦之，詩云：山僧汲空潭，驚起二龍子。十里雲冥濛，三日雨不止。居易録。

吴天章雯説：薊州獨樂寺觀音閣，凡三層，其額乃李太白書，梁栱欂櫨皆架木爲之，不施斧鑿。己未地震，官廨民舍無一存，閣獨不圮。菩薩像與閣等，約六丈有奇，乃酸棗木爲之。居易録。

康熙初年，順天府尹郭廷祚，衙齋有狐作祟，白日拋擲沙土，污穢几席。有楊回子者，精遣祟之術，延之設壇。楊命郭坐壇中，羣僕圍壇外，己爲作法。少頃，梁上有老人，僅三尺，白鬚，扶杖，衣冠甚古，言曰：我之裔孫，偶作狡獪，誠爲獲罪，既蒙檄召，當令其出，撻之固當，但勿殺之。言畢不見。空中卽擲一黑物如狐狀，羣僕痛搥之。狐呦呦作聲，遽伏座下。而老人復至，云：今已責治，足以蔽辜，我攜之去矣。遂不復來。述異記。

京中長春寺，有狐爲祟，不見其形。僧舍素醖酒，時時竊飲之幾盡。客至亦時空中作聲如人語。一夕，忽有羣犬噬一狐斃，通身黑色，有欲取爲帽者，僧云：狐類最惜羣，不日必有來覓屍者，不可取也。是日果有羣狐數百，似來弔喪，僧舍皆滿，哭聲沸地。迨曉不知所在，死狐亦失矣。述異記。

予赴京師，路遇徐仲山，忻然同行。曾于良鄉北旅店見題壁詞，迴出恒輩，其詞曰：灑盡窮途淚，看少年一番行役，一番顦顇。雨雪霏霏泥滑滑，上馬屢愁顛躓。又況值金輪西逝。屈指離家能幾日，早行來已是三千里。嗟歲月，似流水。蒙茸漸覺羊裘敝，怎當他朔風凄緊，裂膚墮指。莽莽長途誰是主？燈火前村近矣。只無奈望門投止。沽得濁醪聊破冷，向燈前獨飲難成醉。天未曉，又催起。特不署姓氏，不知爲何人作。及到京，錢塘俞季瑮投以詞，名京師雜感，共九章皆賀新涼調，其首章卽是詞也。西河詞話。

京師花兒市鬻黃鴿二，毛羽作黃金色，索值甚高。居易録。

房山之陰，有石立於巖麓，其長三丈，其廣七尺，首昂而俯，足跂而斂，濯之則色青而潤，叩之則聲清而越。米先生仲詔思致之海淀勺園中，車重輪，馬十駟，既鑿，百夫曳之登車，七日始出山，又五日僅達良鄉道上，工力竭，因卧之田間，繚垣衛之，覆以葭屋。於是先生作石出山記，薛岡千仞戲代石報書，先生復答石見報書，一時傳爲佳話。吴中葛一龍震甫次良鄉，見石，爲作長歌紀其事也。艮齋筆記。

雲間女子月移，題詩涿州旅壁，情態宛然，頗足吟諷。其詩曰：寒雞初唱已中宵，獨擁銀釭伴寂寥。一月不將奩具理，侍兒猶道黛痕嬌。密意深深人未知，自將新恨寫新詞。郵亭多少題詩客，誰是當年杜牧之？後跋：家君作宦都門，氏隨母赴京邸，有感書此，時年十七齡，云云。但惜不傳其姓。若庵記諸停驂隨筆中，謂摽梅之怨，悉露毫端，良屬可念，殆亦深賞之也。然較諸楊循吉所稱女秀李氏桃花一簇開無主，終不留題崔護詩之句，風格則有間矣。程哲蓉槎蠡説十二。

部郎趙公振紱，於都市購得一甆盞，紺色而有光，置案頭以代水中丞。公子輩戲以蓮實投之，逾夕抽荷蓋如錢。異焉，戒勿動。信宿則出小菡萏數朶，次第開放，姿態亭亭，清芬滿座。久之，花瓣褪落，結蓮房如豆，數日始萎。易以桃、杏諸核，亦萌芽含秀，本粗於韭，花葉皆稱是，但不實耳。若梅、菊之屬，隨意插植，彌月猶鮮，遂珍同拱璧。冬日偶插蠟梅一枝，爲冰所凝，劃然中裂，公扼腕累日。秋燈叢話十五。

京師有某宦家居，一夕雷雨暴至，見火毬自南窗躍入，霆雷滿室，聲轟轟不絶，須臾穿北牖而去。某驚仆床下，家人排闥入視，曳之起，備述其狀。衽席焦黑，爪痕宛然。遍燭空中，見書厨雙扉金繪四龍，杳然失去，或謂畫龍時暗合干支，遂有此異。其信然歟？僧繇點晴，無足奇矣。秋燈叢話十。

宛平徐某，承祖業，頗豐，及晚年耗費無餘。歿後，示夢其子曰：我生前蕩爾祖産，今當償。汝明晨出廣甯門，值披蓑叟負鶉囊，可探取之，有啄爾拇指者，即我也。買歸，勿失。覺後以爲妄。復夢其父怒曰：何悖慢不信吾言！子異之，晨往，果遇貨鶉叟，試探手囊中，一鶉起啄其指，出視之，素翮如鷺，神駿不凡，市之歸。初賭酒食輒勝，後稍貸金與人決雌雄，屢鬭屢捷，時此風盛行，貴戚子弟争招與角鬭，每局多至百餘金，無不勝者，遂恢復舊業如初。一夕，復夢父謂曰：已爲償足，我將去矣。曉起視之，鶉已斃。秋燈叢話一。

元耶律文正墓在都城西，近畏吾邨。王文貞公云：爲孝廉時，見耶律王墓上斷碑，尚可讀，二十餘年來，墓田歸旗下，此碑無從復問。池北偶談六。

寶坻杜文端公立德，德器厚重，人不見其喜愠之色。京師有無賴子，偶與騶卒鬨，乘醉隨公輿後辱詈，公若不聞。無賴子隨至邸第，詈不止。久之，公遣問曰：詈可已乎？無賴子歸，酒既醒，或告以昨辱宰相，倉皇詣第謝罪。公慰遣之，仍予二金，令改行生理。無賴子感泣而去，歲時必至門叩拜，卒爲善人。池北偶談十。

涿州三家店，題壁一詞，不著名姓，甚工：客面京塵，登臨目送飛鴻絶。不堪重説，故國煙波闊。一點孤燈，一片朦朧月，交明滅。雙眉寸結，忍聽秋蛩咽。又上谷旅店有題壁云：一將有餘魏武帝，百身莫贖楚懷王。語極豪，亦無名氏。池北偶談十二。

辛未冬，京師民家生子，一身兩首，眉目耳鼻皆具。居易録。

予在儀曹時，見有宛平人棥某者，吏誤呼作碧，其人不應，問之，云：棥音如樊。此萬姓統譜、奇姓通諸書所不載者。池北偶談二十。

癸亥在京師，見一馬，索值千二百金，通身毛如新鵝兒黄，無一莖異，惟尾鬣獨黑。又一馬，索值五百金，通身如雪，上作桃花文，紅鮮可愛。又額駙石公家一紫花犉牛，文如海棠色，施街勒，走及奔馬。云得之南中。池北偶談二十二。

嘗於慈仁寺市見一波斯犬，高不盈尺，毛質如紫貂，聳耳，尖喙，短脛，以哆囉尼覆其背，云通曉百戲，索價至五十金。亦宋太宗桃花犬之屬也。池北偶談二十二。

京師前門關帝廟籤，夙稱奇驗。予順治己亥謁選，往祈。初得籤云：今君庚甲未亨通，且向江頭作釣翁。玉兔重生應發跡，萬人頭上逞英雄。又云：玉兔重生當得意，恰如枯木再逢春。爾時殊不解。是年十月，得揚州推官，以明年庚子春之任。在廣陵五年，以甲辰十月内遷禮部郎。所謂庚、甲者，蓋合始終而言之。揚郡瀕江，故曰江頭也。然終未悟後二句所指。至庚申年八月置閏，而予以崇禎甲戌生，實在閏八月，過閏中秋四閱月，遂擢國子監祭酒。於是乃悟玉兔重生之義。諺云：飲啄皆前定。詎不信夫？池北偶談二十二。

霸州郝恭定公惟訥母李太夫人，户部侍郎傑之配也。孕公時，家有盜警，夫人倉猝墜樓，傷股。忽有老嫗詣門，自言能療，且言：腹中兒當大貴，吾並活之。先一手摩股，久之，投藥少許，股格格有聲，遂相屬，胎竟不墮。酬以金帛，辭弗受，竟去，不知所之。池北偶談二十二。

康熙甲子春，有刑部筆帖式某，素奉神佛甚謹。一日，忽有旋風起庭際，風息，見黄衣人衣冠甚偉，立庭中，呼其名，謂曰：吾天神也，以汝事神甚謹，故降汝家，可埽除東廂，吾居之。某焚香拜禮，如所言。次日，黄衣人忽問曰：汝隣家有病者，吾能愈之。某傳語迎神，果卽日愈。御史邁色者，有妹病劇，聞而拜求之。黄衣人曰：當爲查勘。良久，曰：宿業深重，以君虔禱，但可遲限三日，終不能生也。果三日卒。已而求者踵至。黄衣人謂某曰：本以汝善人，故來棲止；今車馬雜沓，久且不利於汝，吾當去此。汝福本薄，如甘貧可延壽命，慎無妄求；若有贏餘，則促算矣。遂去，不見。池北偶談二十三。

京師沙窩門有放生池一區，順治中，浙人范敬者實創始焉。初，范嘗夢到一院，旁有禪室，檐際懸木，刻作魚形，有人指示云：東坡先生居此。遂入伏謁。東坡與語久之，云：

吾有王文正公泥金書法華一部，今予汝。取授之，經尾署名王旦也。坐側有一人侍立，云是何姓。覺而異之。既數年，放生池成，延一老宿居之。范一日至院中，堂宇宛與夢中相似，禪室果有木魚懸檐際，既而與老僧坐語移晷。老僧忽云：貧道有一法寶，藏之久矣，今贈居士。視之，卽王文正公金書法華經也。室有募緣疏，爲何侍御某書。豈僧卽東坡後身耶？池北偶談二十五。

己未七月廿八日，京師地震，前河東道參政李元陽居采峪，死焉。其二僕皆死。逾二日，一僕復活，云：初地震時，不知已死，但見二偉丈夫，各高丈餘，驅出門，顧視同行者甚衆，主人亦在焉。頃之，偉丈夫顧某曰：汝不合在此人數內，可速回。某曰：某主人在是，某將何之？又數里，復顧曰：汝未去耶？以杖擊其背，遂甦。池北偶談二十五。

順天府東安縣河水暴漲，居人見水中有物如蛟龍，而目赤色，後有白馬隨之，目亦赤，隨漲徐去。池北偶談二十五。

京師一婦人死，見夢其女甥，曰：吾今爲羊，生某處，汝贖我。如言贖之，置池上。後夕，又見夢曰：感贖吾命，更勞誦經超度，我當往生。翌日，延僧於池上誦經呪，羊亦隨僧徒拜佛，佛事畢，而羊死矣。池北偶談二十五。

康熙丙辰五月初一日，京師大風，晝晦。有人騎驢過正陽門，御風行空中，至崇文門始墜地，人驢俱無恙。又有人在西山皇姑寺前，比風息，身已在京城内。此災祥之甚者。池北偶談二十五。

涿州有二生修州志，偶削去二節婦，不爲立傳。一日，二人晚行，恍惚見二婦在前，直入城隍廟，二人不覺隨之入。見二婦跪塑於神云：苦節數十年，久載舊志，今爲狂生某某所削，寃苦無所伸。二生亦前與之辯，婦人執益力。倉皇歸家，是夜皆卒。池北偶談二十五。

予從姊居永清縣，嘗於晴晝仰見空中一少女子，美而豔妝，朱衣素裙，手摇團扇，自南而北，久之始没。池北偶談二十六。

康熙戊午秋，京師宣武門外有小兒約三四歲，有尾長三四寸，輭而無毛，其父每日攜之過市，看者輒索錢一文。述異記。

康熙甲辰會試，有四川舉人楊某者，寓四川營石芝庵。場事既竣，候榜於京師。一夕，與諸同年飲，偶出，忽仆地，衆舁入室，移時始甦。叩之，云：甫出户，見二卒强之行，至一公府，有王者南向坐，梓潼帝君坐其側。頃之，有吏引楊父母至。王者問云：今年汝子某合中進士，汝願之否？其父拜謝。母獨曰：不願也。王者叩其故，母答曰：此子不孝。昔避寇亂入山，距城甚遠，主一親故家，主人館餐甚厚。因令子暫歸視家室。適部檄至，催謁選，縣令强之，遂赴都，中途稱病而返，比子入山，而身已死。含歛皆主人經理之。至今歛恨泉下，故不願也。帝君顧吏取簿籍檢之，良久，語王者曰：以高某代楊可也。及榜發，則梁山高宗囑中式，楊竟被黜。居易録。

康熙三十四年，重建太和殿，有老工師梁九者，董匠作，年七十餘矣，自前代及本朝初年，大内興造，梁皆董其事。一日，手製木殿一區，以寸準尺，以尺準丈，不踰數尺許，而四阿重廊，規模悉具，殆絶技也。初明之季，京師有工師馮巧者，董造宮殿，自萬曆至崇禎末，老矣。九往執役門下數載，不得其傳，而服事左右不懈，益恭。一日，九獨侍，巧顧曰：子可教矣。於是盡傳其奥。巧死，九遂隸籍冬官，代執營造之事。居易録。

積小塘，京師人，家昌平山中，少遇異人授術，能冬月致菡萏花。嘗召客飲，不治具。客至，取之壁間，水陸畢備。有他客叩門，輒復納諸壁，室空無所有。又嘗取甆盌碎之，推入壁，曰：爲我治之。聞壁中謖謖有聲，須臾取出，盌已如故。總兵麻承恩召之，謂曰：若能盜吾頭上巾否？曰：易耳。麻坐甲士於庭，晝夜伺之，明日巾已失去。麻怒，下之獄。小塘畫一舟於壁，躍而登之，遂不見。後有人遇於醫無閭山。居易録。

薊州九華頂有千佛寺。寺後半里，一石米粉色，縱二丈，廣丈有五尺，曰摇動石。一人悄然推之，輒颭颭動。衆推，則不動。試作語曰：我其摇，則不動。初動者日影移處知之，次看石，知動也。然石根山連，無纖壘焉。曠園雜志。

京師多狐，西河沿有空宅一區，董默庵先生在館職時僦居之。忽有騶輿呵殿而至者，其人金冠巍然，自稱土王，署晚生刺謁董，云：此宅下走居也，老先生宜徙去。笑談之頃，有人獻茶，董疑不啜。土王勸啜之，極芳香。茶罷，呵殿去，數十步而没。董明日亟移去。嗣有仕宦數輩來居，皆爲所逐。曠園雜志。

京師某梨園部，一旦，有姿首，解文義，喜誦韓閣學菼制舉文。居易録。

通州漁户張二，娶男子王四魁爲婦，伉儷二十五年矣。王抱義子，養之，長爲娶婦。婦歸，怨其父母，告官，事乃發覺，解送刑部，問擬流徒。田綸霞司寇云：其人年已四十餘，面飾粉澤，言詞行步，宛然女子，真人妖也。居易録。

嘉善李旗六，寓京師臙脂巷，有微疾。隣有兄弟二人，居肆者也。傍晚闔户，纖月流照窗間。其弟方寢，窗外有人歘然而過，驚以爲賊，呼兄出共攫之，無所獲，因攜燈扃室。其弟忽仆地，爲鬼語曰：吾欲至李家攝人，誤入汝室，汝何閉我不出耶？速出我！毋失我期！遂洞開其門，仆者寤而起，是夕旗六卒。觚賸。

康熙己未，宣城施少參閏章，以薦舉候御試，寓京邸。其所居寄雲樓下，有老梅忽於四月開。花四枝，甚豔，兩枝面向城内，一枝向南隣，一枝向施寓。俄而邸報至，施以少參改侍講，其同薦者高檢討則南隣，孫、茆兩編修則城内，皆同里人也。是科殿試在四月，一歲四翰林，果符四花之兆。曠園雜志。

毛西河詩話：宣武門竹林寺傍有酒家，名頂泉居，酒名蘇酒，嘗騎馬詣益都相公第，必造飲。同官張殺文鴻烈往酤酒，云：竹林寺畔頂泉居，井洌香甘新醉餘。今寺已無存，何問酒肆？西河又謂：長安宴會方小徹，長班卽然提燈滿前除以促之，今無此習。藤陰雜記。

康熙辛未，京師内彌陀庵三官像，一夕自移右安門外三官廟中，如人位置者然。居易録。

一人於蒯通墓傍營葬。夢通衣冠甚偉，揖而言曰：我是公前輩，何尺寸地不相讓耶？其人改葬，又夢通來謝。筠廊偶筆。

宋文康公於京師買碧璞如升，厠養卒見而笑之，曰：吾家厠中便有，何買爲？宋公命向厠中取之，果得碧璞，長二尺，圓一尺有半，洗滌之，光瑩動人，因置石床上爲玉枕。題曰：龜茲國有琥珀枕，枕之則十洲、三島、五湖、四海盡入夢中，此枕無乃是？蓋所居乃前朝中貴舊業，闖賊陷長安，其家藏珍玩，遂流落厠中塵埋也。筠廊偶筆。

燕山樵兒澗，有熊道人者，能辟穀，嘗旬日不食，食卽以其餘飼虎。虎時馴卧階下，或問其術。道人曰：人忘機於物，物亦忘其機。何術之有？此與列子海鷗之説可相發明。居易録。

右安門有回回買一牛，將入城屠宰。牛過裕親王園，遂奮身逆入。回回逐之，牛初奔騰，繼以跪伏哀鳴，百方不起。觀者殆數百人，皆歎異。忽一市猾從旁揶揄曰：汝何愚甚！牛既難致，何如取刀磁來，就此屠之，不易易耶？回回如其言，牛遂立死。市猾歸，是夜覺偏身骨痛，旦視之，生疔毒數百，痛不可忍，見一牛在前索命，呼號宛轉，三日竟死。居易録。

楊尚書行中家僕楊泰，遇一士人餒於道，留歸飲食之，且爲謀館穀。居歲餘，尚書於中夜聞樂聲自天來，而泰適生女。士人自言有子，請結婚。泰許之，各以物爲券而別。十餘年後，一少年詣泰求婚，則前士人子也。泰以女妻之，少年偕其妻去。又數年，少年登第，由邑令行取爲科員，女已受封孺人矣。歸拜尚書夫人，迎養泰夫婦終身。士人姓張，父子逸其名。通州高志。

辛未三四月，京師不雨，多風霾。四月十八日，職方督捕員外郎郭里入署稍早，至皮市，忽大風起，見有神人，朱衣白馬，自北而南，形貌甚偉。風既過，從人猶見其馬尾。視郭里，已擲馬下。所乘馬屹於旁，問之，懵然不覺也。歸，病三月餘始愈。居易録。

魏舍人麟徵，納妾京師，甫一月，妾病且殆，求歸母家。已而延魏至榻前，操吴音曰：某前生姑蘇人，君前生逋吾五十金，今來索償，事畢矣。此去當生平陽某氏，年十八，即中甲科，復與君有後緣。語訖而逝。此康熙辛亥春正月事也。池北偶談。

京師有市猾某者，本騾馬行牙人，以附黄膘李至巨富。一日堂成，讌士大夫。壁間有孔竇，客疑問之。答曰：手脚眼也。蓋工匠登降攀附，置手足處。宋荔裳在坐，應聲曰：吾有對句矣，乃頭口牙也。合坐大笑。池北偶談二十。

邯鄲人侯二，素不孝，其母以米施乞者，二見而怒，痛捶而逐之。妻子泣諫，不聽。未幾，二遍體生毒瘡，潰爛而死。夢告其子曰：我以忤逆不孝，罰往京師宣武門西車子營張二家作豬，汝可速往贖歸，遲無及矣。子如其言至京師宣武門訪張氏，果有牝豕，適生數子，其一豕身人面，有髭，貌如其父。子痛哭，述其故，願以十金贖歸。張不聽，而殺之。此康熙三十九年事。香祖筆記七。

盤山異蹟，有除夕佛燈。燈出通州孤山塔上，分爲數千百，遠繞盤山諸寺，至定光佛塔而止。或曰：塔中舍利光也。又宋牧仲筠廊偶筆云：盤山佛燈，人皆見之。每除夕，山之雲罩寺定光佛舍利塔與薊州獨樂寺觀音閣、通州孤山破塔，皆有燈出，互相往來，漏盡各返原處。好事者恒裹糧候之。通州高志。

毛西河姬人曼珠，張姓，小字阿錢，豐臺賣花翁女也。幼甚慧，能效百鳥音，工針黹。稍長，白晳而妍，綰髮作連環髻。毛以冷宦在京，益都相公助資作合，新婚之夕，陳檢討其年更名曼珠。于歸後，學書度曲，不半載而能。曼愛歌梁司農祝家園詞，既而得奇疾，漸就羸弱，年二十四而夭。西河作別誌書甎，士大夫爭以詞挽弔，其病中嘗繪小影，名留視圖，諸公俱有題咏云。宸垣識略。

高素侯裔生辰，門下士方苞壽之以文曰：余觀北宋丞相富公，節義功烈，與韓魏公相匹，而眉山蘇洵上書，謂古之君子愛其人也則憂其無成。今公爲文學侍從之官，嘗主鄉試學政，不失士心，亦守官者之常。余居門下數年，竊懼公循致高位，而碌碌無所成也。裔獨揭苞文於壁間。觀者皆駭。與裔交厚者，多相戲曰：碌碌無成，至爲門生所姍笑，尚高張以自播揚乎？苞請篋藏之。裔曰：吾正欲借子之文以警發其聾聵耳。方苞高素侯先生壽序後附記。

京師鬻紫檀坐椅，制度精奇，亦以珠玉等諸寶爲飾，一方伯之子欲以一百二十金購之，德州李庶常棅力止之，乃已。分甘餘話。

內閣北牆下有楮樹一株，陳文貞廷敬愛之，公事畢，移書案其下，焚香啜茗，召中翰分札咏詩以爲常，復命鴻臚序班禹之鼎繪卷，曰楮窻圖。茶餘客話。

京師有宋姓者，武定相公鄴園之僕也。自其家來，至京邸，去彰儀門尚數里，忽黃霧四起，擁驢不得行。少頃霧散，驢蹌踉抵門，腹陡脹而斃。剖視其腸，有卵一枚，可容升許物，其色白紫相間，而堅如石。回人云：乘熱取置麥膚，經宿尚可復大一圍。試之果然。說鈴。

昌平紅崖谷，有道人，戒行甚嚴。一夜，有美婦人叩門求宿，時天寒，憐而納之。婦以言挑，道人不爲動。忽言腹痛，就盆産一兒。詰旦抱去。道人惡盆污，覆諸澗中，誤染左手，五指皆金色，復視澗際沙石，亦皆金色。香祖筆記四。

文安紀觀察秋槎祖，有老僕某，夜將寢，見面黑、白者二人，推扉而入，遽近榻掖之出，力争不能脱，至村外曠野釋焉，授以槍法及拳勇諸技，令其習練，惰輒撻之，鷄鳴始送之還。次夕復然。如是者載餘。僕厭其擾，而憚其嚴，莫可如何。一夕，僕與黑、白者角試，乘間刺其股，白面者曰：可矣。自此乃絶。僕因事涉怪異，未敢以告人也。同村有甲與乙者，各聚黨相仇，僕遇於途，見乙强梁，勸之，觸其怒，揮衆奮擊，僕格以手，刀杖卽紛紛迸落，若有掣而擲之者，衆乃驚駭而竄。一日，乘舟淀河，有附載者，僕招與俱。不數里，其人突起，執僕而數之曰：爾識我乎？我乙黨也。曩受窘辱，心實不甘。言訖，卽倒持其足，而投諸水。僕乘勢翻躍，捷如轉輪，倏已卓立舟中，神色自若。其人惶懼莫措。僕笑曰：勿恐，我不爾讎，可速去。於是遠近皆知僕勇。主人亦覺其有異，因詰所由，始以前事告。主人之戚將搆怨於某，丐僕往助，不許，固請，乃遣焉。某見僕至，知爲戚助也，蜂擁而前。僕不與較，第以手架其臂，而臂若痿，捘其股，而股若痺，歷數十輩，皆蹲踞不能動。戚家乘其憊，欲撻之，僕勸之，仍撫以手，則起立如初矣。僕貌蠢而訥於言，未嘗以勇力自矜。或求傳其技，則婉謝之。後以老病卒，亦無他異。秋燈叢話十二。

桑簡菴避迹西山，夫婦僕得五口，益以犬一、鷄二，顔其額曰：八口之家。宗室塞公爾赫贈詩云：數椽卜築水雲隈，秋草閒門晝不開。八口何妨并鷄犬？有人子鶴更妻梅。拔宅由來是耳聞，果能肥遯却輸君。何當真棄人間世，犬吠鷄鳴在白雲？止園筆談。

淮郡山陽國學生程允元，父勳著，康熙庚子貿易京邸，與平谷劉登庸友善。允元年甫二齡，劉女週歲，相與締姻。後允元隨父南返，劉亦出守蒲州。越數年，劉卒於任，眷屬流寓津門。女之母、兄、姊、妹相繼逝，而程父子音耗杳然，煢獨無依。名門舊族議婚者踵至，女矢志不他，峻拒之，屏跡尼庵，童穉末由識面，里人競傳其事。允元父殁後，依兄嫂居，訓蒙餬口，與劉女不相知者五十餘年，堅守前盟，亦不另娶。乾隆丁酉春，允元隨漕艘教讀抵津門，聞劉女事，踪跡之，卽其所聘妻也。白諸官，官訊得實，爲主婚，遂合卺成夫婦焉。大吏上其事於朝，旌其閭。秋燈叢話一。

乾隆初年，有京師白雲觀道士往遊西嶽，夜泊湘子亭，見一道士，豐頤美髯，望之若仙，年已九十餘，與之談國初事最悉，怪而問之，其人慨然告曰：吾本滿洲人，少從英王西征，戰功最多，洊至參領，後隨經略莫洛征王輔臣，洛爲輔臣誘殺，吾儕恐陷帥獲罪，隱避此山已六十餘年矣。因流涕久之，懇道士寄書，歸告其居址里巷子孫姓字。道士歸訪其宗，久已徙去，莫知誰何。（嘯亭雜録。）

京城古樹如太學檜，慈仁寺松，吏部藤花，卧佛寺娑羅樹，萬壽寺及昌運宮白松，封氏園松，吕家藤，皆數百年物。城南舊刹有龍爪槐，僧言三百年物。前輩詩文集中不多見。徐電發釚菊莊詞話載紀伯紫云：壬子季夏，僕與合肥龔宗伯孝升、山陽陳黄門偕六同飲龍爪槐下填詞，此地在國初亦名流屐齒所常到也。（茶餘客話。）

乾隆初，有小内侍，夜於御河泛舟，見神光燭天，自湖中出，因網羅之，得蚌徑尺，中有明珠寸餘，二顆相連如胡蘆形。内監不敢匿，因以進，上嵌於朝冠，晶瑩異常。（嘯亭雜録。）

京城火炕燒石炭，往往薰人中毒，多至死者。儀貞陳殿撰定先，冬日偕其妾寢，至夜皆中煤暈，室内别無一人，家人咸就寢，不知也。家畜一巨犬，忽咆哮萬狀。家人起，犬向主人窻外爬沙跳擲，窻紙盡碎。急請主人，不應，毁門入，則與妾並死，急救乃甦。（茶餘客話。）

固安王令焆章，山陰人。乾隆庚辰，漬水齧城闉，開溝疏洩，深二尺餘，忽有沙沖起撲面，衆譁以怪，驚走。令怒，親督之，又掘尺許，沙飛益劇，彌漫空際。衆力不能施，移時露磁椀一，底尖口濶，玉色瑩然。取置書室，實以沙，卽紛紛飛起，無顆粒存。每值大風揚沙日，纖塵不入。後被賈人重價購去，名曰噴沙椀。秋燈叢話十七。

秦鑑泉學士大士，壬申狀元，寓半截胡同。庚辰，庭產芝草，長君芝軒承恩中式，作瑞芝之詩。庚寅，又茁一芝，次子承業中式，賦後瑞芝詩。又有芝是科名草，恩爲及第年之句。予壬午以課藝就正，蒙有張湘曉之褒。未幾，假歸不出。芝軒今開府關中。藤陰雜記。

禮部前劉必通水筆招牌，爲董思翁書。聖恩寺爲金源古刹，舊有雙楸，又古槐乃金時物，又馬纓花一株，係宋商邱手植。崇效寺有無塵別境四字扁，爲明楊忠烈公大書。又寺僧雪塢，舊藏王覺斯草書一卷，今無存。雪塢亦能詩，與王樓邨、劉大山唱和題壁，近日寺中止藏智樸青松紅杏卷子，内如漁洋、竹垞、初白輩，皆有詩。茶餘客話。

京師西北隅，近海淀，有勺園，明米萬鍾所造，結構幽邃，今改集賢院，爲六曹卿貳寓直之所。其他諸王公所築，以和相十笏園爲最，近爲成邸所居。右安門外有尺五莊，爲祖氏園亭，近爲某部曹所售。一泓清池，茅檐數椽，水木明瑟，地頗雅潔，又名小有餘芳，春、夏間多爲游人讌賞。其南王氏園亭，向頗爽塏，多池館林木之盛，嘉慶辛酉，爲水沖圮，明太守保售之，力爲構葺，繕未終而太守遽卒。今池館半委於荒煙蔓草中，殊可惜也。嘯亭雜録。

亞谷叢書云：京師戲館，唯太平園、四宜園最久，名亦佳。查家樓、月明樓其次。比年方壺齋、蓬萊軒、昇平軒最著。今考諸園俱廢，查樓僅存木榜，唯方壺齋屢易新名，人尚稱爲方壺齋。城西僅此一館，春初尚盛，在永光寺西街。藤陰雜記。

京官向乘肩輿，杜紫綸詔，始乘驢車，嗣後漸有騾車。予己卯入都，見京官騾車多而驢車少，然帷幔樸素，且無開旁門者。今則無不旁門，而布幃漸少。阮吾山司寇官中書，坐敞車，人有十景之嘲，謂一騎嘶風，三窻印月，敞蓋斜陽，斷轅殘雪，打頭秋霆，拂面春風也。藤陰雜記。

咸陽魏孝廉毓梅，丁巳計偕至都，遊彰儀門古寺中，見女像甚妍麗，戲語同人曰：娶妻得此足矣，何必陰麗華哉！時魏年少未婚也。歸寓，夜一女子艷粧入，如畫所見。魏爲所惑，每夜必至，兩閲月，病不起。茶餘客話。

黄蘭巖民部，寓梁家園，積水到門，顔其堂曰半房山。後有疑野亭、朝爽樓，前對西山，後繞清波，極亭臺花木之盛。而池之南、北，旗亭歌榭，不斷遊人，泛舟竟夜忘返，賦詩者甚多。茶餘客話。

良鄉道上，灰洞迷漫，行人到此，解鞍卽卧，獨陶篁邨元藻題壁云：滿地榆錢莫療貧，垂楊難繫轉蓬身。離懷未飲常如醉，客邸無花不算春。欲語性情思骨肉，偶談山水悔風塵。謀生消盡輪蹄鐵，輸與成都賣卜人。款署篁邨二字。藤陰雜記。

京師伶人劉三，色藝冠時，與李玉洲翰林交最洽。蘇州張少儀觀察爲諸生時，封公謫戍軍臺，徒步入都，爲父贖罪，一時有三子之稱，蓋云公子、才子、孝子也。沿門托鉢，尚缺五百餘金。偶於玉洲席上言及此事，劉慨然曰：此何難！公子有此孝心，我能相助。遂徧告班中人云：諸君助張，如助我也。擇日設席江南會館，請諸豪貴來，已乃纏頭而出，一座傾靡，擲金錢者如雨，果得五百餘金，盡以畀張，而封公之難遂解。止園筆談。

乾隆十七年，荒旱乏食，東南楊家泊、李家沽等莊，有港長二十餘里，亦旱涸。港底有草團，居民檢視之，其子如穄，其芒長一寸餘，食之，其味鹹，麤稜刺舌不能咽。碎之，水沃一宿，漉乾炒食，儘堪充腹。競檢之，有以薦囤者，初不解其爲何物也。知縣屠祖賚，下鄉省災，問民所食，出示之，曰：此荒年寶也。卽封稾各上憲，並諭之曰：此浮萍子也。秋熟時，榦萎子垂，風水盪結而爲團，亦物之僅見者。甯河丁志。

本朝輕薄傜税，休養生息，百有餘年，故海内殷富素豐之家，比户相望。京師如米賈祝氏，自明代起家，富逾王侯，屋宇至千餘間，園亭瓌麗，游十日未竟。宛平查氏、盛氏，富亦相彷。然二族喜交結士大夫，爲干進之階，故屢爲言官彈劾，不及祝氏退藏也。懷柔郝氏，膏腴萬頃，喜施濟貧乏，人呼爲郝善人。嘯亭雜録。

張國輔妻李氏，順義人，有三子，長子張明德，次子張新德。三子廣月，自幼出家爲僧。乾隆三十七年，李氏因國輔患痰迷，聞瓦子街居住民婦拉鐵練募化，代人治病，請爲醫治。見民婦用手按摩，針扎病處，病卽痊愈。李氏從此往來學習，粗知針扎治病之法。民婦没，李氏卽取鐵練拴繫頸項，出外化緣治病。走至通州曠野地方，時值隆冬，風雪交作，迷失路徑。李氏隨在雪地帶鎖打坐，適有居民路過，見而詫異，羣向盤問。李氏卽以在此結緣治病爲答。隨有人延至家治病。李氏卽按摩針扎，假念經咒，病卽痊愈。自此多請治病，往往有驗。李氏見所住興周營地方七聖小廟坍塌，隨將所得治病錢文修理，給伊子廣月居住。四十五年，送廣月到戒臺寺受戒。李氏亦來京，在總布胡同泰山庵拜已故尼僧福山爲師，取名了義。國輔身故，福山帶至潭柘寺受戒。李氏見女僧受戒，俱係男僧代爲披剃，心中不願，未經落髮，走至西山西峯寺，依尼僧濟廣同住，起意將該寺立女常經，爲女僧傳戒，又恐無道法，不足聳動衆人，遂用油撚在左右臂膊燒點數處，含痛忍受，藉此募化，以致附近居民聞知往視，見其堅忍，致相傳播，偕往進香者漸多。有因病求治者，李氏卽令跪香，假念經咒，爲之求神。又有求藥者，李氏益衆。適原任大學士三寶寡媳烏佳氏，患血氣凝結病症，延至家中。李氏爲之按摩，代遂買藥鋪内五汁丸等藥，改成小丸，假畫神符給與，竟有病卽痊愈者。因而祈求布施者爲祈禱。病愈後，烏佳氏感激，欲拜爲師。李氏令其施捨金銀，修整西峰寺。烏佳氏允從，當令管事家人許禄，招工匠任五，修蓋廟宇，先後給修廟工價銀一萬七千兩，又置辦供器銀三千兩，共計銀二萬兩，其餘陸續施給衣服器物，並施金鐲及零星銀錢，不計確數，約亦不下萬餘金，又送使女雙慶至寺，跟隨跪香念佛，烏佳氏亦曾赴寺燒香。又銀庫員外郎恒慶之妻宜特莫氏，素患痰喘，亦請李氏祈禱痊愈，宜特莫氏每月給該氏養贍銀三五十兩，又聽從修理石廠地方三教寺，捨銀一萬七千餘兩，又添湊金子二百八十兩，合計共銀二萬餘兩，李氏卽將銀兩交給伊子廣月修廟。宜特莫氏亦令使女玉喜跟隨服侍。廟修成後，改靈應寺。李氏隨在兩寺來往焚香治病。宜特莫氏亦曾至寺拈香。嗣因西峰寺後塔院工程未完，烏佳氏亦未再給銀兩，承攬修工之任五，無從藉工圖利，隨起意與李氏商允，因李氏曾向説稱少時夢見觀音菩薩及在通州坐雪治病等事，卽藉此畫出圖像，裝點神奇，表白靈異，希圖哄騙衆人，遂憑空點綴畫成張李氏出身，坐雪出家，及衆人拜求治病各圖像五軸，并捏稱身能入定出神，李氏係菩薩轉世。該寺舊有遠年住持僧人塑像，原稱西峰老祖，村人因亦遂稱爲西峰老祖活佛。遠近人民，到寺燒香，布施饒富，分給廣月銀一千兩，修蓋圓廣寺。長子張明德銀一千兩，買房一所，開設木鋪一座。其次子寡媳崔氏，在籍典地一百餘畝。旋爲步軍統領綿恩拿獲訊辦，任五處斬，張李氏絞。西峰、靈應兩寺，交僧録司另選妥實僧人住持。（乾隆三十七年邸鈔。）

超勇公海蘭察，微時以事赴京，感疾甚，因夢至德勝門，經故太傅明珠第牆外，有小閣，登之，有一老喇嘛跏趺坐，公凭欄見紅衣少婦哭而來，意疑之，避喇嘛後，少婦拜喇嘛訖，哭而起，欲赴公，喇嘛以袖障之，移時始哭而去。公驚覺，汗出疾愈。明日在市遇所夢喇嘛，屢目公，輟避之。公素信佛，此事尤不愧也。（癸巳存稿。）

京城東偏，有民家生一女，能言之歲，忽曰：我工部郎中鄭濂婦也，何以在此？我欲歸我家矣。跡鄭之居，與女家相去二里許。某秘之不以告，女甫能行，即出户覓鄭居，或時趨出巷外，其家輒抱持之，防其逸。而女之求歸益堅，不得已以聞於鄭。鄭乃迎之，蓋八齡矣。重堂邃室，皆若素遊，直入踞床南面，而爲婦言曰：我之子與媳安在？不速出見？衆方匿笑，旁睨濂適自外來，起而曰：我別夫子日久，豈遂不相識耶？籠篋之皮，香履之存，靡不一一指點其處。鄭郎中以事近怪，不踰宿而遣之。聞者驚相傳告，旋徹内廷。今上詔詢，濂不敢隱。因命續再世之婚。濂辭以年齒甚懸，且臣之子已生孫矣，居室名稱恐有未順。上曰：天命之也。待十三歲而婚，誰曰不宜？濂奉旨屆期成禮，伉儷如初。觚賸。

梁構亭制府宰良鄉時，病瘧甚劇，夜夢本邑城隍請見，謂公曰：我亦從前此地縣官也，上帝以我居官清正，命我爲城隍神；大人所患之症，即我從前所患之症也。後服某藥而愈，今以方授公。口説其藥幾味，長揖而去。明日服其方，果兩劑而愈。查良鄉邑志，果有其人。續新齊諧。

乾隆戊午春，和相妻發殯於朝陽門外，一時王公大臣無不往送，予亦從衆而行。比至，車馬壅阻，因飯於農家。逆旅苗氏有老婦云：觀君容止，必非不智者，今和相驕溢已極，禍不旋踵，奈何趨此勢利，自傷其品！予赧顔退。不踰年，和相果敗。嘯亭雜録。

世爵和公世太，其先勛業甚隆，家藏賜物甚夥，有洋錶時表一對，亦先朝所賜，其聲甚洪，不銹不敝，公寶之，恆置牀頭，以誌入朝時刻。一日晨起，兩表俱失，遍索不得。告之五城，掩捕甚急，迄無影響。偶日午，伏案假寐，恍惚間有矮奴當前請安，短小精悍，目所未識。問：汝何人？來何事？奴奉兩表呈上，曰：曩從先公爺借表多次，皆荷優容，前月從爺借表，未荷明察，追捕綦嚴，不敢歸璧，今得間呈上，乞恕不告之罪。公雖喜表歸，而其人踪跡奇詭，疑爲刺客者流，未敢窮詰。奴又曰：遠道來，苦餒，乞賞烏叉、秫酒，以解調饑。烏叉者，都中呼彘肩也。公賜之酒及烏叉一具，不足，又加賜其三。奴叩謝，跪一足，且飲且啖，須臾都盡。復問公：可有後命？公未得其指，姑答無有。奴悵然復謝，飛身簷際而去。野記四。

戊寅七月九日晡時，平谷縣大風，有黑雲起於天望山，若旋舞之狀，自山而西，復折而東，過西閣村，屋皆倒拔其椽，盤空而舞，屋瓦翩翩如燕子，其風直至獨漉河邊，陷地作坑，寬三畝餘，黑水注焉。或曰龍爲之，或曰蛟爲之。余謂蛟龍行必以風雨，而蛟之起，未有不被水者。是日但見黑雲挾風而奔，無雨無水，不知何怪，殆非蛟龍也。是日風起時，有一輿人子捧磁盤出門，盤中置酒瓶一具，蓋欲赴村街沽酒市物也。行未數武，爲風吹起，足不能着地，怒而詈風，忽若有人掣其盤，而批其頰，遂昏然若迷，食頃稍能醒，視盤與瓶，分置地上，未曾有絲毫損缺，急取奔回。兩頰青腫，半月方平復。村人咸謂風神責之也。竹葉亭雜記九。

大興廩生李某，字冰如。其先德任河南按察使，爲其兄娶婦。吉期前一夕，按察夢一婦人來，持一簿乞其鈎銷，按察舉筆鈎之，若銷舊帳者然。次日新婦至，則宛然所夢之婦人也。逾歲，按察病卒。家故豐於財，殆二十餘萬，此婦喜揮霍，未幾財盡，而婦亦亡。家人始悟此婦爲索債來也。人家娶婦，賢與不肖，豈皆有因果，非偶然耶？竹葉亭雜記十。

單縣令福昌，以捏賑正法，殯于西磚兒胡同關帝廟。每日過午，單魂輒坐于門前石上，遇有人過，起而追之。凡附近居者，至午相約勿過其處，且促其家人移殯。及殯歸，鬼復不見。當單正法之日，吾邑有李車夫者，夜過菜市口，見有衣冠人坐而相語，心詫：深夜焉得衣冠人在此？提燈燭之，内一人以其燭之也，自提其首相視。李大恐，時李住繩匠胡同户部郎中劉曙園家，狂奔而歸，其鬼亦急追之，李魂魄飛散，即伏匿炕内，牽之不出。衆知其中邪，灌以水，扶之卧，以被蒙首，不敢視。次日始爲人言之，殆單之鬼也。竹葉亭雜記十。

西山滑石根，名之曰不炭木，以之爲麤布器皿，不畏火，今西山有之。宸垣識略。

京師北三山，大石窩水中産白石如玉，專以供大内及陵寢階砌欄楯之用，柔而易琢，鏤爲龍、鳳、芝草之形，採盡復生。昔人謂愚父所藏燕石，當即此耶？宸垣識略。

倪媪，武清人，年三十而寡，舅姑欲嫁之，以死自誓，即遭怒逐，攜二子一女，織草笠度活，流離困苦，慘不可言。幸子女皆已婚嫁，而子若壻又皆不才，賴女孫度爲尼，媪乃寄食菴中，年已八十，鷄皮鶴髮，猶耳聰目明也。沈成言：自京杭訪親，途次武清旅店，月色甚佳，獨出散步，遥見一小招提，門外有十餘人席地賭博，忽聞喧呶聲，俄招提内似有人提燈出望，蓋媪夜聞人聲嘈嘈，疑有火警，因出視，博者即鳥獸散。時萬籟俱寂，四野蕭寥，有三四人奔走互答曰：何處不可開場，要鄰近倪節婦！一曰：彼處開久，爾等不喧嚷，倪節婦亦不出來。相距咫尺，語畢倏滅。知爲見鬼，遂返旅舍。嘻！匹婦守節，而無賴惡鬼猶知欽敬如此，惜其湮没蓬蒿，不能上邀旌典也。池上草堂筆記續録五。

嘗於潘家河沿晉陽庵看客，遇一人，極訾庵名，言京城庵何得名晉陽庵？憶古事有一切比：劉肅大唐世説新語云：薛良嗣爲荆州長史，荆州舊有河東寺，後梁蕭詧爲其兄河東王造，良嗣見而驚曰：此江漢之間，與河東有何關涉？遂奏改之。良嗣寡學，深爲人所笑，欲引以爲對，再思之而止。癸巳存稿。

京師萬柳堂之西北隅，有古刹曰夕照寺。大興王安昆書高松賦於殿之左壁。右壁松樹五株，爲陳壽山筆。壽山名松，天長人，遊楚不遇，入都賣畫作生涯，筆多匠氣，觀之令人胷次作惡，故其畫恒爲市廛商販及胥掾家所寶，騷壇藝苑之士，莫有持縑素乞其揮灑者。獨夕照五松，離奇夭矯，蒼翠濃鬱，恍聞謖謖濤聲起檐際，而置身千巖萬壑間。予每入寺，必瞻玩，移晷不忍去。寺僧爲予言：壽山作畫，時值長夏，解衣裸體，酣巨觥連飲，磨墨貯瓦甌，睥睨久之，然後纍几而上，皴擦勾斫，颯颯有聲。晌午，天大雨傾注，若黄河乍瀉，千珠萬珠跳擲階庭，水積尺許。雨霽而畫畢，夕陽猶在高舂也。殿壁縱横各二丈有奇，松本圍徑尺，而有參天之勢，枝幹屈曲，鍼葉疎密，均得乎法，畫松之能事畢矣。讀畫閒評。

宛平張某，家畜一鷄，距短而修毛如帚，行不見足，嶺南種也，俗呼爲廣東雞。賈勇善鬬，因愛之不忍宰食，留司晨夕，有年矣。其友某，以張有處宗之癖，別購峩冠高距者餽之。張方自誇其雞之雄健，不啻介羽距金，鬬無不勝。孰料三戰三北，縮頸哀鳴，勢難復振。張惡所餽者恃强跋扈，而又自慚其言之誇也。命家人割之，擲地上。嶺南雞快仇之死，鼓翼而前，啄之洩憤。死雞忽蹶然起，瞋目衝冠，大肆搏擊。觀者咸駭詫失次，而羣雞亦惴惴焉股栗。無何，嶺南雞垂翅鎩羽，血殷殷然，伏不能起，視之，胷已碎裂而死。死雞則復僵仆如初。張疑不祥，並兩雞棄之，不敢烹食。齊東妄言。

廣濟寺柱皆合抱，一柱近礎處朽二尺餘，僧欲易之，費頗鉅，聽之又恐傾覆。一日，有人憩殿上，見僧不怡，問知其故，笑曰：飲我酒，爲若易之，不費一緡也。僧爲置酒食。大啖畢，令具碌碡一，量其徑圍，高下分寸悉合，以鋸截斷朽木，卽以碌碡補其闕，如推門落臼然。既畢，轉瞬失其人所在。蜨階外史一。

薊州田盤之麓，地名水泉，一名石佛寺，張氏別業也。繚垣皆用石砌，斑駁作虎皮紋。薜荔緣生，色蒼緑，葉大如蒲葵扇。逕砌以石子。内室三楹，旁有倉，有庖湢，皆用黄色白草苫蓋，堅樸無華。院落寬敞，一亭曰望雲，高出屋上，坐亭檻上，山笏立目前，天成寺近與拱揖。牆外山田二頃，藝粟米可供八口一歲資。果園數畝，雜植蘋婆、梨樹，歲收其值可爲衣禦冬。張氏式微，不知售於何氏。蝀階外史一。

京師招牌，如祖傳狗皮膏，秘製烏鬚藥；去風柳木牙杖，滴露桂花頭油；學經蒙任附，店草料俱全；秋爽來學，冬季諷經；揭表唐宋元明古今名人字畫，發賣雲貴川廣生熟地道藥材；均工巧。人問紀文達昀曰：書坊之老二酉，以何爲對？昀曰：汝進正陽門羅城時，試於布傘上觀之。其人不悟，至其處，賣卜者書大六壬三字也。蝀階外史一。

通州李達夫兵部如璋，官主事，賃居宣武門内。舍旁隙地，小有園亭，夏夜露坐其中，見南牆下，光隱隱從地出，宵深益熾。初不以爲異，後屢見之，使家人掘以鋤，深三四尺，得董思白真草行書石刻數具，石質滑潤，知是新藏者，旋爲主人奪去，亦卽他徙，空宅扃焉。二年後，又有賃居者，夜仍見其處有光，後來者固不知前事，掘地得白鏹萬鎰，而宅主不知也。席捲南歸，遂成巨富。蝀階外史一。

某翁，甯河某邨人，家貧，父子刈草，售以爲活。邨故濱海，草茂時任人刈取無禁也。子一日問其父曰：草叢中有土墳起，何人冢也？曰：我居此數十年，未聞有墓，且人亦不肯葬海岸也。子曰：是必有故，盍掘而視之？父子持鐮往掘，尺餘見箱角，知有物，仍掩之，夜復往掘，兩箱相累，朱提滿中，爭以簣擕取，竟夜始畢，仍以餘草實其中，培作皁。由是置海船，買田園，起樓閣，爲富人數年。一日，有車騎甚都，止於門，車中人作四品服，從人十餘皆雄偉，刺入，主人肅客問來意，曰：我某太守，聞翁父子長者，故來謁。因留讌甚歡，水陸競進。讌畢，漏三下，車中人曰：由京師攜一物來，敢以獻。自車捧入，什襲鞏固，意甚珍貴。屬主人攜入内，然後開視，血蹟模糊，鬚髯戟張，蓋人頭也。全家驚愕，時車中人已易短後衣，手持巨刃，光瑩奪目，從者皆拔劍虎視。翁父子益愕，長跪請命。車中人曰：翁所以起家者，我友某物也。今某已見法，而不得贓，聞爲所得，故將其頭來，將殺翁一家，爲某洩憤。然承翁款洽，翁誠長者，能爲吾輩往來東道主，我不翁讐。父子諾諾不容口，掖起，洗盞更酌，夜闌獻以千金而去。後每有盜至，恣所取以爲常。又數年，漸貧，乃絶。蜨階外史一。

查小山員外有圻，海甯人，官京師，席先世業，稱巨富，性奢侈，京師以三膘子呼之。一生取精用宏，不下數百萬，飲食供張，視何曾石崇，不啻倍蓰。喜蓄硯，石質温潤，琢磨精工，銘刻皆前代名人，雖真贋參半，要以物聚所好，又不惜重價，積數十年之久，門下名士鑑别品評，選其尤者百方，裝潢藏弆，所費累巨萬矣。晚年家日落，頗拮据。一日取所藏硯質千金，置車上，騁而出，歌臺舞榭，一日殆遍，盡散所質金。歸入門，思贖硯無期，悲極號咷。既而曰：千古之能散財者，當以查小山爲第一人。復縱聲狂笑，其任誕如此。稱其名或有不知者；小山，則中國皆知；三膘子，外國靡不知也。然敬禮名士，張船山太史以詩名，延爲上客。太史醉後時詈之，不以爲侮。每送新詩一卷，輒餽五百金爲潤筆資。其誕也，母夫人夢人自外庭入，稱幹貫太陽穴，鉤權懸兩端，浴血滿面，大呼而寤，遂生。其親串爲業鹽長蘆，嘗以告人云。蜨階外史一。

查小山初至京師，人誑以半夜正陽門早開一刻，需銀十二萬兩。渠卽如數予之。實則並未早開也。寓南横街繩匠衚衕，有回祿災，渠命家人以錦被濡水，覆於屋上防火，共五百餘牀，次日皆以賜僕從。除夕，花局送黄瓜至，啖而甘之，問其直，曰：朱提四兩。則蹙額曰：何價廉如此！乃兄又山，人亦呼爲二膘子，官京堂，由浙入都。冬日兄弟同飲，又山曰：吾老矣，兩足著皮鞾亦不煗。小山亟命爲兄製皮韈，著之煗甚。又山問直，曰：二百四十兩。蓋以貂皮、茸、肉桂末實於其中者。又山曰：毋乃太奢乎！及予巡視西城，尚有小山親書借券，張某持之訟於官，其後裔式微，案終莫結云。夢園叢說四。

王翁以緞肆起家，人呼爲緞子王。翁京師舊家子，習書算，少孤露，遂流爲丐，年弱冠尚夜宿雞毛房。京師寓諸丐，室儲雞毛盈數尺，丐輸三錢，輒棲毛中一宿以禦寒。時同寓有旗下某公，年相若。一日，翁謂之曰：我儕皆昂然丈夫，此豈安身立命之地！盍改圖各謀生路乎？某公曰：甚善。然寒陰冰雪，何逝而可？請以改歲爲期，誓不再作如此行逕。二人因約爲昆弟，焚香盟於神前：苟富貴，無相忘。時醉司命日也。元旦各分手去。王翁去爲典肆傭，職炊爨灑埽，以勤慎，頗爲肆主者所倚，先司廟市。後與某太監設緞肆於東華門外，翁和氣迎人，售速而利三倍，蒙古、高麗、琉球、緬甸諸國使臣，無不識緞子王者，翁因此獲數十萬金。業鹽于豫東長蘆，引地四十八處，鹾務中推巨擘焉。後翁以查引地至河南，問巡撫何人，則旗下某公，以筆帖式歷轉員外郎，已由府道洊升中州中丞矣。具柬往拜，中丞啟中門，迎於堂皇，握手曰：猶記在雞毛房所語乎？中丞曰：唯，不敢忘！兩人各大笑，中丞留之，歡譙數日而去。蝀階外史二。

涿州某生，傳者忘其姓氏，年弱冠，美豐儀，見者以爲安仁復生也。未娶，宿齋中讀書。夜有女子搴簾入，海棠睡足，梨花粧成，絕代姝也。詰所從來，女自言爲狐，與有夙分。某暱其美，納之。女屬某謹言。某素文弱，自與女遇，益健壯，以故往來三年，人莫有知者。某所欲，雖滇海雞蹤，楓亭鮮荔，一舉念，女悉爲致之。會元旦貽以雪蓮二柄，花産雪山，隆冬始開，不常得，王供齋中，同學來賀者，苦詰所從得，某不能隱，吐其實。女已知之，客去，曰：屢屬密秘，今乃漏言，緣盡矣。泣留之，不可，遂去。臨別曰：爲若物色一佳偶，某處某人女可聘也。某嫌其貌不颺，女曰：老蚌生明珠，君毋以貌取人。某以女言，卒聘之，後果生三子，以科名亢其宗。蝀階外史三。

明芮總憲釗，寶坻人，賜祭葬，塋在城東門外，石翁仲、石羊、石馬尚存。近塋田禾，夜狼籍輒至數畝，看青人憾之。夜伏禾中，見一馬來竊禾食，突以鐮削馬首，去半顱，狂竄去。次日見石馬失半首，血蹟殷然，從此不復能爲怪矣。至今馬首石尚赤如脂。蜨階外史三。

甯河某甲，有典衣癖，每日檢己衣服及妻孥輩衣飾、婢珥、媼簪，斂爲一篋，悉如質庫。所質錢置床上，十緡爲埒，如黄標紫標故事，而一月子錢，計若干，預於燈下盈貫付床頭，凌晨贖歸。朝饔後，復質焉。自奉極儉，家不僅中人産，青鞋布韈，意趣恬如，惟一日不典衣，卽疾首攢眉，如負重恙，質券到眼，則如服對症藥，通體暢然，笑容可掬矣。歲以錢十餘千僱一奚奴，往來蹀躞質庫中，四十年如一日。有腴田數頃，坐是化爲烏有。卒之日，無以斂，子孫竟無立錐云。蜨階外史三。

寶坻王椿橋，與通州張茂才同寓京師考遺才，榜未揭，閒步於南下窪子。時殘暑尚酷，張著新白袷衫，脱挂柳枝上，王曰：不畏翦綹乎？張曰：四目交射，何慮焉？俄見老人髮垂白，持去瓤西瓜皮，一一如盂，蹲於道，匊轍中土實其一，挹彼注兹，無慮數十度，王與張注目視，互相猜疑，不得其故。老人尋傾土轍中，持瓜皮逍遥去。兩人回視，衣已亡矣，悵悵而返。蜨階外史四。

一人市束腰緺綢巾，議直二緡，令隨取直，攜至錢店，出朱提一兩易錢，故昂其價，評泊不協，置朱提，荷囊悻悻去。易數處，無一成，謂市巾人曰：銀一兩，直錢近四緡，我終不憒錢店，願與子。市巾人歡然持去。後又遇於市，謂曰：子胡以贋銀欺我？答曰：我銀贋，子巾亦非真也。蓋以高麗紙緺成者，一笑而罷。蜨階外史四。

趙埜，字雪蘿，武清人，性孤僻，居尹兒灣，工摹印，專摹漢銅，視文三橋、何雪漁蔑如也。意所可，鐫十數方不爲煩，否雖貽以金繒，率並其石棄不顧。常曰：漢印有格律，有神韻，有字體，今人不師古法，以意就正字通諸書配合，縱無訛字，亦刻篆字耳，何印之足云！嘗假草木名字，用漢官私印式刻爲楮葉集印譜，以性嗜刻石，又號石工。蜨階外史四。

寶坻杜文端立德、大興朱文正珪均有墨，杜款純一子製，朱款鄂不草廬也。蜨階外史四。

通州鼓樓，舊有大鼓，鼓四周有環，環銜屈戌，鼓内外引環，以鎖釘四隅懸焉。年久，一屈戌脱，欲易之，需去皮，費鉅，計不如易新鼓。會有人曰：能修之。索值甚尠。乃別置屈戌，長咫，旁安簧如牡鑰然，量鼓木厚薄，較其簧不差累黍，置入，應手簧鏗然鼓聲，懸如故矣。蜨階外史四。

京師骨董肆有皮毬一，渾合無縫，十餘年無問者。後有人問價，答以五百。其人卽出錢付之。肆主戲曰：此至寶，非五百金不可。其人笑曰：焉有一皮毯直五百金者！然愛不釋手。市人評泊之，以五十緡購去。肆主問所用，不答。尾之歸寓，叩再三，矢無悔。其人旋出刀如雪，破毯，乃一巨珠也，大如李，圓匀瑩徹，光鑑數百步。蓋珠産海外，渡海時夜有光，蛟龍見之，將鼓風浪攫取，韜以毯，乃得免水厄達中國耳。後其人售珠致富。按：查初白敬業堂集，有皮毯詩，載毯中藏藏經全部，蠅頭細書，與此異。蜨階外史四。

文安勝芳鎮，水泊處也。漁人網一雄鴛鴦，其雌回翔，傍船不去，漁人不知也。割以刃，雌鳴益哀，旋出釜吹火，爇蘆荻焨焉，湯沸，雌驟下投釜中。漁人悔，投於河，相戒毋再弋。蜨階外史四。

盤山多異禽，入饌者以松鴨、沙雞爲最。鴨，鴉身、鴨觜，毛蒼紫，性喜松，巢松巔，日惟以松子爲食也，不棲止他木，渴飲泉，泉必松下者，以浸松脂也，鳴聲啞啞然，呼羣鼓翅，百十爲隊，土人網之充饌，肉作松子香，清腴甘美，不與雞鶩同。畿輔志物産類及盤山志均未載，名家集中亦無詠及者。詢之山僧，云是物開山時卽多有之，近山諸邨及他山所無，世有注禽經者，當補入也。沙雞卽鵽鳩，一名半翅，見爾雅注及朱竹垞曝書亭記。蜨階外史四。

姚伯昂侍郎有龍伐木歌，序云：順天屬三河等縣，每下雨暴漲，水高數丈，若山立，有木直立水中以行，端與水平，上恒有光，夜望如鐙，或有鰲蹲其上，傳爲龍造宮取木也。木取於平谷縣之深山中。癸未三月，有木工十三人，衣青，腰斧鋸，過平谷縣西門外飯肆，人食饅首數枚，不茹葷，告主人以取木歸，償其值。主人心知其異，亦不與計。是歲大水，俗呼爲龍伐木云，是亦異聞，因作歌曰：順天府，屬縣有平谷，老林密箐森其麓。世間怪事竟有之，山人走告龍伐木。我聞瀨底多奇珍，水晶宮殿最華煜。珊瑚作柱貝作題，火齊明珠相綴屬。取材豈或有窮時？乃向人間事斫斸？昨者西門賣酒家，有家遝來真果腹。手斧臂鋸腰短襦，十有三人一妝束。酒家驚言辛酉年，過者依稀見非獨。辛酉歲過其店，食者十八人。竭來又遇黑衣至，將毋不使黃粱熟？時當六月山雨傾，懸流挂天辭飛瀑。頃刻奔潮倒峽來，小艇上山魚上屋。橫流之中木豎行，跳浪翻波不一仆。鰲背倒撐巨笴排，雲頭遠接修竿矗。木高十丈水十丈，水與木平如轉轂。木端更露閃爍光，月黑星昏點華燭。直使明鐙下淀津，龍工未興山鬼哭。吾友李生祖母劉，行年九十聞見熟。李之祖母言，幼時其戚某家北山下，一日，有六七人如木工狀，投村中宿，村人不留，因詣其家。以爲異鄉人，憐之，止之宿，自與妻移屋外葡萄樹下，讓屋居客。天明，不見客起，隔窗以望，但見魚鱗縱橫於地，驚而退，乃呼曰：日高矣。客出，故如昨也。辭而行，留一物置簷牙間，以爲謝。及水發，村沒，此家獨無恙，知其以是報矣。嘗言有戚居北山，工師六七暮投宿。天明窺户閴無人，老魚巨蟹分蹤躅。主人大呼日三竿，夜客出門争拭目。猶是衣冠拜謝行，始知鑿鑿非人族。魚鱉作人人其魚，此事往往驚鄉曲。吁嗟長江滾滾流，巨筏縱横斷復續。千里萬里息可致，取用未聞或不足。龍宫縱須山木材，順流亦可供其欲。東瀰之龍何不仁，蹂踐人命等牲畜。何當六丁爲扑之，三河不波吾民福。且言魚鱉之行，若有隊伍，每駐，則水立如墻堵，將行，水底三聲如礮然，俱鴨鴨作人語。真是異事。止園筆談。

邵闇谷太守夫人善烹鰣鰉魚頭，張瘦銅中翰與趙雲松觀察半夜買魚，排闥喧呼，太守夫婦已寢，聞聲山視，不得已，屬夫人起而治庖，魚熟命酒，東方明矣。三人爲之笑樂。中翰有句云：昔年邵七同街住，半夜打門索煮魚。想見前輩風流灑脱。道光間，徐稼生庶子與張星白侍郎同年至好，一日，庶子飲侍郎齋中，大醉，逕趍内室。適侍郎夫人在玻璃窗下倦繡，庶子隔窗戲謔。夫人大怒，呼輿至庶子宅，立將庶子姬人携歸，且告徐曰：此非汝妾，乃張星白之妾矣！迨夜深，仍不放歸。徐姬人眼雨首蓬，幾至搆衅。同人力爲排解乃罷。凡戲無益，此則不如闇谷夫人烹魚雅趣也。蕉軒隨録十。

平谷道士王成，得鐵布衫法，居西關天齊廟，甚富，野居無隣。盗瞰其富，而欺其居之孤也，羣至夜劫之。道士出擊，盗盡披靡，鼠竄去。一日，在路有客約飲，乃前盗也。道士允諾。至其處，羣盗咸在，覗道士，曰：來乎？道士應曰：諾。遂羣入坐行酒，几無多饌，惟設豚炙一，大盂皆臠切爲塊，一盗持匕首刺盂肉一臠，舉而進曰：無以敬客，請食此。道士起，受之以口，而齒啣其刃。盜抽之不得，復努力進刺之，亦堅不可入，刃爲之曲，道士終屹然不動，遂咸拜服。道士釋口，匕首落几上，兩面皆有齒痕，深一分許。嘗於四月間赴髩髻山廟會，與通州萬緣會人偶忤，羣欲毆之。道士曰：此地狹，非鬬所，其隨我擇一寬敞地，可乎？因相率至山下石灘中。道士曰：宜先礪吾拳。擇一巨石，拳擊之，石應手碎。羣駭散去。一日，道士入城，有騾縶於街上。道士過，騾踣之。道士曰：而顧善踶趹者乎？試盡而力。因攬衣露小腹，誘使踢之，騾稍息，復誘之，觀者如堵。食頃，騾汗出力疲，帖然不動，而道士無恙，曰：技止此乎？笑而去。邑城王某，與道士有蹊田之隙，欲報之而力不能敵，乃僞邀道士飲，持巨梃隱身門後，伺其入而自後猛擊之，中腦，道士從容反顧曰：爾未食乎？若大身軀，何並無一些力？某駭而奔。道士曰：止！爾邀吾飲，何反避也？無懼，吾何足與汝校焉！有客至而逃主人者乎？遂入室，令某具酒食，恣意飲噉而去。後道士病革，將易簀，某探知之，遂至道士門，指名詬詈，以洩夙憤。道士聞之，瞿然曰：門外詈者誰耶？家人諱之曰：行路者相争耳。道士曰：毋誑我。吾聞呼我名，其聲似王某也。扶我起，出視之。人阻之不得，乃扶掖至門外，見某曰：嘻，公休矣！公詈我耶？令家人扶進前揖之，某意稍解，因答禮。道士乘其俯身，卽乂五指以掐其腦曰：汝何物，敢在此猖獗！言未已，某大叫一聲，即撲地不能起，蓋頂骨裂矣。道士釋手，反身曰：我死，亦不令爾活也。某家人聞之，舁某歸，隔宿卒。至次日，道士亦卒。（平谷續志。）

京師前門外有小廟，廟僧素無賴，香火久冷落矣。僧忽於除夜謡言地中發火光，次日廟門前似有物拱起，到晚長數寸，則佛之螺髻也。不四五日，全身盡露，蓋如來一尊也。一時哄動，各宦家士庶齊來上香頂禮，傾城聚觀，舉國若狂。時陸眉生秉樞給諫巡視中城，惡其惑衆，親率隸役至其寺，將泥佛拖下，重責四十大板，嚴刑寺僧。蓋於除夜密埋一佛地下，堆壅黄豆數十觔，日夜澆灌，數日後，黄豆發芽，自將泥佛頂出，欲借此爲斂財計耳。陸將僧枷示通衢，備將供詞抄録曉示。當其至寺，令責佛像時，隸役皆不敢舉手，陸乃自持棍打之，其泥猶濕也。一時皆服其識力。值尹杏農侍御巡北城，有山西鬼呼寃事，人遂爲之語曰：尹杏農大街遇鬼，陸眉生小廟拏神。（見聞續筆七。）

予巡視西城之年，平谷民某氏婦居京師者，自絞死。指揮許君惇書方病假，予下署指揮事劉君鴻圖驗死狀。婦所居近予，道路藉藉，指民父無禮於其子婦，婦不辱而死也。已，鴻圖報尸無他傷，惟細帶交喉間，又反葛衫一角以塞口在帶外。凡帶自絞，必不得急，衫塞口者，謂婦自爲之，欲速死也。於是民之父，婦之父母，列辭皆曰：民有祖父在平谷，前夕以病聞，民僕於管主事家，其父欲還平谷視疾，召民歸而語之，民請自往，而止其父行，父怒詈之。詰旦民遂不告而往平谷，其父亦出，將飯歸，婦則死矣。婦蓋以舅怒其夫，懼而死，死愚也。他無齮齕之者。婦死以不寃，予尤之，日訪於管氏及旁近士友家，粗得其顛末。民家屋三間，父子居相嚮也。民娶婦，浹月之管氏間歸，其父必斥之，使去。鄰人夜中聞其怒詬婦：我呼若，若故不應耶？若其跪至明！於時暑也，次夕婦徘徊庭中達旦。鄰婦怪問之。答曰：屋中如火灼，不可寢也。婦蓋不寢四夕，而竟死。民之祖父實不病，前夕民猶宿管氏，婦死而民詣婦家言曰：妻，汝家女也，汝自爲之，我爲人子事到官，惟父言是從耳。遂匿不出。會許君病良已，予使趣召民受辭，一如其父言，問鄰人，亦如之，乃獨引婦之父母及兩弟，反覆導，其辭卒皆對如民父言，蓋婦家人愿而畏事，又距婦所居遠，其事無顯顯可指狀，欲證諸鄰人，鄰人畏訟之及，而不以實告也。故事，五城獄訟，罪徒以上，皆移刑部治之，予因移牘，言獄有可疑者，假令民欲往問其祖父疾，其父不必怒；卽怒而及於婦，婦亦不至死；婦死且不懼，何懼而死也？察婦所以死者，甚可怪異。悉以其辭致於部。逾月，部讞定，則謂民父將挈家還平谷，婦不忍去其父母而死也。夫生去父母而不忍，死何忍也？部讞之辭，亦不得已焉爾。且以予奉職無狀，身有土地之責，其事在吾心，又顯然明白，然終不能引道路之證，成於訟庭，而抵其罪者，勢也。部訊囚，但當質諸死者之家，不得旁引株連以擾民，卽引亦無益，而婦之父母、兩弟始終堅謂婦不寃，亦無如之何已。嗚呼！吾因以思某氏之用心苦也。蓋不辱其身，又哀其夫，而不欲死其舅也，既尸無他傷，而其絞也又以晝，則其舅之辭固易遁焉爾。婦死之旦，謂其鄰曰：舅歸欲飯，在某所，我病欲眠也。鄰以其夜之不寢，而不疑也。而婦竟死也。噫！可哀也！予屢以此稾就正有道，冀聞教益。道光乙未正月在廣州，偶於中丞祁竹軒先生坐中言及之，先生曰：是獄不窮治，則死者之心安。因尚論夷齊及衛輒事，又曰：求仁而得仁，此婦亦是心爾。若外爲强暴所污，則異是。予聞先生言，幽顯一致，天理人情，推勘至極，不勝悦服。此稾卽欲毀棄，已念亦不妨並存斯語，以見卽事窮理，不可不深長思也。而篇內名氏，悉栞除之，所以使死者之心安，抑竊附春秋爲賢者諱之義云爾。記事稾一按：此事入之節烈，此婦之心不安。謹録錢給事原文，坿諸雜事，猶勝遺落也。

定遠方孝傑校

官師志一

傳一 自陶唐至元

德清傅雲龍纂 江陰繆荃孫覆輯

循吏傳於遷史，良政著於齊書。聲教入人，歷久彌篤。藉以風動後起，非第景仰前型也。自唐虞迄今，官斯土者，凡有美政，靡不甄録。其人曾任此地，而事弗繫此，則雖德隆行異，位重勳高，亦概从略。一統志、畿輔唐志、明萬曆沈志、各州縣志所載名宦，均有訛舛，詳辨於下。若本治此，而或淪于敵，無徙治明文者，變例著録，表以職分，志以代繫，使後來者有所考焉。志官師。

陶唐

和叔，書堯典。和之子。周禮疏序鄭注。按：鄭康成曰：仲叔亦羲和之子，掌四時者曰仲叔，則掌天地者其曰伯乎？又書釋文引馬融曰：羲氏掌天官，和氏掌地官，四子掌四時。堯既分陰陽爲四時，命羲仲、和仲、羲叔等爲之官。同上。申命和叔宅朔方，曰幽都。書堯典。按：史記五帝紀，朔作北。正義云：和叔若周禮冬官卿。淮南地形訓：幽都之門。書：流共工於幽州。淮南云幽都，此幽都即幽州之碻證。便在伏物，史記五帝紀。按：此大傳，文見索隱。尸子：北方，伏方也。書云：平在朔易。

日短，星昴，以正仲冬，厥民隩，書。按：史記，仲作中，厥民隩云其民隩。鳥獸氄毛。説文引虞書。按：説文，𣬛，又引虞書曰：鳥獸𣬛髦。蓋据孔壁古文異字。今本及史記並云鳥獸氄毛。畿輔唐志六十七：入名宦。按：歷代官斯土者，若鄒衍、若郭隗，僅言燕王師事之，太子丹、傅鞠武，非治民治軍官也。漢以來，治民或不治軍，而治軍多兼治民，然有督諸州軍事鎮治它境，又非以本職兼者，如東漢之張奂，晉之東海王越、戴若思、劉琨、劉隗、慕容廆、王邃、慕容儁、謝尚、郗曇、范汪、王述、郗愔、謝安、謝玄、敬王恬、王恭、劉牢之、元顯、劉裕，後魏之斛律金、叱列延慶，唐之彭城王緦，衡陽王義季、竇抗，明之孫承宗、張福臻，此難可入志者也。燕之幽州徙薊已前治龍城，高陽王隆、清河公會，均鎮其地，若留志之于凡城，慕容拔上庸公懿之鎮，令支南燕之幽州治發干，秦符氏未徙薊時之幽州治垣，明建文時暴昭之掌北平布政司治真定，萬曆時官秉忠之爲薊鎮東協駐口口，崇禎時朱國彦、猛如虎之爲薊鎮中協駐三屯營。類此，與今境無涉，此又難可入志者也。元燕京宣撫使設司李德輝等職，此當志，而如唐裴度之招撫温造之宣諭，劉太真房式之宣諭，李楷洛之經畧，或使不第，此或因事名使，此又難可入志者也。竇抗宦顯于唐，而其爲幽州總管則在隋，故列隋不列唐，餘悉視此。漢之彭寵，晉之段匹磾、石勒，唐之安禄山、李懷仙、朱泚、朱克融、李茂勳、劉仁恭等，其事難以政論，均詳兵事。如通鑑德宗興元元年，李希烈遣其將翟崇暉圍陳州，幽州行營節度使曲環救陳州，斬翟崇暉，攷兩唐書曲環傳，均稱環充邠隴行營節度，破李希烈，足證幽州爲邠隴之譌。畿輔唐志云：劇辛，燕相，三國張昭，幽州刺史。按：燕策、史記不云劇辛爲相，吴之張昭，陳志有傳，魏之張昭，見張範傳，並無職幽州刺史事，惟北魏幽州刺史張昭，坿魏書張蒲傳，誤或由此。晉唐彬監幽州軍，非五代後晉人，畿輔志乃兩列之。柳機、趙煚等皆冀州刺史，有周書、北史、隋書可證，而畿輔志謂刺幽州，未詳所據。一統志名宦載李桐客云：貞觀中爲通州刺史。按：唐通州隸山南道，本隋通川郡更名，見新舊唐地理志，在今四川綏定達縣，然則桐客之官通州，與韓滉之爲通州刺史，皆非順天通州也。明萬曆沈志，前代官厯二十有四，而李牧，趙將，非燕臣，誤一；李廣、耿弇、劉琨、曹彬、楊業，非治今境，誤二；不言王伽雍奴令，厯述其爲青州參軍，豈以青爲今境耶？誤三；彭景直不言知信安軍，誤四；房謨等政績不辨其繫此與否，誤五；黄友非死于裂唇，時考史未詳，誤六；以韋弘機爲常弘機，誤七。又州縣志，後漢趙苞爲廣陵令，治在今江蘇江都縣境，而文安志秩官載之，忠烈又載之，金温迪罕十方奴雞澤令，厥治在今廣平府，雞澤縣，而薊州志名宦載之，難更僕數，類是從削，非奪也。

漢

欒布，梁人，爲人所略賣，爲奴於燕，爲其家主報仇，燕將臧荼舉以爲都尉。史記列傳。荼爲燕王，布爲將。及荼反，漢擊燕，虜布，梁王彭越贖爲大夫。（漢書列傳。）漢梟越頭，布哭之。上釋布罪，拜爲都尉。孝文時爲燕相，至將軍。布迺稱曰：窮困不能辱身下志，非人也；富貴不能快意，非賢也。於是嘗有德者厚報之，有怨者必以法滅之。（史記列傳。按：漢書列傳，無下志二字，然語在初爲燕相時，班、馬無異，而通鑑補列之，復爲燕相後，今不從。）吳、楚反時，（漢書列傳。）擊齊有功，（史記集解徐廣說。）封鄃侯，（漢書列傳。按：史記作俞。）復爲燕相，有治迹，（後漢紀九。）燕、齊之間，皆爲立社，號曰欒公社，（史記列傳。按：漢紀九云，民爲之立生祠。然則社卽生祠也。）景帝中五年薨。（史記列傳。按：一統志五入名宦。）

趙夔，漢武時文安縣令，（圖經。）多異政。創建邑城，周圍千二百七十五丈五尺。（文安楊志。）大旱，乃自焚。士人感慕，因立祠祀焉。（圖經。按：北魏地形志，文安縣有趙君祠，卽此。）入名宦。（畿輔唐志六十八。）

嚴延年，字次卿，東海下邳人也。神爵中，爲涿郡太守。時郡比得不能太守，涿人畢野白等由是廢亂。大姓西高氏、東高氏，自郡吏以下，皆畏避之，莫敢與牾。咸曰：甯負二千石，無負豪大家。賓客放爲盜賊，發輒入高氏，吏不敢追。浸浸日多，道路張弓拔刃，然後敢行，其亂如此。延年至，遣掾、蠡吾、趙繡，按高氏得其死罪。繡見延年新將，心內懼，卽爲兩劾，欲先白其輕者，觀延年意怒，迺出其重劾。延年已知其如此矣。趙掾至，果白其輕者，延年索懷中，得重劾，卽收送獄。夜入，晨將至市論殺之，吏皆股弁。更遣吏分考兩高，窮竟其姦，誅殺各數十人。郡中震恐，道不拾遺。三歲，遷河南太守。

漢書列傳。四年，坐不道，棄市。通鑑二十七。

郭伋，字細侯，扶風茂陵人。哀、平間，辟大司空府，三遷爲漁陽都尉。後漢書列傳。建武五年，通鑑四十一。彭寵滅，後漢書列傳。二月，通鑑四十一。轉爲漁陽太守。漁陽既離王莽之亂，重以彭寵之敗，民多猾惡，寇賊充斥。伋到，後漢書列傳。養民訓兵，通鑑四十一。示以信賞，糾戮渠帥，盜賊銷散。時匈奴數抄郡界，邊境苦之。伋整勒士馬，設攻守之略。匈奴畏憚遠迹，不敢復入，塞民得安業。在職五歲，户口增倍。九年，徵拜潁川太守。二十二年爲大中大夫。後漢書列傳。按：一統志五、畿輔唐志六十八、明萬曆沈志入名宦。

張堪，字君游，南陽宛人。世祖即位，中郎將來歙薦堪，後拜漁陽太守。捕擊姦猾，賞罰必信，吏民皆樂爲用。匈奴嘗以萬騎入漁陽，堪率數千騎奔擊，大破之，郡界以靜。乃於狐奴開稻田八千餘頃，後漢書列傳。教民種殖，得以殷富。水經沽水注。百姓歌曰：桑無附枝，麥穗兩歧。張君爲政，樂不可支。視事八年，匈奴不敢犯塞。帝方徵堪，會病卒，下詔褒揚，賜帛百匹。後漢書列傳。按：水經沽水注，百姓歌作童謠，穗作秀。畿輔唐志六十八、明萬曆沈志入名宦，惟沈志謂爲宛平人，誤。

吴漢，字子顔，南陽宛人也。王莽末，亡命至漁陽，以販馬往來燕薊間。後漢書列傳。更始立，使使者韓鴻徇河北。或謂鴻曰：吴子顔，奇士也，可與計事。鴻召見漢，甚悦之，東觀漢記。傳注引司馬彪續漢書，更始使洛陽人韓鴻爲謁者，使持節降河北，拜除二千石，見漢説之。遂承制拜爲安樂令。即今通州。會王郎起，北州擾惑。漢素聞光武長者，獨欲歸心，乃説太守彭寵曰：漁陽、上谷突騎，天下所聞也。君何不合二郡精鋭，附劉公擊邯鄲？此一時之功也。寵以爲然，而官屬皆欲附王郎，寵不能奪。漢乃辭出，止外亭，念所以譎衆，未知所出。望見道中有一人似儒生者，漢使人召之，爲俱食，後漢書列傳。傳注引續漢書，時道路多饑，人來求食者似儒生，漢召故先爲之俱食。問以所聞。生因言劉公所過，爲郡縣所歸，邯鄲舉尊號者，實非劉氏。漢大喜，卽作爲光武書，移檄漁陽，使生齎以詣寵，令具以所聞説之，漢復隨後入。寵甚然之，於是遣漢將兵，與上谷諸將并軍而南，後漢書列傳。攻薊，誅王郎大將趙閎等。傳注引續漢書。及光武于廣阿，拜漢爲偏將軍，既拔邯鄲，後漢書列傳。傳注引續漢書，上使漢等將突騎，揚兵戲馬，立騎馳環邯鄲城，乃圍之。賜號建策侯。光武將發幽州兵，夜召鄧禹，問可使行者，後漢書列傳。禹曰：吳漢可。東觀漢記。其人勇鷙，有智謀。卽拜漢大將軍，持節北發十郡突騎。更始幽州牧苗曾聞之，陰勒兵，勅諸將不肯應調。漢乃將二十騎先馳至無終。曾以漢無備，出迎於路，漢卽撝兵騎，收曾斬之，而奪其軍。北州震駭，城邑莫不望風弭從。遂悉發其兵，引而南，至莫府，上兵簿。後漢書列傳。書鈔五十一引續漢書，漢爲大將軍，持節北發十郡突騎，更始幽州牧苗曾，不肯應調。漢斬曾，威震州郡，將其兵詣上。建武二十年薨。後漢書列傳。特賜謚曰忠侯。東觀漢記。按：萬曆順天志，名宦有傳。畿輔唐志六十八、一統志五入名宦。

王梁，字君嚴，漁陽安陽人。爲郡吏，太守彭寵以梁守狐奴令，後漢書列傳。及王郎起兵，勸寵後漢書蓋延傳注引續漢書。通鑑四十。歸光武，後漢書蓋延傳。與蓋延、吳漢俱將兵南及世祖於廣阿，拜偏將軍。建武十三年，封阜城侯。後漢書傳。

范遷，字子廬，沛國人，爲漁陽太守。以智略安邊，匈奴不敢入界。永平五年，以有清行，爲司徒。後漢書郭丹傳。按：畿輔唐志六十八入名宦。

馮煥，字平侯，隸釋馮煥殘碑。巴郡宕渠人也。後漢馮緄傳。元初六年十二月，據賜馮煥詔。自豫徙幽，賜詔云：隸釋。告豫州刺史馮煥：今下缺。常爲效用，邊將統御，下缺。內以威恩，撫喻杜下缺。去年鮮卑連犯鄣塞，下缺。過掩，卒搗轂無距捍下缺。率攝太守以下進退下缺。曾不表罪，誅多擁下缺。麗王宮傲輕狡猧下缺。纖下缺。絶宮不自效楚下缺。化頃屬樂浪久矣下缺。當所請設詭不定決下缺。月左右欲來犯法下缺。北顧傷心缺。煥有下缺。冀煥能竭心盡慮，有下缺。上如不從化督録部下缺。惟前後詔書以前人下缺。侍御史便宜數上，下缺。隸釋十五。跋云：右賜豫州刺史馮煥詔，安帝元初六年也。告豫州刺史馮煥者，漢詔之式如此。詔云：去年鮮卑連犯鄣塞。列傳云：元初五年秋，代郡鮮卑穿塞入寇，攻城邑，燒官寺，殺長吏。發緣邊甲卒，黎陽營兵備之。其冬，又入上谷。六年秋，入馬城。度遼將軍鄧遵，率南單于擊破之。按：馮君乃車騎將軍緄之父。緄傳云：煥爲幽州刺史。又煥有墓闕，題豫州幽州刺史馮使君神道。元初季年，豫州境內無盜賊事，上谷、代郡皆幽州所部，詔有北顧傷心，及頃屬樂浪之文，亦幽州語也。詔中諭其竭心盡慮，而使之便宜數上，必是自豫徙幽，而賜此詔。其石下斷，惟存上八字，文意不能詳考。煥猶在豫，故其前尚稱故官也。犯卽犯，過卽過，搗轂卽擣擊，傲卽慓，猧卽猾，纖卽殲，屬卽屬。爲幽州刺史，後漢書緄傳。建光元年春正月，率元菟、遼東二郡太守，討高句驪、穢貊，不克。後漢安帝紀。元菟遼東四字，據通鑑五十。煥疾忌姦惡，數致其罪。時元菟太守姚光，亦失人和，怨者乃詐作璽書，譴責煥。光賜以歐刀。又下遼東都尉龐奮，使速行刑。後漢書緄傳。四月甲戌，奮承僞璽書，後漢安帝紀。按：通鑑載，在建光二年。考異曰：帝紀建光元年四月甲戌。傳亦云建光元年。帝紀，去年十二月，高句驪圍元菟。而高驪傳有姚光上言。蓋光實以延光元年被殺，紀傳誤以延爲建。又今年四月無甲戌，其説甚辨。然考隸釋馮煥殘碑云：以永甯二年四口。洪云：建光之元，即永甯二年，是歲七月改元，煥以四月終，故碑用舊年也。然則紀傳不誤。即斬光，收煥。煥欲自殺，緄疑詔文有異，止煥曰：大人在州，志欲去惡，實無他故，必是凶人妄詐，規肆姦毒，願以事自上，甘罪無晚。煥從其言，上書自訟，果詐者所爲，徵奮抵罪。會煥病死獄中，帝愍之，賜煥錢十萬，以子爲郎中。後漢書緄傳。

張顯，漁陽太守，後漢書附獨行劉茂傳。和帝永元十三年，遼東鮮卑寇右北平，因入漁陽，太守擊破之。延平元年，後漢書鮮卑傳。按：後漢書劉茂傳云：元初中譌也，當依鮮卑傳校正。鮮卑傳，延平元年下有安帝永初中之文。據知爲延平無疑，即茂傳下文亦云永初二年。攷元初，在永初後，不應反在其前。鮮卑數百餘騎，後漢書劉茂傳。復寇漁陽。後漢書鮮卑傳。太守顯率吏士追出塞，遥望虜營煙火，急趣之。兵馬掾嚴授慮有伏兵，後漢書劉茂傳。諫曰：前道險阻，賊埶難量，宜且結營，先令輕騎偵視之。顯意甚鋭，怒欲斬之。後漢書鮮卑傳。蹙令進，授不獲已，後漢書劉茂傳。因復進兵。後漢書鮮卑傳。戰，伏兵發，後漢書劉茂傳。士卒悉走，唯授力戰，身被十創，手殺數人而死。後漢書鮮卑傳。顯拔刃追散兵，不能制，虜射中顯，主簿衛福、功曹徐咸遽赴之，顯遂墮馬，福以身擁蔽，虜并殺之。後漢書劉茂傳。鄧太后策書褒歎，賜顯錢六十萬，以家二人爲郎，授福、咸各錢十萬，除一子爲郎。後漢書鮮卑傳。

滕撫，字叔輔，北海劇人也。初仕州郡，稍遷爲涿令，有文武才用。太守以其能，委任郡職，兼領六縣，章懷注續漢志，涿郡七縣，除涿以外，有遒、故安、范陽、良鄉、北新城、方城六縣，使撫兼領之。風政修明，流愛于人，在事七年，道不拾遺。順帝末，揚徐盜起，磐牙連歲。建康元年，范容、周生等反，徐鳳、馬勉等復寇郡縣，明年，張嬰等復反。朝廷博求將帥，三公舉撫，拜爲九江都尉。東南平，爲左馮翊。後漢書列傳。按：一統志五、畿輔唐志六十八、明萬曆沈志入名宦。

度尚，字博平，山陽湖陸人也。後漢書列傳。爲吏清潔，有文武才略。章懷注引續漢書。除上虞長，遷文安令。遇時疾疫，穀貴人飢。尚開倉廩給營救疾者，百姓蒙其濟。時冀州刺史朱穆行部見尚，甚奇之。延熹五年，穆舉尚，後爲遼東太守，卒官。後漢書列傳。按：一統志五、畿輔唐志六十八入名宦。

楊熙，幽州刺史。羊陟遷尚書令，以熙清亮在公，薦舉升進。帝嘉之。後漢書羊陟傳。蔡邕上封事曰：諸州刺史所以督察姦枉，分別白黑者也，伏見幽州刺史楊熹，按：熹即熙。有奉公疾姦之心，熹所糾，其效尤多。後漢書蔡邕傳。

朱龜，水經陰溝水注。字伯靈，廣陵太守孫，昆陽令元子。按：歐陽棐集古録目云：廣陵人，誤也。蓋歐本僅辨廣陵字。鮮卑數犯郛塞，僉舉君，拜幽州刺史，養善除惡，門衛弛柝而無怵惕，百姓不復屯其城郛，出塞追寇，下缺。榮詔并涼以爲式。隸釋幽州刺史朱龜碑。光和六年卒。故吏別駕從事史右北平無終牟化水經陰溝水注。等立碑作頌。朱龜碑。

劉虞，字伯安，東海郯人。舉孝廉，稍遷幽州刺史。民夷感其德化，自鮮卑、烏桓、夫餘、穢貊之輩，皆隨時朝貢，無敢擾邊者，百姓歌悅之。公事去官。後漢書列傳。按：魏志八注引吴書曰：虞遷幽州刺史，轉甘陵相，甚得東土戎狄之心，後以疾歸。此與後漢書異。中平初，張純、張舉爲亂。四年，與烏桓大人、（後漢書列傳。）丘力居等（魏志八。）連盟，攻薊下，又使烏桓峭王等步騎入青、冀。（後漢書列傳。）五年三月，議選列卿尚書爲州牧，以本秩居住。（通鑑五十九。）朝廷以虞（後漢書列傳。）海内清名之士，（蜀志一注引續漢書。）威信素著，恩積北方，拜幽州牧。（後漢書列傳。魏志八：朝議以宗正東海劉伯安，既有德義，昔爲幽州刺史，恩信流著，戎狄附之，若使鎮撫，可不勞衆而定。按：後漢紀二十五，中和六年三月己丑，光禄劉虞爲司馬，領幽州牧，似以到薊言。）州任之重，自此而始。詔發南匈奴兵，配劉虞，討張純。單于羌渠遣左賢王將騎詣幽州。六年，（據通鑑五十九。）虞到薊，罷省屯兵，務廣恩信。遣使告峭王等，以朝恩寬弘，開許善路。又設賞購舉、純。（後漢書列傳。）丘力居等聞虞至，喜，各遣譯自歸。（魏志八。）舉、純走出塞，餘皆降散。三月，純爲其客王政所殺，送首詣虞。（後漢書列傳。）夏，（通鑑五十九。）靈帝遣使者就拜太尉，封容丘侯。董卓秉政，使授大司馬，進封襄賁侯。初平元年（後漢書列傳。）夏四月，（通鑑五十九。）徵爲太傅。道路隔塞，命不得達。舊幽州部應接荒外，資費甚廣，歲常割青、冀賦調二億有餘，以給足之。時處處斷絶，委輸不至，而虞務存寬政，勸督農植，開上谷胡市之利，通漁陽鹽鐵之饒，民悦年登，穀石三十。青、徐士庶避黄巾之難歸虞者百餘萬口，皆收視温恤，爲安立生業，流民忘其遷徙。（後漢書列傳。）虞在幽州，清静儉約，以禮義化民。（魏志八注引魏書。）敝衣繩履，食無兼肉，遠近豪俊夙僭奢者，莫不改操歸心。初，詔令公孫瓚討烏桓，受虞節度。瓚但務會徒衆以自强大，縱任部曲，頗侵擾百姓。而虞爲政仁愛，念利民物，由是與瓚漸不相平，後漢書列傳。關東義兵起。魏志八。二年，冀州刺史韓馥、勃海太守袁紹及山東諸將議：以朝廷幼沖，逼於董卓，遠隔關塞，不知存否，以虞宗室長，欲立爲主。乃遣故樂浪太守張岐等齎議後漢書列傳。詣虞，魏志八。虞厲色叱之曰：今天下崩亂，主上蒙塵，吾被重恩，未能清雪國恥，諸君各據州郡，宜共勠力，盡心王室，而反造逆謀，以相垢誤邪？固拒之。馥等又請虞領尚書事，承制封拜，復不聽。遂收斬使人。後漢書列傳。虞子和爲侍中，帝思東歸，通鑑六十。考異：范書劉虞傳：虞使田疇使長安時，和爲侍中，因遣從武關出。魏志公孫瓚傳，但云天子思歸，不云因疇至也，若爾，當令和與疇俱還，不應出武關。又疇未還，劉虞已死。虞死在初平四年冬，界橋戰在三年春，范書誤也。遣和潛從武關出，告虞將兵來迎。道由南陽，袁術質和，後漢書列傳。令和爲書與虞，魏志八。遣兵俱西。虞乃使數千騎就和。公孫瓚知術詐，止虞，虞不從，瓚乃陰勸術執和，奪其兵。後漢書列傳。由是虞、瓚益有隙。和逃術來北，復爲紹所留。魏志八。瓚既累爲紹所敗，猶攻之不已。虞患其黷武，且慮得志不可復制，固不許行，而稍節其稟假。瓚怒，屢違節度，又復侵犯百姓。虞所賚賞典當胡夷，後漢書列傳。瓚輒抄奪。魏志八注引魏氏春秋曰：劉虞和輯戎狄，瓚以胡夷難禦，當因不賓而討之，今加財賞，必輕漢，効一時之名，非久長深慮，故虞所賞賜，瓚輒抄奪。積不能禁，乃遣驛使奉章陳其暴掠之罪，瓚亦上虞稟糧不周，二奏交馳，互相非毀，朝廷依違而已。瓚乃築京於薊城東南以備虞。後漢書列傳。按：後漢書無東南二字，魏志八，瓚敗還薊，於東南築小城。虞數請會，稱疾不往。虞密謀討之，告東曹椽右北平魏攸。攸曰：今天下引領，以公爲歸，謀臣爪牙，不可無也。瓚文武才力足恃，雖有小惡，固宜容忍。乃止。後漢書列傳參注引魏氏春秋。頃之，攸卒，而積忿不已。後漢書列傳。懼瓚爲變。魏志八。四年冬，遂自率諸屯兵衆合十萬人以攻瓚。將行，從事代郡程緒免冑而前曰：公孫瓚雖有過惡，而罪名未正，明公不先告曉，使得改行，而兵起蕭牆，非國之利。加勝敗難保，不如駐兵，以武臨之，瓚必悔禍謝罪，所謂不戰而服人者也。虞以緒臨事沮議，遂斬之以徇。戒軍士曰：無傷餘人，殺一伯珪而已。時州從事公孫紀者，瓚以同姓厚待遇之。紀知虞謀，夜告瓚。瓚時部曲放散在外，倉卒自懼不免，乃掘東城欲走。虞兵不習戰，又愛人廬舍，勑不聽焚燒，急攻圍不下。瓚乃簡募鋭士數百人，因風縱火，直衝突之，虞遂大敗，與官屬北奔居庸縣。瓚追攻之，三日城陷，執虞並妻子還薊，猶使領州文書。會天子遣使者段訓增虞封邑，督六州事；拜瓚前將軍，封易侯，假節督幽、并、青、冀。瓚乃誣虞前與袁紹等欲稱尊號，脅訓斬虞於薊市。先坐而呪曰：若虞應爲天子者，天當風雨以相救。時旱埶炎盛，遂斬焉。傳首京師，故吏尾郭於路，刼虞首歸葬之。瓚乃上訓爲幽州刺史。虞以恩厚得衆，懷被北州，百姓流舊，莫不痛惜焉。後漢書列傳。故常山相孫瑾掾，張逸、張瓚等，忠義奮發，相與就虞，罵瓚極口，然後同死。英雄記。虞從事漁陽鮮于輔，齊周騎都尉鮮于銀等，率州兵欲報瓚，魏志八。以燕國閻柔素有恩信，推爲烏桓司馬。柔招誘胡漢數萬人，與瓚所置漁陽太守鄒丹戰於潞北，斬丹。後漢書公孫瓚傳。輔遂領漁陽太守。通鑑六十三胡注。烏桓峭王感虞恩德，率種人及鮮卑七千餘騎，共輔南迎虞子和，與紹將麴義攻瓚。興平二年，破瓚于鮑丘。後漢書公孫瓚傳。按：後漢書虞傳，選掾右北平田疇、從事鮮于銀，蒙險間行，奉使長安，然則鮮于銀初亦州從事也。惟魏志不言田疇奉使時有鮮于銀。田豫，字國讓，漁陽雍奴人。輔以爲長史。時雄傑並起，輔莫知所從。豫謂輔曰：終能定天下者，必曹氏也，宜速歸命，無後禍期。輔從其計。魏志二十六。將衆奉王命，以輔爲建忠將軍，督幽州六郡。魏志八。建安五年，輔見操於官渡，以爲右度遼將軍，還鎮幽土。通鑑六十三。通鑑胡注云：度遼將軍，屯於西河爲左，幽土爲右也。

初，通鑑六十。董卓遷帝長安。虞歎曰：賊臣作亂，朝廷播蕩，四海俄然，莫有固志。身備宗室遺老，不得自同於衆。今欲奉使展効臣節，安得不辱命之士乎？魏志十一。衆曰：田疇年二十二，雖少，然奇才。通鑑六十。虞署爲從事。疇曰：稱官奉使，爲衆所指名。願以私行，期於得達。虞從之。乃自選二十騎，俱虞祖遺之。疇字子泰，右北平無終人。魏志十一。將行，密説虞曰：今主幼臣擅，表上須報，懼失事機，瓚阻兵，安忍不早圖之，必有後悔。虞不聽。先賢行狀。疇還，謁祭虞墓，陳發章表，哭泣而去。瓚怒，獲疇，曰：何不送章報於我？疇曰：漢室衰頹，人懷異心，惟劉公不失忠節。章報所言，於將軍未美，恐非所樂聞，故不進。魏志十一。按：萬曆沈志、畿輔唐志六十八入名宦。

魏

崔林，字德儒，清河東武城人也。魏志二十四。曹丕時，蕭常續後漢書三十八。拜尚書，出爲幽州刺史。北中郎將吴質統河北軍事，涿郡太守王雄謂林别駕曰：吴中郎將，上所親重，國之貴臣也。杖節統事，州郡莫不奉牋致敬，而崔使君初不與相聞。若以邊塞不修斬卿，使君甯能護卿邪？别駕具以白林，林曰：刺史視去此州如脱屣，甯當相累邪？此州與胡虜接，宜鎮之以静，擾之則動其逆心，特爲國家生北顧憂，以此爲寄。在官一期，寇竊寢息。猶以不事上司，左遷河間太守，清論多爲林怨也。裴注引魏名臣奏載侍中辛毗奏曰：昔桓階爲尚書令，以崔林非尚書才，遷以爲河間太守。與此傳不同。遷大鴻臚。林爲政推誠，簡存大體，是以去後每輒見思。後爲司空，封安陽亭侯。三公封列侯，自林始。謚曰孝侯。魏志二十四。按：明萬曆沈志入名宦。

王雄，魏志二十四。字元伯，太保祥之宗也。裴注引王氏譜。安定太守孟達薦雄曰：臣聞明君以求賢爲業，忠臣以進善爲效，故易稱拔茅連茹，傳曰舉爾所知，臣不量，竊慕其義。臣昔以乏謬充備部職，時涿郡太守王雄爲西部從事，與臣同僚。雄天性良固，果而有謀，歷試三縣，政成人和。及在近職，奉宣威恩，懷柔有術，清慎持法。臣往年出使，經過雄郡，自説特受陛下拔擢之恩，常勵節精心，思投命爲効，言辭激揚，情趣欵惻。臣雖愚闇，不識真僞，以謂雄才兼資文武，忠烈之性，踰越倫輩。今涿郡領户三千，孤寡之家參居其半，北有守兵，藩衛之固，誠不足舒雄智力，展其勤幹也。臣受恩深厚，無以報國，不勝慺慺淺見之情，謹冒陳聞。裴注引魏名臣表。詔曰：昔蕭何薦韓信，鄧禹進吳漢，惟賢知賢也。雄有膽智，技文武之姿，吾宿知之。今便以參散騎之選，方使少在吾門，下知指歸，便大用之矣。天下之士，欲使皆先歷散騎，然後出州郡，是吾本意也。雄後爲幽州刺史。裴注。按：曹丕時，涿郡太守王雄勸崔林致敬吳質事見崔林傳。又晉書王戎傳，祖雄，幽州刺史。田豫持節護烏丸校尉，而幽州刺史雄支黨，欲令雄領，毁豫亂邊。魏志二十六。建興十年，公孫淵數與吳通。通鑑七十二。魏主叡通鑑補。使幽州刺史雄自陸道討之。蔣濟諫，不聽。往，無功，詔令罷軍。通鑑七十二。

王觀，字偉臺，東郡廩丘人也。魏志二十四。曹叡時蕭常續後漢書四十一。尚書郎、廷尉監，出爲涿郡太守。涿北接鮮卑，數有寇盜。觀令邊民十家已上，屯居，築京候。時或有不願者，觀乃假遣朝吏，使歸助子弟，不與期會，但勑事訖各還。於是吏民相率不督自勸，旬日之中，一時俱成。守禦有備，寇鈔以息。明帝即位，下詔書使郡縣條爲劇、中、平者。主者欲言郡爲中平，觀教曰：此郡濱近外虜，數有寇害，云何不爲劇邪？主者曰：若郡爲外劇，恐於明府有任子。觀曰：夫君者，所以爲民也。今郡在外劇，則於役條當有降差。豈可爲太守之私而負一郡之民乎？遂言爲外劇郡，後送任子詣鄴。時觀但有一子而又幼弱，其公心如此。觀治身清素，帥下以儉，僚屬承風，莫不自勵。明帝幸許昌，召觀爲治書侍御，典行臺獄。常道鄉公進封陽鄉侯，增邑千户，并前二千五百户。遷司空。謚肅侯。魏志二十四。按：陽鄉今固安。通鑑七十七：景耀三年冬十月，陽鄉肅侯王觀卒。明萬曆沈志、一統志五入名宦。

杜恕，字務伯，京兆杜陵人。所在務存大體，在朝廷，以不得當世之和，故屢在外任。出爲幽州刺史，加建威將軍，使持節，護烏丸校尉。時征北將軍程喜屯薊，尚書袁侃等戒恕曰：程申伯處先帝之世，傾田園於青州。足下今俱杖節，使共屯一城，宜深有以待之。而恕不以爲意。魏志十六。恕嘗過胡昭所居草廬之中，言事論理，辭意謙敬，恕甚重焉。高士傳。按：高士傳恕上有幽州刺史杜五字，據爲任幽州時事。至官未期，有鮮卑大人兒不由關塞，徑將數十騎詣州，州斬所從來小子一人，無表言上。魏志十六。喜欲恕折節謝己，諷司馬宋權示之以微意。恕答權書曰：況示委曲。夫法天下事，以善意相待，無不致快也。以不善意相待，無不致嫌隙也。而議者言，凡人天性皆不善，不當待以善意，更墮其調中。僕得此輩，便欲歸蹈滄海乘桴耳，不能自諧在其間也。然以年五十二，不見廢棄，頗亦遭明達君子亮其本心，若不見亮，使人刳心著地，正與數斤肉相似，何足有所明？故終不自解說。程征北功名宿著，在僕前甚多，有人出征北乎？若令下官事無大小咨而後行，則非上司彈繩之意；若咨而不從，又非上下相順之宜。故推一心，任一意，直而行之耳。殺胡之事，天下謂之是邪？是僕諧也。呼爲非邪？僕自受無所怨咎。程征北明之亦善，不明之亦善，諸君子自共爲其心耳，不在僕言也。喜遂深文劾恕。魏志十六注引杜氏新書。下廷尉，免爲庶人，徙章武郡，是歲嘉平元年。恕倜儻任意，而思不防患，終致此敗。初，陳留阮武謂恕曰：今向間暇，可試潛思，成一家言。在章武，遂著體論八篇，又著興性論一篇，蓋興於爲己也。四年，卒於徙所。魏志十六。

晉

唐彬，字儒宗，魯國鄒人也。北虜侵掠北平，以彬爲使持節監幽州諸軍事，晉書列傳。領護烏桓校尉右將軍。册府元龜八百二。彬既至鎮，訓卒利兵，廣農重稼，震威耀武，宣喻國命，示以恩信，於是鮮卑二部大莫廆、擿何等，並遣侍子入貢，兼修學校，誨誘無倦，仁惠廣被，遂開拓舊境，郤地千里，復秦長城，塞自温城洎于碣石，緜亘山谷且三千里，分軍屯守，烽堠相望，由是邊境獲安，無犬吠之警。自漢魏征鎮，莫之比焉。鮮卑諸種畏懼，遂殺太莫廆。彬欲討之，恐列上俟報，虜必逃散，乃發幽冀車牛。參軍許祗密奏之，詔遣御史檻車，徵彬付廷尉，以事直見釋，百姓追慕彬功德，生爲立碑作頌。元康初，領雍州。卒，謚曰襄。晉書列傳。按：畿輔唐志六十七、明萬曆沈志入名宦。

許猛，高陽人，幽州刺史。素服廣陽霍原名，會爲刺史，將詣之，主簿當車諫：不可出界。猛歎恨而止。據晉書隱逸霍原傳。特以原名聞，擬之西河，求加徵聘。據晉書李重傳。按：猛能舉賢，即政之大端。

燕

慕容農，燕元二年爲幽州牧，法制寬簡，清刑省賦，勸農桑，居民富贍，四方流民至者數萬。據通鑑綱目。

後魏

尉諾，代人也，魏書尉古真傳。古真弟。魏書傳目及注。少侍太祖，以忠謹著稱，賜爵安樂子。太宗初，爲幽州刺史，加東統將軍，進爵爲侯，討馮跋，進武陵公。諾之在州有惠政，民吏追思之。世祖時，薊人張廣達等二百餘人詣闕請之，復除安東將軍、幽州刺史，改邑遼西公。燕土亂久，民户凋散，諾在州前後十數年，還業者萬餘家。延和中卒。魏書尉古真傳。

張昭，河南修武人。有志操。神䴥中，爵修武侯。延和二年，爲幽州刺史。時幽州年穀不登，州廩虛罄，民多菜色。昭謂民吏曰：何我之不德而遇其時乎？乃使富人通濟貧乏。車馬之家羅運外境，貧弱者勸以農桑，歲乃大熟，士女稱頌之，在任三年卒。據魏書附張蒲傳。按：畿輔唐志載，三國張昭，幽州刺史。考吴之張昭，陳志有傳。魏之張昭，見張範傳。均無任幽州刺史事，大約因此張昭而誤。

崔休，字惠盛，清河人，逞玄孫。洛州刺史，尋行幽州事。魏書列傳。按：此爲北史所未載。後爲司徒右長史。北史列傳。肅宗除平北將軍、幽州刺史，進號安北將軍。在州清白愛民，甚著聲績。百姓懷其德澤，魏書列傳。遷青州，北史列傳。入爲度支、七兵、殿中三尚書，卒謚文貞。魏書列傳。北史列傳。

江文遥，魏書江悦之傳。濟陽考城人也。北史江悦之傳。肅宗初，平原太守，遷後將軍、安州刺史。文遥善于綏納，甚得物情。時杜洛周、葛榮等相繼叛逆，自幽燕已南，悉皆淪陷。魏書傳。唯文遥界在羣賊之外，孤城獨守，鳩集荒餘，且耕且戰，百姓皆樂爲用。北史傳。建義元年七月，卒於州。長史許思祖等，以文遥遺愛在民，復推其子果行州事，既攝州任，魏書傳。乃遣使奉表。莊帝嘉之，除果通直散騎侍郎、北史傳。假節、龍驤將軍、行安州事、當州都督。既而賊勢轉勝，臺援不接，果以阻隔彊寇，內徙無由，乃攜諸弟並率城民東奔高麗。元象中還朝。魏書傳。按：江文遥，一統志五入名宦。安州之僑治幽州，北界在元象中前此置，于皇興二年治方城，在今固安。

侯淵，魏書列傳。按：北史傳淵避諱作深。神武尖山人，孝明末，北史列傳。歸尒朱榮。孝莊卽位，從榮討葛榮於滏口。榮啟淵爲驃騎將軍、燕州刺史。時葛榮別帥韓樓、郝長等，屯據薊城，榮令淵進討韓樓，配卒甚少。或以爲言，榮曰：淵臨機設變，是其所長，若總大衆，未必能用。今擊此賊，故當不足定也。魏書列傳。給騎七百。北史列傳。淵去薊百餘里，值賊帥陳周馬步萬餘，淵遂潛伏以乘其背，虜其卒五千餘人，尋還其馬仗，縱令入城。魏書列傳。按：北史仗作伏，譌也。左右諫，北史列傳。淵曰：我兵少，須爲計離隙之。度其已至，率騎夜進，昧旦叩其城門，疑降卒爲淵內應，遂遁，追擒之。魏書列傳。賜爵爲侯，尋爲平州刺史，乃鎮范陽。北史列傳。尒朱榮死，范陽太守盧文偉誘淵出獵，閉門拒之。淵率部曲屯于郡南，爲榮舉哀，勒兵南向。莊帝使東萊王貴平爲大使，慰勞燕薊。淵乃詐降，執貴平。會元曄立，授淵左軍大都督、漁陽郡開國公，邑一千户。前廢帝立，加開府。幽州刺史劉靈助舉義兵，淵破擒之。魏書列傳。

裴延儁，字平子，河東聞喜人也。北史列傳。肅宗除廷尉卿，轉平北將軍、幽州刺史。范陽郡有舊督亢渠，徑五十里。漁陽燕郡有故戾陵諸堰，廣袤三十里，皆廢毁多時，莫能修復。魏書列傳。按：北史堰作堨。時水旱不調，民多飢餒。延儁謂疏通舊迹，勢必可成。魏書列傳。正光二年，方輿紀要。乃表求營造，遂躬自履行，相度形勢，隨力分督，未幾而就，溉田百萬餘畝，爲利十倍，百姓賴之。北史列傳。又命主簿酈惲修起學校，禮教大行，民歌謡之。在州五年，考績爲天下最。魏書列傳。按：北史同，惟民作人。儁繼母隨延儁在薊，時遇重患，延儁啟求侍母還京療治，至都未幾，拜太常卿。魏書列傳。歷七兵、殿中二尚書，又兼吏部。莊帝初，於河陰遇害。北史列傳。按：一統志五、畿輔唐志六十七入名宦。

刁整，字景智，渤海饒安人。自征虜將軍，出除范陽太守，時已兵亂，整郡獲全。去郡之後，尋被陷没。天平四年卒，謚文獻。魏書刁雍傳。

北齊

尉長命，太安狄那人。（北齊書列傳。）神武起兵，（北史列傳。）除東南道大都督，轉范陽，就拜幽州刺史，督安、平二州事。州居北垂，土荒民散，長命雖多聚斂，然以恩撫民，少得安集。尋以疾去。未幾，復拜車騎大將軍，都督西燕、幽、滄、瀛四州諸軍事，幽州刺史。卒於州，贈以本官加司空，謚武壯。（北齊書列傳。）

源彪，字文宗，西平樂都人。太子中舍人。乾明初，出爲范陽郡守，（北齊書列傳。）以恩信待物，甚得人和，鄰郡欽服。（涿州吴志。按：此爲史所未及，而北史坿源賀傳，並不言其爲范陽守，藉非北齊書，幾疑涿志無據矣。）皇建二年，拜涇州刺史，入授儀同大將軍、司成、下大夫。（北齊書列傳。）

斛律羡，字豐樂，（北齊書斛律金傳。）朔州敕勒部人。（北史斛律金傳。）河清三年，轉使持節，都督幽、安、平、南、北營、東燕六州諸軍事，幽州刺史。其年秋，突厥衆十餘萬來寇州境，羡總率諸將禦之。突厥望見軍威甚整，遂不敢戰，遣使求款。慮其有詐，且喻之曰：爾輩此行，本非朝貢，見機始變，未是宿心。若有實誠，卽速歸巢穴，別遣使來。於是退走。天統元年夏五月，突厥可汗（北史列傳。）遣使請朝獻，羡始以聞。自是朝貢，歲時不絶，羡有力焉。詔加行臺僕射。羡以北虜屢犯邊，須備不虞，自庫堆戍，東拒於海，隨山屈曲二千餘里，其間二百里中，凡有險要，或斬山築城，或斷谷起障，並置立戍邏五十餘所，又導高梁水北合易京，東會於潞，因以灌田，邊儲歲積，轉漕用省，公私獲利。（北齊書列傳。）在州養馬二千匹，部曲三千。（北史列傳。）士馬精強，鄣候嚴整，突厥畏之，（通鑑一百七十一。）謂之南面可汗。（北史列傳。）其年六月，丁父憂去。被起復任，還鎮燕薊。三年，加位特進。四年，遷行臺尚書令，別封高城縣侯。武平元年，加驃騎大將軍。上書推讓，乞解所職。詔不許。秋，進爵荆山郡王。三年七月，敕使賀拔伏恩等驛捕之，遣獨狐永業，便發定州騎續進，仍以永業代羨。門者白：使人衷甲馬汗，宜閉城門。羨曰：敕使豈可疑拒？出見之。伏恩把守，遂執之，死于長史廳事。未誅前，忽令在州諸子五六人，鎖頸乘驢出城，合家泣送之至門，日晚而歸。吏民莫不驚異。（北齊列傳。）行燕郡守馬嗣明，醫術士也，爲羨所欽。竊問之，答云：須有禳厭，數日而有此變。（北史列傳。按：一統志五入名宦。）

周

劉雄，字猛雀，臨洮子城人也。（北史列傳。）建德四年，進爵趙郡公。明年，從平鄴城。其年從齊王憲總北討稽胡，軍還出鎮幽州。宣政元年四月，突厥寇幽州，擁衆略民。雄出戰，爲突厥所圍，臨陣戰歿。贈亳州刺史。（周書列傳。）

于翼，字文若，太師燕公謹之子，河南洛陽人。周書于謹傳。大象初，除幽定七州六鎮諸軍事、幽州總管。先是，突厥屢爲寇抄，居民失業，翼素有威武，兼明斥堠，自是不敢犯塞，百姓安之。及尉遲迥據相州舉兵，以書招翼。翼執其使，並書送之。于時隋文帝執政，賜翼雜繒一千五百段，粟麥一千五百石，並珍寶服玩等，進位上柱國，封任國公。請入朝，隋文帝許之。開皇初，拜太尉。或有告翼云：往在幽州，欲同尉遲迥反者。按驗無實，復本位。薨。周書傳。按：一統志五入名宦，惟所載祈雨，非幽州總管時事，畿輔唐志六十七亦入名宦。

隋

李崇，字永隆，隴西成紀人。開皇三年，除幽州總管。突厥犯塞，崇輒破之。奚霫、契丹等懾其威略，争來内附。其後突厥大爲寇掠，崇率步騎三千，轉戰十餘日，師人多死，遂保于砂城。突厥圍之。城本荒廢，不可守禦。曉夕力戰，又無所食。每夜出掠賊營，復得六畜以繼。突厥畏之，厚爲其備，每夜中結陣以待之。崇軍苦飢，出輒遇敵，死亡略盡，遲明奔還城者，尚且百許人，然多傷重，不堪更戰。突厥意欲降之，遣使謂崇曰：若來降者，封爲特勤。崇知必不免，令其士卒曰：崇喪師徒，罪當死，今日効命以謝國家，待看吾死，且可降賊，方便散走還鄉，若見至尊，導崇此意。乃挺刃突賊，復殺二人，賊亂射之，卒。贈豫州刺史，謚曰壯。據隋書附李穆傳。

周摇，字世安，隋書列傳。河南洛陽人。北史列傳。其先與後魏同源。初爲普乃氏，及居洛陽，改周氏。周閔賜姓車非氏。隋書列傳。隋文帝復姓周氏。開皇初，突厥寇邊，燕薊多被其患，前總管李崇爲虜所殺，上思所以鎮之，北史列傳。臨朝曰：無以加周摇者，拜爲幽州總管、六州五十鎮諸軍事。摇修鄣塞，謹斥候，隋書列傳。邊人安之。北史列傳。後六載，徙壽州、隋書列傳。襄州，北史列傳。乞骸骨，終于家。謚恭。隋書列傳。

竇抗，新唐書竇威傳。按：抗仕顯于唐，而其爲幽州總管則在隋，故不列唐。它仿此。扶風平陸人。舊唐書竇威傳。在隋以帝甥舊書傳。蚤貴，新書傳。文帝起爲岐州刺史，轉幽州總管。政以寬惠聞。舊書傳。漢王諒作亂，煬帝將發幽州兵討之。時抗爲總管，恐其有貳，問可任者於楊素，素進隋書楊玄感傳。李子雄代之。舊書傳。按：北史云李雄。子雄渤海蓨人，授上大將軍，拜廣州刺史，馳至幽州，止傳舍，召募得千餘人。抗恃素貴，不時相見。子雄遣人諭之。後二日，抗從鐵騎二千來詣子雄所，子雄伏甲，請與相見，因禽抗。隋書傳。誣抗得諒書不奏。按鞫無狀，然坐是遂廢。高祖仍授抗左武候大將軍，卒。新書傳。

子雄遂發幽州兵步騎三萬，自井陘以討諒。時諒遣大將軍劉建略地燕趙，正攻井陘，相遇於抱犢山下，力戰破之，遷幽州總管。尋徵拜民部尚書，轉右武侯大將軍，坐事除名。楊玄感反，亡歸，玄感敗，誅。隋書傳。按：此與北史李子雄裔子非一人，史姓韻編誤以爲一，而北史卷七十四李雄即此李子雄也，史姓韻編又誤以爲二。

郭絢，河東安邑人。大業初，煬將有事於遼東，以涿郡爲衝要，訪可任者，聞絢有幹局，拜涿郡丞，吏人悅服。（隋書列傳。按：北史柳儉傳云：聞絢有幹局，拜涿郡贊務。）柳儉拜弘化太守。大業五年入朝，郡國畢集，帝謂納言蘇威、吏部尚書牛弘曰：其中清名，天下第一者爲誰？威等以儉對。帝又問其次，威以涿郡贊務郭絢、穎川贊務敬肅二人對。帝賜儉帛二百匹，絢、肅各一百匹，令天下朝集使送至郡邸，以旌異焉。論者美之。（北史柳儉傳。）數載，遷爲通守，兼領留守。及山東盜賊起，絢逐捕之，多所剋獲。時諸郡無復完者，惟涿郡獨全。後竇建德反，將兵擊建德于河間，戰死。人吏哭之，數月不息。（隋書列傳。按：一統志入名宦。）

陰世師，武威人。煬帝擊高麗，爲涿郡留守。于時盜賊蜂起，世師逐捕之，往往剋捷。帝還，大加賞勞，拜樓煩太守，留守京師。義軍至，見誅。（隋書陰壽傳。）

唐

羅藝，字子廷，襄州襄陽人。（新唐書列傳。按：册府元龜三百五十七，又三百七十三，李藝即此，舊唐書廷作延。）煬帝令李景節度督軍於北平，（舊唐書列傳。）詔藝以兵屬。天下盜起，涿郡號富饒，伐遼兵仗多在，而食庤盈羡，又臨朔宮多珍寶，屯師且數萬，苦盜侵掠，留守將趙什住等不能支，藝捍寇，數破卻之。（新書列傳。）威勢日重。什住等忌藝，藝陰知之，（舊書列傳。）自計，因出師，詭說衆曰：吾軍討賊數有功，而食乏。官粟若山，留守不賑卹，豈安人彊衆意邪？士皆怨。既還，郡丞出郊謁，藝執之，陳兵入，什住等懼，爭聽命。藝卽發庫貲賜戰士，倉粟給窮人，境内大悦，殺異己者渤海太守唐禕等，威動北邊。柳城、懷遠並歸附。黜柳城太守楊林甫，改郡曰營州，以襄平太守鄧暠爲總管。新書列傳。大業十二年，通鑑一百八十六。藝自稱幽州總管。新書列傳。按：舊書傳云，藝自稱幽州總督，督當依唐書作管。又兩唐書温彦博傳可校。宇文化及至山東，遣使召藝。藝曰：我隋室舊臣，感恩累葉，大行顛覆，實所痛心，斬使爲煬帝發喪，大臨三日。竇建德、高開道亦遣使於藝。舊書列傳。藝謂官屬曰：建德等皆劇賊，不足共功名。唐公起兵，民望所歸，王業必成，吾決歸之。敢異議者戮。會張道源撫輯山東，亦諭藝降。新書列傳。司馬温彦博贊成其事。舊書温彦博傳。武德二年，奉表以地歸。新書列傳。詔封燕王，賜姓李氏，預宗正屬籍。舊書列傳。與建德戰，多所禽馘。新書列傳。太宗之擊劉黑闥，藝領本兵數萬破黑闥弟什善，俘斬八千人。明年，舊書列傳。黑闥引突厥入寇，復以兵與太子建成會洺州，遂請入朝。帝厚禮之，拜左翊衛大將軍。太宗進開府儀同三司，懼，乃反，左右斬之。新書列傳。

鄭羅漢，滎陽人，武清令屬。隋室土崩，豪傑雲起，竇建德聚兵稱亂，圍逼武清，時獨堅守孤城，確固臣節，加右衛大將軍，宰縣如故，進封永平公，食邑千户。兹邑建功之地，子孫家焉。唐高士鄭忠墓碣。按：羅漢忠之高祖，時在天寶元年，改雍奴爲武清之前，當稱雍奴令，其碣立于代宗永泰元年，遂從時稱。

楊德裔，弘農華陰人，封東平公，策勳上柱國，拜幽州司馬。寬以濟猛，嚴而不殘。每行縣録囚徒，其所平反者十八九，罷歸。文明元年薨。楊炯、常州刺史伯父東平楊公墓誌銘。

狄仁傑，字懷英，并州太原人，新書列傳。爲昌平縣令。有媪子死於虎，訴。爲文檄神。翌日虎伏堦下，告衆殺之。帝京景物略引狄梁公祠碑。按：新書列傳未云公爲昌平縣令，然昌平有狄祠久矣，元前已有勒石，或非無據。明萬曆沈志名宦傳亦載之。轉幽州都督，舊書列傳。賜紫袍，龜帶。后自製金字十二，以旌其忠。新書列傳。神功元年，入爲鸞臺侍郎，謚文忠，封梁公。舊書列傳。按：畿輔唐志六十七入名宦。

張仁愿，華州下邽人，本名仁亶，以睿宗諱音近，避之。新書列傳。萬歲通天二年，監察御史孫承景監清邊軍，舊書列傳。戰還，自圖先鋒當矢石狀。武后擢右肅政臺中丞，詔仁愿敘其麾下功。仁愿先問承景，問皆窮。劾罔上，貶從仁令，以仁愿代爲中丞，檢校幽州都督。新書列傳。安禄山生，野獸盡鳴。仁愿搜廬帳欲殺之，匿而免。新書安禄山傳。按：安禄山傳云，范陽節度使張仁愿。嗣聖十九年三月，突厥寇并州，以雍州長史薛季昶攝右臺大夫，充山東防禦軍大使，滄、瀛、幽、易、恆、定等州諸軍，皆受季昶節度。夏四月，以幽州刺史仁愿專知幽、平、嬀、檀防禦，仍與季昶相知，以拒突厥。通鑑二百七。會突厥默啜入寇，攻陷趙定，擁衆廻至幽州。仁愿勒兵出城邀擊之，舊書列傳。矢著其手，新書列傳。賊亦引退。舊書列傳。武后遣使勞問，賜藥注傳，遷并州都督長史。新書列傳。景龍二年，加鎮軍大將軍。睿宗即位，加兵部尚書、光禄大夫。

致仕，卒。（舊書列傳。）

薛訥，（舊書列傳。）字慎言，（新書附仁貴傳。）絳州萬泉人。則天以訥攝左武威衛將軍、安東道經略。（舊書列傳。）景雲元年冬十月丁酉，以幽州鎮守經略節度大使訥爲左武衛大將軍，兼幽州都督，節度使之名自訥始。（通鑑二百十。按：統紀會要均云節度使之名始于景雲二年賀拔延爲河西節度，非也。說詳前代治境統部。）訥鎮幽州二十餘年，吏民安之，未嘗舉兵出塞，虜亦不敢犯。與燕州刺史李璡有隙，（通鑑二百十。）璡封汝陽王。（新唐附讓皇帝憲傳。）讓皇帝憲子，（舊書列傳。）毀之于劉幽求。幽求薦左羽林將軍孫佺代之。太極元年三月丁丑，以佺爲幽州大都督，徙訥爲并州（通鑑二百十。）大都督府長史。玄宗拜訥左羽林大將軍，封平陽郡公，致仕，謚昭定。訥沉勇寡言。弟楚玉，開元中爲幽州大都督長史。（舊書列傳。按：唐幽州節度使，開元十三年領大都督府，其改范陽節度，在天寶元年，而唐書傳云楚玉開元中爲范陽節度使，誤矣。今從舊唐書。）不職，廢。（新書列傳。）

裴懷古，壽州壽春人。神龍中，并州長史，俄轉幽州都督。（舊書列傳。）太極元年，令懷古節度內發兵三萬赴天武軍，（冊府元龜二百五十九。）綏懷兩蕃，將舉落內屬，會以左威衛大將軍召，而孫佺代之。懷古清介審慎，在幽州時，韓琬以監察御史監軍，稱其馭士信，臨財廉，國名將云。（新書列傳。）

邊敏，字德成，其先陳留人。王父行存，順州司馬，（按：唐順州貞觀元年僑幽州。）間氣深沉敏，擢高陽縣令。罷任未踰載，除官幽都府路縣令。（按：唐潞縣不作路，文蓋用西漢縣名。）大小之物，罔不躬決。流愛於民，起歸去之思，固罷厥官。子日照，故幽都府永清縣令。據邊魯儒林郎試大理評事行幽都路縣令邊府君敏墓石。按：唐天寶元年，改會昌曰永清。據知其官不在元年前，敏乃邊魯伯父。

趙含章，通鑑二百十三。幽州長史。舊書奚傳。按：通鑑云節度。奚酋李大酺死，弟魯蘇領其部，以東光公主妻之。新書奚傳。開元十八年，奚衆爲契丹衙官可突于脅叛，魯蘇不能制，東光公主奔歸平盧軍。其秋，含章發清夷軍兵擊奚，破之，斬首二百級，奚衆稍稍歸降。舊書奚傳。二十年新書裴耀卿傳。三月，信安王禕帥裴耀卿及幽州含章，通鑑二百十三。奉詔討叛奚，舊書奚傳。擊契丹。含章與虜遇，虜望風遁去。平盧先鋒烏承玼言於含章曰：二虜，劇賊也，前日遁，非畏，乃誘也，宜按兵以觀其變。含章不從，與虜戰于白山，果大敗。承玼別引兵出其右，擊虜破之。己巳，通鑑二百十三。禕等分道出范陽北，舊書信安王傳。大破奚、契丹，俘斬甚衆。可突于帥麾下遠遁，餘黨潛竄山谷，通鑑二百十三。奚酋長李詩、鎖高等，以其部五千帳降，詔封詩歸義王，充歸義州都督，移其部落于幽州界。舊書奚傳。通鑑二百十三胡注：高宗總章中，以新羅户置歸義州于良鄉、廣陽，城後廢，今復置，以處李詩部落。

張守珪，陝西河北人。舊書列傳。按：王讜唐語林陝州平陸人。以功特加遊擊將軍，再轉幽州良社府果毅。守珪儀形瓌壯，善騎射，慷慨有節義。時盧齊卿爲幽州刺史，舊書列傳。按：良社府新書云良杜府。器之，引與共榻坐，謂曰：不十年，子當節度是州，爲國重將，願以子孫託，可僚屬相期邪！新書列傳。後轉左金吾員外將軍，爲建康軍使，遷隴右節度。開元二十一年，轉幽州長史，兼御史中丞、營州都督、河北節度副大使，俄加採訪處置使。先是，契丹及奚連年爲邊患。舊書列傳。牙官可突于，新書列傳。按：牙舊書傳作衙，衙蓋牙之叚借字。説文：衙，行貌。然則衙官之衙作牙，爲是南部新書，近代通謂府庭爲公衙，字本作牙，軍前大旗謂之牙旗，近俗尚武，是以通呼公府公門爲牙門，字譌爲衙。驍勇有謀略，頗爲夷人所伏。趙含章、薛楚玉等前後爲幽州長史，竟不能拒。守珪到官，每戰輒勝，虜遂大敗。帝喜，詔有司告九廟。舊書列傳。二十二年六月，通鑑二百十四。契丹酋屈剌及突于恐懼，遣使詐降。守珪得其情，新書列傳。遣管記右衛騎曹王悔詣部就謀之。舊書列傳。屈剌無降意，徙帳稍西北，密引突厥衆，將殺悔以叛。契丹別帥李過折，與突于爭權不叶，悔因間誘，夜斬屈剌及突于，盡滅其黨，以衆降。守珪次紫蒙川，大閲軍實，賞將士，傳屈剌、突于首於東都。新書列傳。詔封李過折爲北平王，使統其衆。尋爲可突于餘黨所殺。二十三年春，守珪詣東都獻捷，舊書列傳。會耤田畢，即酺燕，爲守珪飲至，帝賦詩寵之，加拜輔國大將軍、右羽林大將軍新書列傳。兼御史大夫，餘官並如故，賜綵千匹，及金銀器物等，與二子官，仍詔於幽州立碑，以紀功賞。二十六年，裨將趙堪、白真陁羅等，假守珪命，舊書列傳。彊使平盧軍使烏知義度湟水邀叛奚，且蹂其稼，知義辭，真陀羅矯詔脅之，知義與虜鬬，不勝還，守珪匿其敗，但上克獲狀，事頗泄，帝遣謁者牛仙童按實。新書列傳。守珪附會其事，歸罪白真陀羅，逼令自縊。舊書列傳。厚賂使者還奏如狀。新書列傳。二十七年，仙童事露，伏法。守珪以舊功減罪，左遷括州刺史，疽發背卒。舊書列傳。按：畿輔唐志六十七入名宦。

阿義屈達干，姓康氏，柳城人，其先世爲北蕃十二姓之貴種。天寶元年，款塞歸朝。朔方節度使王忠嗣以聞。按：顔魯公文集，一本云王斛斯。秋八月，玄宗拜左威衛中郎將，屬范陽。節度使安祿山潛懷異圖，庶爲己用，密奏充部落都督，仍爲其先鋒使。既不得已，僶俛從之。四載，以破契丹功遷右威衛將軍，俄拜范陽經略副使。五載，又破契丹，功居多，拜左衛大將軍，仍充節度副使。玄宗嘉之，璽書慰勉，盈溢篋笥。十四載冬十一月九日甲子，安祿山反范陽，以天子有命，陷身凶逆，舉家見質，冒死南奔，投行營。廣德二年薨。顔真卿特進行左金吾衛大將軍上柱國清河郡開國公贈開府儀同三司兼夏州都督康公神道碑銘。

賈循，京兆華原人，范陽節度使李適之薦安東副大都護，安祿山兼平盧節度使，表爲副，祿山欲擊奚、契丹，復奏光祿卿兼副使，知留後。祿山反，使循守幽州。顔杲卿使平盧，節度副使循取幽州，以傾賊巢穴，循許可，爲向潤客等發其謀，賊縊之。建中二年，贈太尉，謚曰忠。舊書忠義傳。按：新書傳，循從于隱林，德宗問家世，答曰：故范陽節度副使，臣從父也。然則循亦即范陽節度副使。

李史魚，趙郡平棘人，拜殿中侍御史，參安祿山范陽軍事。梁肅侍御史攝御史中丞贈尚書户部侍郎李公墓誌銘。天寶十四載，祿山反於范陽。通鑑二百四十七。河北首亂，脇在圍中，危冠正詞，誚讓元惡，勢迫難奪，望重見容。朝廷雅知忠，遷侍御史，充封常清幽州行軍司馬，隔於凶盜，詔不下達。梁肅李公墓誌銘。）

韋元誠，京兆人。少爲坊州參軍，五遷至范陽倉曹。初，安禄山以范陽叛，刼脅元元，以殺威衆。士之因官因居墮圍中者數千計，凶威所及，不死則污。元誠，掾史也，在僞署伍中，溷跡佯狂，冀以病免。盗憎之，乃加害。是歲天寶十五年也。（據獨孤及唐范陽郡倉曹京兆韋公墓志銘。）

宋晙方，廣平人。自薊縣調涿令，（涿州吴志。）倚法不削，憂公如私，以能名，政率由舊。（韋稔：涿州新置文宣王廟碑。）

張徹，字某，進士，累官至范陽府監察御史。長慶元年，（韓愈：幽州節度判官贈給事中張君墓誌銘。）御史中丞牛僧孺，（新書宰相表。）奏名迹，中御史選，詔爲御史。其府惜不敢留，遣之而密奏，幽州將父子繼續不廷，選且久。今新收臣又始至，孤怯，需强佐乃濟，發半道，詔還幽州節度判官，仍遷殿中侍御史，賜朱衣、銀魚。數日軍亂，怨其府從事，盡殺之，而囚其帥，相約：張長者，毋庸殺，置之帥所。居月餘，謂其帥：公無負此土人。上使至，可因請見自辨，幸得脱免歸。推門求出，守者告其魁，魁徒皆駭曰：張忠義必爲其帥告此餘人，不如遷之別館。出門罵衆曰：何敢反！前日吴元濟斬東市，昨日李師道斬軍中，同惡者父母妻子皆屠死，肉餧狗鼠鴟鵶，汝何敢反！汝何敢反！行且罵。衆畏惡其言，不忍聞，且虞生變，擊以死，抵死口不絶駡。衆皆曰：義士！義士！或收瘞之。事聞，天子壯之，贈給事中。其故相知以幣請之范陽，范陽人義而歸之，四年四月葬。（韓愈：張君墓誌銘。）

李再義，賜名載義，（舊書敬宗紀。）字方毅，（舊書列傳。）自稱恆山愍王之後，（新書列傳。）代以武力稱。繼爲幽州屬郡守。載義善挽强角觝。劉濟爲幽州節度使，（舊書列傳。）高其能，引補帳下，從征伐，積多爲牙中兵馬使。（新書列傳。）寶曆中，幽師殺朱克融，（舊書列傳。）子延嗣叛，命殘用其人，載義因衆不忍殺之，暴其罪于朝。（新書列傳。）二年十月，（舊書敬宗紀。）敬宗卽授校户部尚書、盧龍軍節度（新書列傳。）副大使、知節度使，（舊書敬帝紀。按：賜名載義，爲是年事。）封武威郡王。（新書列傳。）載義進馬腦鞍一具。（册府元龜一百六十。）初，張弘靖之囚，幕府多見害，妻子留不遣，及是，載義悉護送京師，雖僮厮畢行。俄而李同捷據滄景，邀襲封，載義請討賊自效。文宗嘉之，進巡檢尚書右僕射，斬級數有功，賊平。（新書列傳。）大和三年，（舊書列傳。）詔同中書門下平章事，賜白玉帶，示殊禮。（新書列傳。）四年，契丹寇邊，擊走之。虜其名王，就加太保。五年春，爲其部下楊志誠所逐，因入覲，册拜太保，仍平章事。其年，改山南西道節度、觀察等使。九年，加侍中。開成二年卒。（舊書列傳。）

五代

周德威，字鎮遠，小字陽五，朔州馬邑人。（舊五代史列傳。）勇而多智，望塵知敵數。（新五代史記列傳。）莊宗立，天祐八年八月，劉守光僭稱大燕皇帝。十二月，遣德威率步騎三萬出飛狐，與鎮州將王德明、定州將程嚴等軍進討。九年正月，收涿州，降刺史劉知温。五月七日，劉守光令驍騎單廷珪督精甲萬人出戰，德威遇于龍頭岡。初，廷珪謂左右曰：今日擒周陽五。既臨陣，見德威，廷珪單騎持槍，躬追德威，垂及，德威側身避之。廷珪少退。德威奮檛，擊墜其馬，生獲廷珪，賊黨大敗，斬首三千級，獲大將李山海等五十二人。十二日，德威自涿州進軍良鄉、大城。守光既失廷珪，自是奪氣。德威之師屢收諸郡，降者相繼。十年十一月，擒守光父子，幽州平。十二月，授德威檢校侍中、幽州、盧龍等軍節度使。（舊史列傳。）德威雖爲大將，常身與士卒馳騁矢石間。（新史列傳。）性忠孝，感武皇獎遇，常思臨難忘身。十二月，汴將劉鄩自洹水乘虛將寇太原，德威在幽州聞之，徑以五百騎馳入土門，聞鄩軍至樂平不進，德威徑至南宮，以候汴軍。初，劉鄩欲據臨清，以扼鎮定轉餉之路，行次陳宋口，（舊史列傳。）德威擒其斥候者數十人，斷腕而縱之。（莊宗實録。）德威其夜急馳扼臨清。（舊史列傳。）臨清有積粟，且晉軍餉道也。（新史列傳。）十四年三月，契丹寇新州。（舊史列傳。）辛亥攻幽州。德威以幽、并、鎮、定、魏五州兵，拒戰于居庸關之西。（遼太祖紀。按：此爲契丹神册二年。）契丹衆三十萬，德威衆寡不敵，大爲所敗，（通鑑二百五十九。）退保范陽。敵攻近二百日，外援未至。德威撫循士衆，晝夜乘城，竟獲保守。十五年，將定汴州，德威自幽州率本軍至，敗於胡柳，父子俱戰歿。德威名將，人皆惜之。同光初，贈太師。天成中，配饗莊宗廟。晉高祖追封燕王。舊史列傳。子光輔，新史列傳。年甫十歲，補幽州中軍兵馬使，有成人之志。德威以牙軍委之，麾下咸取決焉。及長，體貌魁偉，練于戎事，舊史列傳。官至新史列傳。蔡州刺史，卒贈太保。舊史列傳。按：蔡州刺史乃晉高祖所授，然其官幽州兵馬使等職，則在唐，故附德威傳。

李嗣昭，字益光，舊史列傳。本姓韓氏，汾州太谷縣民家子。新史義兒傳。武皇母弟代州刺史克柔之假子也。小字進通，形貌眇小，而精悍有膽畧。天祐十六年，嗣昭代周德威權幽州軍府事，舊史列傳。居數月。新史列傳。九月，以李紹宏代，嗣昭出薊門。舊史列傳。幽州人皆號哭，閉關遮留，新史列傳。截鞍惜別。嗣昭夜遁而歸。十九年，莊宗征張文禮于鎮州，爲賊矢中腦，卒。舊史列傳。

李存賢，字子良，本姓王，名賢，許州人。景福中，典義兒軍，爲副兵馬使，因賜姓名。舊史列傳。同光初，莊宗好角觝，顧存賢曰：勝我，與爾一鎮。存賢勝之。新史列傳。二年三月，幽州李存審疾篤，求入覲。議擇帥代之。方內宴，莊宗曰：吾披榛故人，零落殆盡，存者存審耳，今復衰疾，北門之事，知付何人！因目存賢曰：無易于鄉。舊史列傳。角觝之勝，吾不食言。新史列傳。卽日授特進檢校太保，充幽州盧龍節度使。五月，到鎮時，契丹彊盛，城門之外，烽塵交警，一日數戰。存賢性忠謹周慎，晝夜戒嚴，不遑寢食，以至憂勞成疾，卒于幽州。贈太傅。舊史列傳。

宋

楊應詢，字仲謀，章惠皇后族孫也。歷知信安、保定軍。霸州、塘濼之間，地沮洳，水潦易集，居人浮板以濟。應詢增堤防爲長衢，濬其旁以泄流，民利賴之。爲河北沿邊安撫使。卒謚康理。宋史列傳。按：一統志入名宦。

王安中，字履道，中山陽曲人。宣和三年，爲左丞。金人來歸燕，謀帥臣，安中請行，授慶遠軍節度使，河北、河南、燕山府路宣撫使，知燕山府。遼降將郭藥師同知府事。藥師跋扈，府事皆專行。安中不能制，第曲意奉之，故藥師愈驕。張覺奔燕，金人來索急，安中不得已，縊殺之，函其首送金。藥師宣言曰：金人欲覺卽與，若求藥師，亦將與之乎？安中懼，奏其言，因力求罷。藥師自是解體。宋史列傳。

郭藥師，渤海鐵州人，遼燕王淯募饑民曰怨軍，藥師爲之渠，淯建號於燕，改爲常勝軍，擢藥師爲上將軍、涿州留守。淯死，宣和四年，藥師奉涿、易二州宋史趙良嗣傳。歸於宋。金史郭藥師傳。委以守燕。初，王安中知燕山府，詹度與藥師同知。藥師自以節鉞欲居度上，度稱御筆所書有序。藥師不從，加以常勝軍肆橫，藥師右之。度不能制，告于朝廷，慮其交惡，命度與河間蔡靖兩易。

靖至，坦懷待之，藥師亦重靖，稍爲抑損。朝廷曲徇其意，所請無不從，良械精甲，多遣部曲賈易它道，爲奇巧之物，以奉權貴宦侍。於是譽言日聞，專制一路，增募兵號三十萬，而不改左衽。朝論頗以爲慮。令童貫行邊，陰察其去就。貫至燕，藥師邀貫視師，至于迥野，略無人迹。藥師下馬，當貫前掉旗一揮，俄頃四山鐵騎曜日，莫測其數。貫衆失色，歸言藥師必能抗虜。金使賀天甯節歸，見藥師於道，爲之斂馬引避。鄉兵或持矛取其羊羖，皆不敢爭。奏言藥師威聲遠振。金兵破檀、薊，（宋史趙良嗣傳。）藥師乃降，太宗以藥師爲燕京留守，賜姓完顔氏。海陵即位，復本姓。（金史藥師傳。）

黄友，字龍友，温州平陽人，通判檀州。會金人敗盟，郭藥師以常勝軍叛，燕士響應。友獨領數千人與之戰，躬冒矢石，破裂唇齒。欽宗即位，制置使詹度奏友久服武事，籌略過人。丞相何㮚從而薦之，召對，問友唇齒破裂狀，爲之稱嘆，賚予甚渥，進直徽猷閣制置司參謀，軍進榆次，遇害。（宋史列傳。按：明萬曆沈志名宦有傳，惟云裂唇齒死，則考史未詳。）

遼

耶律和卓，（原作合住。）字諾木衮。（原作粘衮。）保甯初，以宋師屢梗南邊，拜涿州刺史、西南兵馬都監、招安巡檢等使，賜推忠奉國公臣。和卓久任邊防，雖有克獲功，然務鎮静，不妄生事，以邀近功。鄰壤敬畏，屬部乂安。宋數遣人結歡，冀達和意，和卓表聞其事，帝許議。安邊懷敵，多有力焉，拜左金吾衛上將軍。和卓智而有文，曉暢戎政，鎮范陽時，嘗領數騎徑詣雄州北門，與郡將立馬陳兩國利害，及周師侵邊本末，辭氣慷慨，左右壯之。自是邊境數年無事。識者以謂和卓一言，賢于數十萬兵。遼史列傳。

耶律休格，原作休哥。字遜甯，應歷末爲特哩袞。原作惕隱。乾亨元年，宋侵燕，北院大王希達，原作奚底。統軍使蕭托果原作討古。等敗績，南京被圍。帝命休格原作休哥。代希達，將五院軍往救，遇大敵于高梁河，與耶律色珍原作斜軫。分左右翼擊敗之。休格被三創，宋王遁，休格追至涿州，不及而還。是年冬，詔總南面戍兵，拜裕悦。原作于越。聖宗卽位，太后稱制。遼史列傳。統和元年正月丙子，以休格爲南京留守，仍賜南面行營總管印綬，遼聖宗紀。總南面軍務，以便宜從事。遼史列傳。休格下車，牓諭燕民。遼聖宗紀。均戍兵，立更休法，勸農桑，修武備，邊境大治。四年，宋復來侵，其將范密、楊繼業出雲州，曹彬、米信出雄、易，取岐溝，涿州陷，固安置屯。時北南院奚部兵未至，休格力寡不敢出戰，夜以輕騎出兩軍間，殺其單弱，以脅餘衆，晝則以精銳張其勢，使彼勞於防禦，以疲其力。又設伏林莽，絶其糧道。曹彬等以糧運不繼，退保白溝。月餘復至，休格以輕兵薄之，伺彼蓐食，擊其離伍單出者，且戰且卻，由是南軍自救不暇，結方陣塹地兩邊，而行軍渴，乏井，漉淖而飲，凡四日始達于涿。聞太后軍至，彬等冒雨而遁。太后益以鋭卒追及之，彼力窮，環糧車自衛。休格圍之，至夜，彬、信以數騎亡去，餘衆悉潰。追至易州東，聞宋師尚有數萬，瀕沙河而爨，促兵往擊之。宋師望塵奔竄，墮岸相蹂，死者過半，沙河爲之不流。太后旋旆，休格收宋屍爲京觀，封宋國王，又上言可乘宋弱，略地至河爲界。書奏不納。及太后南征，休格爲先鋒，敗宋兵於望都，時宋將劉廷讓以數萬騎並海而出，約與李敬源合兵，聲言取燕。休格聞之，先以兵扼其要，會太后軍至接戰，殺敬源。廷讓走瀛州。七年，宋復遣廷讓等乘暑潦來攻。諸將憚之，獨休格率鋭卒逆擊于沙河之北，殺傷數萬，獲輜重不可計，獻于朝。太后嘉其功，詔免拜不名。自是宋不敢北向。時宋人欲止兒啼，乃曰：裕悦至矣。休格以燕民疲弊，省賦役，恤孤寡，戒戍兵無犯宋境，雖馬牛逸于北者，悉還之，遠近向化，邊鄙以安。十六年薨。是夕雨木冰，聖宗詔立祠南京。休格智略宏達，料敵如神，每戰勝，讓功諸將，故士卒樂爲之用。身更百戰，未嘗殺一無辜。遼史列傳。

大公鼎，渤海人，先世籍遼陽率賓縣，統和間，徙遼東豪右以實中京，因家於大定。咸雍十年，登進士第，調瀋州觀察判官。改良鄉令，省徭役，務農桑，建孔子廟學，部民服化，累遷興國軍節度副使。天祚即位，歷長甯軍節度使、南京副留守，改東京户部使，拜中京留守。遼史能吏傳。按：一統志入名宦。

金

劉煥，字德文，中山人。天德元年進士。任邱尉，秩滿，調中都市令。樞密使布薩呼圖家有條結工，牟利於市，不肯從市籍役，煥繫之。呼圖召煥，煥不往，暴工罪而笞之。煥初除市令，過謝鄉人吏部侍郎石琚，琚不悦，曰：京師浩穰，不與外都同，棄簡就煩，吾所不曉也。至是始重之。以廉升京兆推官，遷遼東轉運使，卒。金史列傳。按：一統志入名宦。

唐古安禮，本名烏楞古，原作斡魯古。字子敬，大定初遷益都尹，召爲大興尹，上曰：京師好訛言，府中姦吏爲民患，卿雖年少，有治才，去其宿弊，毋爲因仍。察廉，入第一等，進階榮禄大夫。七年五月，大興府獄空。詔錫宴勞之。凡州郡有獄空者，皆賜錢爲錫宴費。大興府錫宴錢三百貫。金史列傳。按：唐古之古一作括。

伊喇道，本名趙三，其先伊實部人也，户部郎中。世宗曰：道清廉，有幹局，中都轉運繁劇，乃改同知中都統都轉運事。再除同知尹，能善治，完顔額森博勒原作阿思鉢。帶刀夜入左藏庫，殺都監郭良臣，盗出金珠。點檢司執其疑似者八人，掠笞，三人死，五人者自誣，贓不可得。上疑之，命道參問。道持久其獄，既而額森博勒鬻金，事覺，伏誅。

遷户部尚書，拜平章政事。金史列傳。按：一統志入名宦，喇作剌，此與本名按者名同、官同，又同爲大定中人，然非一人。

焦旭，字明鋭，沃州柏鄉人。安喜主簿，再轉大興令，以杖親軍百人長，有司議其罪，當杖決。世宗曰：旭，親民吏也，若因杖有官人，復行杖之，何以行事？其令收贖。改良鄉令。平章政事石琚薦旭幹能，召爲右警巡使。旭練達時政，世稱能吏云。金史列傳。按：一統志入名宦。

烏庫哩元忠，原作烏古論元忠。本作額哩頁，原作訛里也。其先上京特卜庫原作獨拔古。人。大定十五年，北邊進獻，命元忠往受之。還，會大興府守臣闕，遂以元忠知府事。有僧犯法，吏捕得寘獄。皇姑梁國大公主屬使釋之。元忠不聽，主奏其事。世宗召謂曰：卿不徇情，良可嘉也。治京如此，朕復何憂！秩滿，授吏部尚書。金史列傳。按：一統志入名宦。

完顔永功，一統志。按：此卽金史越王永功。本名桑阿，原作宋葛。又名廣孫。大定十八年大興尹。世宗幸金蓮川，始出中都，親軍二蒼頭縱馬食民田，詔永功，蒼頭各杖一百。彈壓百户二人失覺察，勒停。上次望京淀，永功奏曰：親軍人止一蒼頭、兩彈壓服勤，爲日久矣。臣昧死違詔量決蒼頭，使彈壓待罪，可使償其田直，惟陛下憐察。上皆從之。老嫗與男婦憇道傍，婦與所私相從亡去，或告嫗曰：向見年少婦人自水邊小徑去矣。嫗告伍長縱跡之，有男子私殺牛，手持血刃，望見伍，意其捕已，卽走避之。嫗與伍長疑是殺其婦也。捕送縣，不勝楚毒，遂誣服。問尸所在。詭曰：棄之水中矣。求之水中，果獲一尸，已半腐。縣吏以爲是男子真殺若婦矣，卽具獄上。永功疑之曰：婦死幾何日，而尸遽半腐哉？頃之，嫗得其婦於所私者。永功曰：是男子偶以殺人就獄，其拷掠足以稱殺牛之科矣。遂釋之而去。武清黄氏、望雲王氏，豪猾不逞，永功發其罪，畿内肅然。二十三年，判東京留守，進封譙王。薨，謚忠簡。金史列傳。

蒙古原作蒙括。特默，原作特末也。寶坻尉。大定二十七年二月，上謂宰執曰：朕聞特默清廉，其於爲政何如？左丞襄達對曰：其部民亦稱譽之，然不知所稱何事。上曰：凡爲官但得清廉亦可矣，安得全才之人乎？可進官一階。金世宗紀。

承暉，字維明，本名福興。章宗卽位，知大興府事。宦者李新喜有寵用事，借大興府妓樂。承暉拒不與，新喜慙。章宗聞而嘉之。豪民與人争種稻水利，不直，厚賂元妃兄左宣徽使李仁惠。仁惠使人屬承暉右之。承暉杖豪民而遣之，謂其人曰：可以此報宣徽也。宣宗遷汴，承暉與皇太子留守中都。元兵攻之，仰藥死。金史列傳。按：一統志入名宦。

完顔伯嘉，字輔之，北京路額爾袞必喇明安人。明昌二年進士，調中都左警巡判官。孝懿皇后妹、晉國夫人家奴，買漆不酬直。伯嘉鉤致晉國用事奴數人繫獄。晉國白章宗，章宗曰：姨酬其價，則奴釋矣。由是豪右屏迹。改寶坻丞。金史列傳。按：一統志入名宦。

伊喇益，（原作移剌益。）字子遷，本名托摩布，（原作特末阿不。）中都路呼喇圖（原作胡魯土。）明安人也。明昌三年，畿內饑，擢授霸州刺史，入謝，詔諭之曰：親民之職，惟在守令，比歲民饑，故遣卿往撫育之。既至，首出俸粟以食饑者，於是倅以下及郡人遞出粟以佐之，且命屬縣視以爲法，多所全活。郡東南有隄，久圮，屢爲害，益增修之，民以爲便，爲益立祠。升遼東路提刑副使，遷河東南北路按察使，卒官。（金史列傳。按：一統志、霸州周志入名宦。）

温特赫雅齊堪，（原作温迪罕咬查剌。）同知順州軍州事。貞祐二年，北京副留守珠嘉佛新（原作木甲法心。）爲提控，與雅齊堪俱守密雲。縣城破，佛新死於陣，雅齊被執，不屈而死。詔贈齊堪鎮國上將軍，順州刺史。（金史珠嘉佛新傳。）

元

齊都爾，（原作直脱兒。）蒙古氏。從太宗有功，八年建織染局於涿州，明年改涿州路，以齊都爾爲達嚕噶齊。（元史列傳。按：涿州吴志傳，直脱兒達魯花赤，卽齊都爾達嚕噶齊也。詳元史語解。）時城郭圮莽，不可居，齊都爾經營創建，民利賴之。（涿州吴志。按：齊都爾官至江浙行省平章政事。見元史傳。）兀魯䚟朶灤，齊都爾孫也，爲涿州達嚕噶齊，奮除積弊，無毫髮私。州人有姦殺其夫者，趣縣捕妄繫無辜，朶灤發根株案治之，吏服其神。户曹歲和糴民粟，先徵科，後給直。比郡歉收，民苦催比。朶灤抗言饑饉免，以病去。

民爲之立去思碑。（涿州吴志。語解詳上。）

趙鑄，至元二十八年任提領關防鹽使司事，（在蘆臺。）集場中遺民五七人，誅茅翦棘，拾瓦礫，平陷穽。水西有廟，榜曰神母，詢所由，一老能道之：昔五代時，鹽絶歲餘，有姥語煮鹽法，繇是公私饒足。鑄因禱之，黎明，蘆臺南十里，皎白如春雪者十數頃，迫而視之，鹽也。盡驅土人挾箕筥收之，力未竟，復化爲水，乃作瑞鹽歌。（甯河關志。金承詔重修鹽母廟碑記。）

楊齊賢，永平人，至治初，（通州高志。）繇豐潤教諭來爲通州學正，思振厥職，擇民間子弟可教者，得三十，籍之入學，謂之誦書，白之官府，復其身。（吴澄重修文廟碑。）修廟學，州之參李，與州之長協心以修。二年八月績成。初，榆河之西，有閒田，依至元三十一年詔，撥隸州學，後運官奪造廬舍，而私其僦利。齊賢愬于户、禮部，監察御史，直其説，畀學如初。又以餘暇率所轄三河縣民，修其縣之廟學。（文廟碑。）州長名速朗吉大，其官承直；李名也先，其官承事，在州多惠政，通民便之。（通州高志。按：州長云者，蓋達嚕噶齊也。吴澄文廟碑，于李稱侯，又曰州官，則知州也。元稱知州曰尹，對達嚕噶齊言，故曰參，非州同也。通州舊志奪而高志列之州同，疑誤。碑云，積頹完整，雖曰學官之勤，微州官挾持之功，胡能致是？庶幾不愧古良牧之政矣。）

田誠，南唐人，進士。元貞二年，東安知州。清介自持，無異寒士。初涖任，不攜妻孥，但以兩鶴自隨。及去，留鶴軒墀，清風兩袞，庶幾古廉吏遺風。進征南元帥。（東安李志。）

牙忽，房山縣達嚕噶齊。（房山佟志。）孔聖未有祀，至元甲子始經度，大德改造，牙忽、宰宋世昌、簿楊政、尉木八剌咸自誦：此則我職，敢不敬應？于是庀工蕆役，準古範器，釋奠一如監學通祀儀。魏必復房山建學碑記。按：房山佟志，宰卽縣尹，簿卽主簿，尉卽縣尉也。達嚕噶齊，佟志云達魯花赤，今據元史語解更正。

吴質，字之文，杭州人。延祐四禩，尹文安視學校弛廢，遂悉心營度，得縣之北縣石溝港田四頃五十畝，揭石給粢廪費，文物浸興，每勸農不以吏從，勤者奬，惰者懲，農隙謹庠序，申孝弟。嘗覽縣竟，東北俱下滹沱河水，溢民田，陳利病，疏河築隄，獲粒食之田頃計者五百有奇。先是，催徵民苦，質約以三甲輸之，俗習奢，示以例，使貧富適宜。以信符妨農，惟用之金穀刑名，置訟簿狀牌，期日而決。向以水患，民逋于四方，約招復業，饑告糧賑千餘户，以彌盗之略，粉諸門壁，籍其户名，更相保攝，候館廝養之徒，戒以勿得羣聚宵出，牧踐于野，境内無攘竊處。蓋處心以公不以私，民于及瓜後，惓惓不亡，勒銘以頌德。文安楊志參德政碑記。

曹明南，涿州吴志。盧陵人。據揭傒斯涿州孔子廟禮器記。按：涿州志云，不知何許人，豈未見揭記耶？泰定四年秋，涿州學正。涿州吴志。州孔子廟器皆土陶，殘缺苦窳，明南領教事，始白于有司。馳數千里還盧陵，範銅以易之，揭記。擬古制，致之涿。涿州吴志。于是州太守命范陽令杜肅府而藏之。揭記。

蘇耀素，至正間任平谷尹，操守廉絜，民有健訟害良者，書其情狀，揭諸粉壁，其人改行，政聲益著。畿輔唐志六十八。不數年，拜御史。平谷朱志。

丁好禮，字敬可，真定蠡州人，除京畿漕運使。建議置司於通州，重講究漕運利病，著爲成法，人皆便之。至正二十年，拜中書參知政事，元史列傳。燕京留守。畿輔唐志九十五。時京師大饑，天壽節，廟堂欲用故事大讌會。好禮言：今民父子有相食者，君臣當修省，以弭大患。讌會宜減常度。不聽。乞謝事。二十七年，復起爲中書平章政事。按：元中書省謂腹裏治大都路，元以府爲路，京都特加都字，然則中書省是其統部。以論議不合，謝政去。明兵入京城，抗辭不屈死。元史列傳。按：畿輔唐志六十七入名宦。云至正末，命好禮與郭庸留守京師，敘死節事甚詳。然攷元史本傳，死在謝政後，故死事從略。郭庸元史丁好禮傳。爲燕京留守。據畿輔唐志。是日，昇至齊化門，衆叱之拜。庸曰：臣各爲其主，死自吾分，何拜之有！語不少屈，死。庸字允中，蒙古氏，其節義與好禮並云。元史丁好禮傳。按：畿輔唐志，郭庸亦入名宦。

定遠方孝傑校

官師志二

傳二

德清傅雲龍纂 江陰繆荃孫覆輯

明

荆志，洪武三年知寶坻縣事。時徐達克元都纔二年耳，城郭蕭條。志鳩集離散，咸與維新，興學校，牒廣生員，優其廩餼。是年，太祖詔選文學貢於成均，寶坻貢視它邑爲最。柳青，志同時丞也，相得甚。志所設施，必力贊之。文廟、社稷、山川、壇、廨舍，無不修整，時令佐皆賢，政平訟清，境内大治。寶坻洪志。四年後，何文信繼之。據寶坻志贊。文信，洪武七年知縣。先是，荆志修文廟，猶缺射圃。會詔令學宮舉行射禮，文信乃於廟右闢地爲圃，繚以垣，構亭其内，率諸生告以古者觀德意，作射圃記。寶坻洪志。贊曰：化民成俗，必由乎學，學者，致治之本也。故文翁化蜀，千古羡之，一切所爲，皆末耳。如三賢者，其聞文翁之風而興焉者乎！荆柳同心，以襄上治，四年而後，復得文信繼之，知爾時絃誦之聲，達于四境矣。於乎，盛哉！絃誦之聲，達于四境。志贊。

劉崧，字子高，泰和人，舊名楚。洪武三年，舉經明行修，改今名，授兵部職方司郎中，遷北平按察司副使，輕刑省事，招集流亡，民咸復業。立文天祥祠于學宮之側，勸石學門，示府縣勿以徭役累諸生。嘗請減僻地驛馬以益宛平。帝可其奏，顧謂侍臣曰：驛傳勞逸不均久矣，崧能言之，牧民不當如是耶！爲胡惟庸所惡，坐事謫輸。尋放歸。十三年，惟庸誅，徵拜國子司業。崧天性廉慎，居官未嘗以家累自隨。之任北平，攜一童往，至則遣還。晡時吏退，孤燈讀書，往往達旦。（明史列傳。）

侯文秀，四川人。洪武七年知東安縣。有健訟者，無少徇，以苞苴試，痛懲之，由是有廉名。興學勸農，民咸樂業。秩滿去，百姓思之不忘，祀名宦。（東安李志參采訪册。）

薛祥，字彥祥，無爲人。洪武八年，工部尚書。明年改天下行省爲承宣布政司，以北平重地，特授祥。三年，治行稱第一。爲胡惟庸所惡，坐營建擾民，謫知嘉興府。惟庸誅，復召爲工部尚書。（明史列傳。）

徐仲謙，洪武十四年知保定縣，百姓瘡痍，士子流散，多方招集，曲爲教養，修創學宮，百務備舉。（保定成志官師參循良傳。）

周縉，字伯紳，武昌人。（明史列傳。）洪武中，（永清周志。）以貢入太學，授永清典史。（明史列傳。）居官廉謹，攝令事，捕蝗弭盜，俱能盡心。（周志。）成祖舉兵，守令相率迎降，永清地尤近，縉獨爲守禦計。已度不可爲，懷印南奔。燕兵已迫，糾義旅勤王。聞京師不守，乃走匿。吏部言宜寘法，詔令入粟贖罪，遣戍興州。有司捕縉，械送戍所，居數歲，子代還。明史列傳。

張斌，南直隸合肥人。洪武間，累官都指揮僉事，創建密雲衛所，修築城垣。出師被執，不屈，死。子麟襲職。密雲薛志。按：薛志又載，弘治十三年五月，戰死密雲古北口者，有劉臣、王昇、郭祥、梁王，並祀忠義祠，然厥官未詳。

張昺，澤州人。以人材累官工部右侍郎。謝貴者，歷官河南衛指揮僉事，廷臣議削燕，更置守臣。明史列傳。洪武三十一年冬十一月，明史恭閔紀。乃以昺爲北平布政使，貴爲都指揮使，並受密命。時燕王稱疾，久不出。二人知必有變，乃部署在城七衛，及屯田軍士，列九門防，守將執王，昺庫吏李友直，預知其謀，密以告王，王得爲備。建文元年七月六日，朝廷遣人逮燕府官校。王僞縛官校置廷中，將付使者，紿昺、貴入，至端禮門，爲伏兵所執，俱不屈，死。燕將張玉、朱能等帥勇士攻九門，克其八，獨西直門不下。都指揮彭二，躍馬呼市中曰：燕王反，從我殺賊者賞！集兵千餘人，將攻燕府。會燕健士從府中出，格殺二，兵遂散，盡奪九門。葛誠，洪武末爲燕府長史，嘗奉王命，奏事京師，帝召見，問府中事，誠具以實對，遣還。王佯病，盛暑擁爐坐，呼寒甚。昺、貴等入問疾。誠言王實無病，將爲變。又密疏聞於帝。昺、貴將圖王，誠與護衛指揮盧振約爲內應，事敗，誠、振俱被殺，夷其族。明史列傳。按：一統志五，張昺、謝貴、彭二，並入名宦。

曾濬，明史附馬宣傳。建文時，一統志五名宦。薊州鎮撫馬宣，自薊州帥師赴北平，聞變走還，與濬城守。燕兵攻之，宣戰被擒，罵不絕口，與濬俱死。明史附傳。

劉經，洪武時以功陞北平都司，賜寶劍、銅牌。靖難兵起，經抗節不從。他將獻城，經墜井不死。成祖賜蟒玉，以旌其節。經死，賜祭，録其子孫。畿輔唐志六十七。

房勝，景陵人。通州衛指揮僉事。燕兵起北平，勝首以通州降。明史附孫巖傳。孫巖，鳳陽人，官燕山中護衛千户，致仕。燕王以巖宿將，使與勝協守。南軍至，攻城甚急，樓堞皆毁。巖、勝多方捍禦，已復突門力戰，追奔至張家灣，獲餉舟三百。巖擢都指揮僉事，以守城功，封應城伯；勝封富昌伯。巖永樂十一年備通州，以私憾椎殺千户，奪爵，已而復之。明史列傳。

郭資，武安人。洪武十八年進士，累官北平左布政使，陰附成祖。兵起，張昺等死，資與左參政孫瑜、按察使副使墨麟、僉事吕震率先降，呼萬歲。成祖悦，命輔世子居守，主給軍餉。卽位，以資爲户部尚書，掌北平布政司。時營城郭宫殿，置官吏及出塞北征，工役繁興，資舉職無廢事。明史列傳。

李驥，字尚德，郯城人。舉洪武二十六年鄉試，入國學。新鄉知縣，永樂初，改知東安。事有病民，輒奏于朝，罷免之。有嫠婦子爲狼齧死，訴于驥，驥禱神，深自咎責。

明旦，狼死于其所。侍郎李昶等交薦，擢刑部郎中，授河南知府。驥持身端恪，明史循吏傳。按：東安李志云，永樂二年令東安。祀名宦。一統志五。

楊汝誠，江西興國人。監生。永樂十年，保定成志。知保定縣。據志目。邑小民稀，長堤爲患。十一年，汝誠申准，令文安、大城、保定三縣，分工築堤，民力始舒，共有播種之利。保定成志。

張貫，靈璧人。永樂六年，順天府尹。政尚寬平，時稱長者。然有積年疑獄，貫斷之無壅滯，吏民畏服。畿輔唐志六十八參宛平王志名宦題名碑。

陳諤，字克忠，番禺人。永樂中鄉舉，入太學。十六年，任順天府尹，政尚嚴鷙，明史附耿通傳。按：年分據題名碑。嘗出行，誤衝皇太子駕，太子訴於上，上曰：陳府尹是我父母官。竟不問。畿輔唐志六十七。執政忌之，出爲湖廣按察使，落職。仁宗卽位，遷鎮江同知，致仕。明史附傳。

劉瑾，畿輔唐志六十八。河南澠池人。進士。文安楊志。永樂中，文安知縣，持己廉，聽訟無左右袒，暗訪民之疾苦，勤恤之弗少待。有良吏目。遷廣東右布政。畿輔唐志參文安采訪册。

邵元亨，畿輔唐志六十八。洪熙元年，懷柔吴志。知懷柔縣，奏言：自黄花鎮至紅螺山，去天壽山已遠，乞弛禁以便樵採輸薪。上從之。畿輔唐志。民受其利，祀名宦。懷柔吴志。

王睿，河南臨潁人。監生。東安李志。宣德五年，知東安縣，性寬平，訟輒勸息，省株累者。

輕徭禁耗，人心悦服。畿輔唐志六十八參采訪册。九載秩滿，民泣留之，詔以知州仍治縣事，卒于官。百姓痛悼不忘，入名宦。東安李志。

朱巽，畿輔唐志六十八。吴縣人。涿州吴志。監生。畿輔唐志。宣德間，涿州吴志。知涿州，臨財不苟，以廉稱。不以一役擾民。民有積逋，請免之，然吏欺輒覺。九年秩滿，士民保留，遷順天府治中，仍掌州事。畿輔唐志參涿州吴志。

姚福，山西大同人。宣德年文安知縣。勸民耕稼。蒞政公勤。時蝗蝻大作，區畫除之，民頌其惠。遷南京山東道御史。文安楊志。

鄒來學，字時敏，麻城人，宣德癸丑進士。英宗北狩，來學巡撫薊鎮。畿輔唐志六十七。按：萬曆沈志云，巡撫順天。時人心皇皇，萬曆沈志。智者謀疎，强者縮勇，來學獨忠義自許，劉珝鄒公祠堂記。廣斥堠，儲財用，舉將材，畿輔唐志。固城垣，精器械，禁侵掠，劉珝記。民賴以安。沈志。朝廷倚之如左右臂。奬善嫉惡，進賢退不肖，其功赫赫，在人耳目。三十載後祠祀之。劉記。

王賢，字惟善，甯陽人。正統十一年，順天府尹。畿輔唐志云永樂中。今據題名碑。府民以柴炭夫役爲病，賢言於工部，爲減十之七。時中官怙寵非法，賢執奏，置於法，京兆肅然。入名宦。據畿輔唐志。

李端，字宗政，湖廣興甯人。進士。天順四年，知固安縣。先是，民石青等苦賦役，散之四方。端至，貧富等第均徭役，聞者争復業，凡四百七十六户。邑之甄家等口潰決，水患相仍，端量倩屯種，并力修砌，隄防以固。明年穀稔，乃興學校，葺公廨。屯保軍士有刁悍肆民害者，捕至繩以法，民賴以安。鄰民聞其名，有越境訴者。遷知灤州，士民泣送之，立去思碑。（固安陳志參采訪册。）

張諫，應天句容人。進士。天順六年，爲順天府尹。成化元年，修學宫齋廡。二年，閻鐸繼之，擇隙地，增號房五十餘，拓射圃。以戇直謫太僕寺卿。鐸，陝西興平人，進士。（萬曆沈志參畿輔唐志六十七，大興張志。）

張需，（明史循吏范希正傳。按：張需當即畿輔志張需九，如係兩人，即同時同官，何至置户籍，忤王振，謫邊戍並同？明史無九字，一統志同明史，足證畿輔志之衍。）天順中（一統志五。按：畿輔唐志云，英宗初，微異。）霸州知州，大著聲績。（明循吏傳。）患民多游食，里置一籍，識人户大小多寡之數，限以恒業。所種粟麥桑棗，及紡績之具，雞豚之畜，皆有定數，暇則入鄉驗其籍，缺則有罰。（一統志五。按：畿輔志云，見游食者累累，户籍列男女名口，督課種畜，暇則取簿驗之，缺者罰。）不二年，民有恒産。吏部下其法於諸郡。（畿輔唐志六十九。）禁飭牧馬校卒，（明史王振傳。）忤太監王振，戍邊。人惜之。（明循吏傳。按：一統志，畿輔志並入名宦。）

何源，陝西涇陽人。舉人。景泰年知文安縣，有善政。秩滿九載，報最。民保留，復任三載。天順間，知通州，更新州治，課民種桑棗，盡地利，釐宿姦，不畏彊禦，治有聲。擢襄陽郡守，祀名宦。（通州高志參文安楊志。按：明史何喬新傳，五世孫源，萬曆初刑部右侍郎，有清節，計後天順間一百餘年，非一人。）

賈貞，字子固，山東莒州人。天順間知漷縣。性廉潔，多惠政，教民勤樹藝，不以徭役擾之，游手必懲，浮費必禁，一時翕然稱治。學宮、城隍、巡院公宇，靡不修舉，擢知祁州。祀名宦。通州高志。

閻本，字宗元，畿輔唐志六十七。按：祠堂記，元作源。陝西邠州人。景泰甲戌進士。成化乙酉，總理薊州等處糧儲，出納平允。運至薊，故事躬受，多中其奸，本宿弊搜剔殆盡，人以爲神。祠堂記。按：畿輔志云天順中，非也。擢僉都御史，撫薊門。畿輔唐志。激濁揚清，鋤强扶弱，賑乏絶，禦要沖，修城池，練軍馬，利器械，鎖舟爲梁，以便行旅，樂興學校，聲譽日隆。祠堂記。有貂璫怙權擅斂，掾吏舞文本，盡法處之，因是被讒，稱疾致仕。畿輔唐志。按：祠堂記，起官户部右侍郎，去薊未四十年，祔祀鄉來學祠。

彭鎬，陝西寶雞人。監生。成化元年，知保定縣，嚴禁暴强，惠保良善，得爲政之體。保定成志。十年，知寶坻縣，政聲與陳、葉相埒。署漫滮，力修之。西門官路，徧植柳以便行者。後人過之，猶攀條歎息。寶坻洪志。按：陳讓、葉淇自有傳。

何瑛，河南杞人。成化初，東安縣主簿。畿輔唐志六十八，參東安李志。嚴以律己，公以處事，萬曆沈志。寬以宜民，課農桑，勤撫字，立社倉，均徭役，修城郭。東安李志。縣南窪下，歲有水患，瑛相度地勢，東自南壇旁開創河渠，經楊官屯，直達甄家莊之河口；西自縣西之北隱旁開創河渠，經馬子莊直達挑河頭之河口。水得通行，害去八九，今遺址尚存。畿輔唐志。遷東安縣丞，入名宦。東安李志。按：萬曆沈志、畿輔唐志，匯云主簿嫌奪。

陳讓，山陽人。畿輔唐志六十八。天順進士。成化元年，寶坻洪志。知寶坻縣事。畿輔唐志。精明果鋭，寶坻洪志。建文廟，築城垣，搏擊豪右，政令嚴肅。祀名宦。畿輔唐志。

葉淇，山陽人。進士。畿輔唐志六十八。陳讓既膺上考，淇適繼之。成化五年，寶坻洪志。以御史知寶坻縣事，廉明愷悌，畿輔唐志。不尚刻覈，而豪强斂跡，盜賊屏息，興學校，勸農桑，寶坻洪志。吏民悦服。畿輔唐志。一時有兩山陽之號。擢山東按察使僉事，累官户部尚書，進少保。寶坻洪志。

趙顒，字有孚，由明經任山東邑學。成化庚寅，陞懷柔教諭。據王華重修懷柔儒學明倫堂記。按：一則曰蒞教是邑，再則曰是邑教諭，而懷柔志列之訓導，誤。庚寅爲成化六年。講明經典，校正文義，晨昏無倦。生徒之聾聵皆變爲聰明，人材之出，日新月盛。修明倫堂記。學久圮，顒與賢募義，殫力鳩工，焕然倍昔。諸生請立石紀其績，固止之。秩滿，轉閩政和令。閱二三寒暑，訓導葉勝懷柔吳志。爲立石，其不没人之善，亦難得者。勝，字挺桂，貢生，修明倫堂記。池州人。吳志。

郁珍，字君聘，江蘇江浦人。舉人。成化八年，任固安教諭。窮經博學，善誨生徒。每日晨，課諸生背誦經史，饌畢，量資稟學力，授以經史題，午後講明義理，次日復講，課其勤惰。月一試，而殿最之。五、六年率以爲常，未嘗少倦。敬祀事，重鄉飲，抑浮屠，舉喪禮，凡有關禮教者，皆竭力爲之，人才由是日盛。秩滿，遷國子監助教。固安陳志。

傅皓，河南祥符人。舉人。成化間，通州州同，得民心。秩滿，百姓赴吏部乞留。會知州缺，即擢任。皓性慈愛，爲政不任刑罰，以學校爲造就人才地，亟經營修整之。將滿，民又乞留。加布政司參議，管州事。前後兩任，十有八年，未嘗以一役擾民，官與民如家人父子然。祀名宦。通州高志。

楊孜，東阿人。舉人，成化八年，知香河縣。中官歲取海鮮，道之所經，其下恣爲需索。孜據理執詞，一無所與。香河劉志。

劉縉，山東東平州人。成化間任文安知縣，勸課農桑，田無荒蕪。時遇水旱，連章奏報。幾九載，致仕去。民泣送者相望於道。文安楊志。

袁昂，忻州人。舉人。成化時知寶坻縣，以經術爲吏治，曰：當不失書生本色耳。歲歉，分俸以濟窮黎，用刑輒不忍，聽訟平，令釋然而止，不爲赫赫之行，民自懷之。寶坻洪志。

夏勳，浙江嘉善人。萬曆沈志。監生。成化年知懷柔縣，臨下寡言，然雖疑獄亦立決，吏不能欺。遇編户賑災事，輒不避風雨，撫民有恩。時教諭郝濂，勤于課士，著成效。並祀名宦。懷柔吳志。

高安，浙江湖州人。成化十五年知漷縣，有守有爲，政績報最。遷知宛平，禁火耗，絶苞苴，興學校，嚴胥吏，廣儲蓄，其愛民重士，爲畿輔賢有司之冠。宛平王志。參通州高志。

王宣，字德明。成化二十三年，都指揮分守通州，以文事飭武備，厚重鎮俗，軍民悅服。著有續齋集。官十六年致仕。通州高志。

王玉，字温如，神武中衛掌印指揮。有才名，上官多委勘訟，州人有不怕前王棍，只怕後王問之諺。時分守王宣署在前巷，故云。通州高志。按：此與字德潤者同名。高志云，係兩人無疑。惟既與王宣同官，則在成化二十三年，明矣。高志反列德潤後，何耶？

武志學，初知信陽縣，去思碑。成化年，知良鄉。萬曆沈志。廉慎，歲災沴頻作，民散四方，志學勸富室出粟賑，民食不足，抗言于廷，遣官發倉。民漸全活，助給牛種，始各復業。教化興，橋梁完，讞獄惟公。復任信陽，民立去思碑。去思碑。入名宦。良鄉楊志。

徐懷，字明德，嚴州人。天順庚辰進士。孝宗初，以副都御史撫薊時，畿內大荒，懷疏請京、通、薊三倉米五萬石，發州縣，驗口俵給。又疏借内帑充糴，備後患。畿民賴之。畿輔唐志六十八。

魏富，龍溪人。進士，弘治年巡撫順天。中貴人多操利匿亡，將領、守臣倚以爲援，富至，悉繩以法。一時無敢犯者。入名宦。（畿輔唐志六十七。）

畢亨，山東新城人。進士，弘治六年，（按：宛平王志云，成化間，今據題名碑正。）丞順天府。時畿内旱蝗，百姓荒甚。亨奉命往捕，蝗遂滅。朝廷嘉奬之。（宛平王志。）遷工部尚書。（題名碑。）

毛實，浙江餘姚人，進士，弘治九年，知霸州事。愛民如子。牧馬軍人凡强暴擾民者，悉繩以法。水溢爲害，築堤禦之。遷刑部郎中。祀名宦。（霸州周志。）

張憲，（一統志五。畿輔唐志六十七。按：明史有五張憲，而此張憲政蹟卓然，獨未入史。）德興人，弘治十年（題名碑。按：一統志云成化中。）順天府尹。時高貲富人率營充將軍、校尉，輒得優復，致下户重困。憲疏陳其弊，并及均馬政、恤民難、省冗費三事。悉允行。尹京四年，權豪畏攝，（一統志五。）德孚士庶，稱京兆之賢能者，必歸之。（畿輔唐志。）

洪鍾，字宣之，錢塘人，成化十一年進士。弘治十一年，擢右副都御史，巡撫順天，整飭薊州邊備。建議增築塞垣，自山海關西北，至密雲古北口、黄花鎮，直抵居庸，延亘千餘里，繕復城堡二百七十所，悉城緣邊諸縣，因奏減防秋兵六千人，歲省輓輸犒賚費數萬計。以功進太子太保，卒，謚襄惠。（明史列傳。按：西河集十與明史略同。）

莊襗，字誠之，武進人，弘治丙辰進士。戊午知寶坻縣，視民事如家事。薙奸植良，寬猛交濟。寶坻土城，明百四十年未之有改。襗巡城太息，謂：焉有近畿甸當邊城而城惡者哉？寶坻洪志。越二年，政成民和。吳儼新修寶坻城記。乃白寶坻洪志。巡撫順天等處副都御史洪鍾，議令王鏊寶坻新城記。倡好義者，協力寶坻洪志。分工，民樂趨事，八月而土城立，十三月而磚城完，莊襗新建拱都城圖記。名曰拱都，屹然爲畿東保障。寶坻洪志。贊其功者，縣丞范智，遼東人；主簿趙聰、任紹宗；典史賈鐩。吳儼修城記。正德辛未，流賊內訌，至城下攻之，賴以無虞。若設津渡，置義冢，凡便民者，無不爲。邑之有志，亦自襗始。報最，擢去，邑人立祠，至今思慕。官至參政。寶坻洪志。

汪溥，績溪人。畿輔唐志六十八。舉人，弘治年薊州張志。知薊州。畿輔唐志。廉以立身，誠以爲政。崔富汪公德政記。以經術革吏弊，均徭役，修學宮，纂州志，選生員數十，自授讀，後各有成。薊州沈志。龍池河壅塞久，溥涖任，河忽自通。稼有一本數穗者，鄰境蝗入薊卽死，人比之魯恭。畿輔唐志。視事九年，德政記。民薊州張志。援借寇故事留之。上旌以四品俸，復任。德政記。升慶遠知府，士民不忘，薊州張志。石勒德政記。

葛洪，舉人，弘治間通州州同。有治才，時知州爲邵賁。賁迎父就養，父至州，謂賁曰：南來聞通州有好同知，不聞有好知州。蓋激勵其子，而洪賢益足徵矣。尋擢知通州，祀名宦。通州高志。

師文，陝西人。弘治間知漷縣。積倉穀，助學資，而處己清廉，雖向規弗取也。卒于官，筐篋蕭然，幾無以殮，民感慟之。通州高志。

張皞，遼東廣甯衛人。舉人。弘治年大城知縣。性慈祥，遇民饑，輒泣賑之，有當刑者，曰：吾無德化也。然遇警能禦，時稱崇文尚武云。大城張志。

吴賢，畿輔唐志六十八。河南儀封人。三河陳志。弘治中三河令。捐俸修學，教民栽桑種綿，三則定役，十限徵糧，民以永賴。畿輔唐志。其他創公廨，立養濟，置鋪遞，善政不可枚舉。三河陳志。

李鎰，河南祥符人，舉人，弘治間知平谷縣。革火耗，時百姓有廉如水之稱。十八年，以才堪治煩，調文安縣，平谷朱志。多善政。文安楊志。按：官職門鎰作鑑，然名宦志作鎰，與平谷志同。

洪異，字大同，號碧湖，福建龍溪人。舉人，通州高志。弘治十八年通州學正。通州志表。丰采清朗，動止有度，邃於經學，循循善誘，每升堂講論，本經據傳，發明聖賢旨趣，教士子作經義策論，皆有法度。司教七年，多所造就，如侍郎李欽、尚書楊行中、知府張子衷、太僕寺丞吴揩、知州張錦、州同知馬禮、知縣嚴鵬舉、黄鏜、學正孟録、宋鈇輩，經其指授，其餘學成未遇者尚多，作人之功莫及。撫按交薦，遷浙江崇德知縣，拜監察御史，浙江按察司僉事，廣東布政司參議。祀名宦。通州高志。

張經，字以綸。弘治十八年都指揮僉事，分守通州。性悌愷，以恩御軍民，秋毫不擾。京商有坍馬快船賈于南者，死。船歸，商子訴于經。經攜詣船，以稽私貨爲名，得商衣、梳，詰利商財，而戕之，置于法，人稱神明。通州高志。

楊廉，字方震，豐城人。成化末年進士，改庶吉士。正德初，歷順天府尹。時京軍數出，車費動數千金，廉請大興遞運所餘銀供之。奏免夏税萬五千石，慮州縣巧取民財，置歲辨簿，吏無能爲奸。明史儒林傳。革和買借辨之擾，釐各官夫馬銀徭役，使不得多取。定陵户貧富撥補之法，以絶影射，皆著爲例。一統志五。明年，擢南京禮部右侍郎。世宗卽位，遷尚書，乞休，卒，謚文恪。明史儒林傳。

汪循，正德初順天通判。劉瑾擅權，循奮然曰：是將不利社稷，安忍坐視不言！三抗疏，請裁抑中官。畿輔唐志六十八。上内修外攘十策，言甚凱切，雖忌弗恤也。宛平王志。

曹俊，字邦彦，臨清人。監生。正德二年，知房山縣。廉介有爲，房山佟志參華湘房山繕城碑記。一時蓋覆默黠之患，無不剗刜，薰以惠和，理化維新。華湘繕城碑記。城以夏潦頹，年熟，遂督民完之。鄉賢名宦，未有祠，丙子夏，監察御史盧雍命飾宇以祀俊，奉行維謹。據徐縉修鄉名宦祠碑記。按：丙子爲十一年。擢知山西蔚州。嘉靖五年，調知通州。剛明果決，事靡留滯。初，孔道供應，皆取給里甲，民苦之甚。俊請撫按，動支牙課，困乃蘇。祀名宦。通州高志。

周期雍，字汝和，江西甯州人。正德三年進士。劉瑾既誅，九年，擢右僉都御史，巡撫順天，薊州、密雲關堡數十，以避寇警，移入内地，關外益無備。期雍悉修復之，數列上便宜。入爲大理卿，拜刑部尚書。明史列傳。

業清，浙江蕭山人。進士，歷太僕寺丞。正德三年，知通州。性剛毅，練達治體。蒞任日，論僚屬及吏胥，各當職役，皆不敢欺。時璫用事，權要人過州，絶不少假顔色，節費，百姓感悦，有銜其疏慢者，劾罷之。祀名宦。通州高志。

張汝舟，明史坿忠義霍恩傳。山西渾源州人。大城張志。正德中大城知縣。明史傳。諜練識精。大城張志。六年，賊四起，明史傳。汝舟率衆捍禦，畿輔唐志六十八。流賊臨城，一統志五。汝舟與主簿李銓迎戰，皆被殺。事聞，明史傳。贈光禄寺丞。一統志。銓佐縣有聲，守己不失，贈大城知縣。大城張志。

陽旦，西河集十一。侯官人。進士，正德六年題名碑。按：西河集云弘治朝，非也。萬曆沈志，陽作楊。順天尹。貧民有負内供不能償者，請以贓罰并帑藏之羡者代充其逋，仍禁縣吏無重科，四方流民，薦食京師，道殣相望，因募人爲叢塚，收葬之。西河集。

周璽，字天章，廬州衛人。弘治九年進士。正德八年，應詔陳八事。明年，擢順天府丞，論諫深切，率與中官牴牾。劉瑾等積不能堪，至是命璽與監丞張淮、侍郎張縉、都御史張鸞、錦衣都指揮楊玉，勘近縣皇莊。玉，瑾黨，三人皆下之，璽辭色無假，且公移與玉止牒文。玉奏璽侮侵敕使。明史列傳。瑾怒，杖於朝者三。卒不爲屈。畿輔唐志六十七。瑾矯旨逮下詔獄，搒掠死。瑾誅，詔復官賜祭，恤其家。明史列傳。

王玉，字德潤，正德九年都指揮僉事，分守通州。性嚴峻廉潔，御下有恩，尚儒術，接士大夫以禮。時内璫用事，玉不爲屈，修運道有功，賜蟒衣三襲。寇趙二漢等剽掠近州境，玉督捕二百餘人，擢錦衣衛指揮。通州高志。

馬永，字天錫，遷安人。正德時都指揮同知。十三年，進都督僉事，充總兵官，鎮守薊州。盡汰諸營老弱，聽其農賈，取傭直給健卒。由是永所將，獨雄於諸鎮。仁以撫軍，固邊防，却强敵，軍民安堵。善用兵，且廉潔。卒，薊州人灑泣立祠。明史列傳。按：一統志五入名宦。

劉繹，陝西邠州人。貢監，知青縣。正德十三年，擢知通州。振頹革弊，剖決如流，庭無滯獄，遠近訟者皆質成焉。作興學校，愛養黎庶，法制豪右。武宗南征宸濠回蹕，駐通四十四日，繹上供御用，下給百司，井井無失，所需皆請撫按調發，絲粟不以擾民，百姓安之。以修邊功，擢正定府同知。祀名宦。通州高志。按：萬曆沈志入名宦。

周在，太倉人。進士，正德間知寶坻縣事。清風峻節，疾惡如讐。時中官錢甯勢張甚，畿内達官事之惟謹，在獨擯不與通，發其私事，聞于刑部，捕鞫之。甯怒，教訟連在付法司。御史張士隆疏，覆案，在得還職，直聲動天下。甯嗾其黨，論士隆庇在，同下詔獄。及甯敗，起官，歷副使。寶坻洪志。

李廷鵬，湖廣人。舉人。正德十四年知武清縣，武清吳志。有循聲。武宗南巡至縣之河西務，廷鵬跪路側力諫，將從之。左右激上怒，折岸柳，捶幾死，乃去。明史稾參吴志。

黄璽，字廷用，通州衛指揮。正德間以都指揮僉事分守通州。諳韜略，知天文。時境有巨盜，璽占風伺迹捕之。流賊劉六、劉七等將竄自霸州，璽豫嚴張家灣及諸要路，賊不敢進，州賴以安。通州高志。又云：暑夜有黑眚之異。璽禁露宿，異遂止。時擊流賊劉六等于八里橋者，通州衛指揮雷通也。據高志。

曹賢，字廷臣，閩人。舉人，涿州學正。學行兼長，訓諸生首孝弟有爲。它人訟者，輒懲之弗少貸。課文有約，多所成就。其後，學正以學博訓勤著成效者，有王穩、方寬之倫。穩，字邦甯，臨海人，舉人，累遷南康知府。寬，莆田人，擢□□府教授。涿州吴志參采訪册。

吴正己，字身之，王世貞文林郎宛平縣丞古愚吴君墓表。自號古愚，歙人，受博士家言，試輒不利。次吏部選，得宛平丞。丞于格雖卑，而宛平爲赤縣，其秩第七品，顧最爲勞劇。所供億，縣官非時之責百萃，正己一切用敏慎承之。上時爲粥以食餓者，事在正己輒未明往。人風之曰：不過早乎？正己謝曰：吾腹實而往，彼腹枵而待我，且以爲晚也。民負税而繫者且數十人，其負可三百緡。正己搜橐而償之，數皆足，釋去。人又風之曰：橐可恆繼乎？又謝曰：非所及也，吾姑行吾所不忍而已。宛平二丞，正己職税，其一丞職馬。馬丞桀而驁，數侵正己任，正己遜謝弗與校，馬丞久而媿之。按使者咸多正己，治狀屢下旌獎，三載當遷，按：墓表，吴君卒於萬曆戊寅，所不足七十者一年。迎父柩，年十六，已而業成，試輒不利，然則生於正德初，其選宛平丞，當在嘉靖時。父老乞歸。據表。

楊東山，河南祥符人。嘉靖四年任固安教諭。教人以德。嘗建射圃，有觀德亭，中庋豐觶乏笙，鹿中有侯弓矢、決拾之屬，悉合古制。遷饒陽知縣，祀名宦。固安陳志。

劉璽，密雲後衛百户，膂力過人，以驍勇名。嘉靖五年，巡龍王谷關，與敵戰於古北口，斬馘甚衆，中流矢，陣亡。祀忠義祠。密雲薛志。按：龍王谷在密雲東北百五里。

王文秀，閬中人。舉人，嘉靖六年知良鄉縣。良鄉楊志。廉幹不畏豪彊，畿輔唐志六十八。勸農于隙地值桑、棗，良鄉楊志。奏免沙壓税，糧民賴其惠。畿輔唐志。遷河南懷慶通判。良鄉楊志。

霍淮，山西平定州人。舉人，知寶坻縣，歷河間府通判。嘉靖八年，擢知通州。機略警敏，遇事敢爲。先是，歲徵錢糧多爲里書侵蝕，民苦賠累。淮察地清編，造成格眼小册票，給民户及買種民地軍人，令其照票依期赴州自納，不經里書手，但令督催而已。由是小户免侵欺，大户催科亦易，公私兩利，人人稱便。擢陝西延安府同知。祀名宦。通州高志。

魏祥，宣府前衛人。密雲參將。嘉靖時進戰石塘路，被執，大罵不屈，敵怒，交射之死。祀忠義祠。密雲薛志。

陳世輔，南直鳳陽人。進士，嘉靖十三年知霸州事。徵糧有册，聽訟有期，權要或示意，弗阿也。由是吏胥不敢爲奸，廉静之操始終不渝。内艱去，囊篋蕭然。遷廣西布政。祀名宦。霸州周志。

武德智，館陶人。舉人，令原武。嘉靖十四年，移知寶坻，政平事練，民有前武、謂尚信。後武之稱，猶漢代呼大、小馮君也。先是，邑令莊禪既濬内河，河自西衢入城，由學東繞文明橋西南流，禪欲于河南闢路建橋，不果。至是闢路于櫺星門前，橋曰升僊，文風日盛，數年擢知州。寶坻洪志。

岳朝用，山東鄒平人。監生。平谷朱志。按：金濂岳侯遺愛碑云，朝用别號嶧山，山東鄒縣人。嘉靖庚子，薊州判擢遺愛碑。按：庚子爲十九年。知平谷縣，據平谷志目。摭不便民者數事，乞蘇民困：一、豁開除。縣額地一千七十八頃五十一畝，宣德間撥與營二衛屯種三百二十九頃三十一畝，就彼納糧，後因不辦，開除，添派歲包、膏脂匱竭。一、審權宜。永樂間，太監三寶差往西洋，偶因船多倩拽順義、平谷各出夫六十，實一時之計，順義已除，惟縣歲出銀百兩，號爲通州協濟夫錢，事出冒濫。一、遵成憲。縣額漁户十三名，年納課鈔百一十七貫，閏加六貫七百五十，正德間，採銀魚，添椿木、葫蘆、羊皮料二十餘兩，遂爲常規。一、或稽遲。輒加陵轢，近年以來，又坐武清、漷縣水占地畝，編楊村遞運所水夫銀一十三兩，宛、大二縣車輛銀二十四兩，地窄民貧，控訴無門，于是覈審定式，積年偏累，（遺愛碑。）一旦盡除，民受其福。（平谷朱志。）鳴其顯著者，（遺愛碑。）勒遺愛碑。（平谷朱志。）

夏九皋，遼州人，嘉靖十九年東安典史。無怠于事，清苦甚，然或鑿苞苴，竇輒塞。下吏之翹出者。祀名宦。（東安李志。）

蔡椿，遼東定邊衞人。舉人，知絳縣。嘉靖二十二年，擢知通州。清貧甚，下車卽禁火耗，曰：甯自瘠，毋瘠民也。調知昌平。（通州吴志。）

游新佑，福建人。嘉靖二十□年知香河縣。下車卽與吏約法曰：民或訴，吾甯負爾輩，不忍負民也。賑恤事必親理之，惠愛所及，民永去思。（香河劉志。）

郭宗皋，字君弼，福山人。嘉靖八年進士，選庶吉士，擢御史。十二年，按順天，行部乘馬，不御肩輿。（明史列傳。）二十三年秋，順天巡撫朱方，以防秋畢，請撤客兵。未幾寇大入，直逼畿輔。帝震怒，并械總督翟鵬遣戍，斃方杖下。（明史毛伯温傳。）擢宗皋右僉都御史代之。寇去，宗皋言：密雲最要害，宜宿重兵，乞敕馬蘭、太平、燕河三屯，歲發千人，以五月赴密雲，有警則總兵官自將赴援。居庸、白楊，地要兵弱，遇警必待部奏，不能及事。請預擬借調之法，令建昌三屯軍，平時則協助密雲，遇警則移駐居庸。俱報可。久之，宗皋聞敵騎四十萬欲分道入。奏調京營、山東、河南兵爲援。已竟無實，坐奪俸一年。

故事，京營歲發五軍詣薊鎮防秋。宗皋請罷三軍，以其犒軍銀充本鎮募兵費。又請發修邊餘銀，增築燕河營、古北口。帝疑有侵冒，令罷歸聽勘。既而事得白，起故官。隆慶改元，進兵部尚書。卒，謚康介。明史列傳。

賀榮，陝西神木人。涿州吳志。嘉靖二十三年知昌平州，性端絜。昌平宋志。萬曆中，知涿州，時軍務頻仍，糧儲屢匱，征收溢額，不辨頃畝，富者詭脱，小民視田爲讐。榮較舊册釐定之。士民爲之立均田碑。涿州吳志。參萬曆沈志。

王範，字應瑞，趙錦王公去思碑記。江右大庾人。監生。房山佟志。嘉靖丙午，去思碑記。按：丙午爲二十五年。房山縣丞，房山佟志。董馬政。操守廉絜，凡利民者，靡不竭力。額辦蘆葦、鵞翎等項，非土産，範革以省民財。運粟議折價，以節民力。先是，協濟會同館，涿州、良鄉、大興驛傳，應是役者，鮮不破家遁。範力爲節，去思碑記。精醫施藥，救濟甚衆，房山佟志。德澤旁敷。甫三載，去思碑記。遷光禄寺署丞。去之日，士民泣送。有去思碑記。房山佟志。

陸坤，陝西蘭州人。進士，嘉靖二十六年，霸州兵備副使。州苦水患，爲開新挑河，民賴之。白前守趙應式之寃，除判官孫文中之險，公論大快。一時墨吏、市虎，有避地者。百姓立思功祠祀之。畿輔唐志參霸州周志。

楊博，字惟約，蒲州人。嘉靖八年進士，拜兵部右侍郎，轉左，經略薊州、保定。明史列傳。

畿輔唐志六十七名宦。三十一年，密雲薛志。遷總督薊、遼、保定軍務。博以薊逼京師，護畿甸陵寢爲大，修分布諸將，畫地爲防。畿輔唐志。修邊牆。三十二年，疏請築潮河川小石城六，建敵臺三，修護關舊牆百三十有二丈，創横城，起野豬嶺，迄豬嘴塞，河口北石崖，分屯勁兵。密雲薛志。三十三年秋，把兒及打來孫，十萬騎犯薊鎮，攻牆。帝憂甚，數遣騎偵博。博環甲宿古北口城上，督總兵周益昌等力禦。帝大喜。馳賜緋豸衣，犒軍萬金。寇攻四晝夜，不得入。博募死士，夜以火驚其營，明史列傳。一夕四五起，畿輔唐志。寇擾亂，比明悉去。進右都御史、兵部尚書、少師兼太子太師。卒，謚襄毅。明史列傳。按：一統志五入名宦。

孫惟謙，富平人，嘉靖中選貢入太學，戊申除寶坻知縣。節儉清平，不事粉飾，民陰受其德。以直道忤時，歸，士民遮道泣留。相隨數十里。惟謙慰藉之，乃去。邑人思慕不已，作詩文紀，績彙爲去思集。建祠，合莊襗、楚書、武德智祀之，號四君子祠。寶坻洪志。按：戊申爲嘉靖二十七年。

王忬，字民應，太倉人，嘉靖二十年進士。按順天。二十九年，俺答犯古北口，忬奏言：潮河川有徑道，一日夜可達通州。因疾馳至通，爲守禦計，盡徙舟楫之在東岸者。夜半，寇果大至，不得渡，遂壁於河東。帝密遣中使覘軍，見忬方厲士乘城。還奏，帝大喜。副都御史王儀守通州，御史姜廷頤劾其不職，忬亦言儀縱士卒虐大同軍。帝命逮儀，擢忬右僉都御史代之。寇退，忬請振難民，築京師外郭，修通州城，築張家灣大、小二堡，置沿河敵臺。皆報可。尋罷通州守禦大臣，召忬還。薊遼總督楊博還朝，移忬代之，進右都御史。忬言：騎兵利平地，步兵利險阻。今薊鎮畫地守，請去他郡防秋馬兵八千，易之以步，歲省銀五萬六千餘兩。從之。初，帝器忬，及所部屢失事，則以爲不足辦事。嚴嵩雅不悦忬，奏宜修邊牆，補額兵。乃詔責忬，實主兵，減客兵。部臣言：薊鎮額兵多缺。乃遣郎中唐順之往覈。還奏：額兵九萬有奇，今惟五萬七千，又皆羸老。降忬俸二級。三十八年，把都兒、辛愛數部渡灤河，掠薊州，京師大震。逮忬論斬。明史列傳。

丁鈇南，通州人。監生，嘉靖三十年，任平谷知縣。巡鄉，或以食進，却之曰：此賂媒也。勤事輒不避風雨，終始一致，疾，致仕。平谷朱志。

昌元正，大城張志。字橘山，據王淯均田平賦記。陝西長安人。舉人。大城張志。嘉靖三十二年，均田平賦記。知大城縣。志目。才思不羈，振作有爲。大城張志。大城地瘠而廣，糧多增減，民害久矣。元正清丈之，均地一千六百頃有奇，其豪强兼井，奸惡飛詭之徒，稍稍斂迹。均田平賦記。免賠糧累、詿誤改教，賴趙德光終其功。大城張志。德光自有傳。

劉畿，懷柔吴志。字叔京，杜英邑侯劉公去思碑。又云别號北渠。山西徐溝人。監生，嘉靖三十三年任懷柔知縣。

懷柔吳志。居四載，清白自守，澹如也。施政一以愛民爲心。其最著者，革長夫五十，減增銀九百，掣馬十協，濟里甲之費千批，逆申救，所省不下鉅萬。又均賦稅，節工役，蠲贖金，禁科派，固保障，時收斂，舉文教，清操勁氣，無施不可。其減通薊之糧，繕居庸之邊，分平谷之田，平良牧之訟，委任咸就其緒。去思碑。遷漢中府通判，懷柔吳志。百姓不得復留，去思碑。勒去思碑。懷柔吳志。

楊照，遼東前屯衞人。古北口參將。以退敵功，遷密雲副總兵，晉都督，鎮守密雲。與敵戰，斬馘千八百有奇，獲駝、馬千七百餘，收降卒三十有二。照沈毅撫士卒，得其死力。嘗刺盡心報國四字於胸前、脊後，以自勵。將戰，輒以後事付家人，故所向無敵。密雲薛志。

胡與之，餘姚人。舉人，寶坻洪志。嘉靖丁巳夏，令寶坻。社倉，前令劉廓所建也。倉堂、湢浴、菜圃咸具，又措處得粟若干石，冀以時收斂。題曰倣古社倉。此舉爲仁政。未幾邑大水，禾黍不登，民昏，墊與之，乃營救荒之政，竭力撫綏，延春欲以社倉賑，出陳易新。時邊警取粟若干石易鐵，武備修而民食可保。庠師弟子，廩餼久缺，借支若干石。先君子後野人，禮也。二者之外，悉以散民。里書報户，富户領分，約秋償。秋果大熟，及期，二尹張古柏、三尹張肖石開倉按簿，得粟若干石，又稽弊得縣庫青衣、扛夫料價銀，悉請糴粟增倉，民曰善繼。倣古社倉記。與之銀魚，説曰：浙之富春茶魚歲以貢。正德間，臬僉韓邦奇欲奏除此害，余視寶坻銀魚，民之不安，殆有甚焉，弗能爲韓之所爲，要亦服韓之義也。寶坻洪志。

許論，字廷議，靈寶人。嘉靖五年進士。著九邊圖論，上之，帝喜，頒邊臣議行。遷南京大理寺。會廷推順天巡撫，論名列第二。帝曰：是上九邊圖論者。卽拜右僉都御史，任之。白通事以千餘騎犯黄崖口，論督將士敗之。録功，進右副都御史。三十八年，督薊、遼、保定軍務。按：此駐密雲。把都兒犯薊西，論厚集精鋭以待，至則爲遊擊胡鎮所破，遁去。事聞，厚賚銀幣。尋奏密雲、昌平二鎮，防秋，須餉銀三十餘萬。給事中鄭茂請察其侵冒弊。詔論回籍聽勘。明史坿許進傳。

楊選，字以公，章邱人，嘉靖二十三年進士。四十年，擢總督薊、遼副都御史，條上封疆極弊十五事，多從其請。以却敵功，進兵部右侍郎。按：選督薊、遼如故。明年五月，古北口守將遣哨卒出塞，朶顔衛掠其四人。部長通漢叩關索賞，副總兵胡鎮執之，并縛其黨十餘人。通漢子懼，擁所執哨卒至牆下，請易其父。通漢者，辛愛妻義父也。選欲以牽制辛愛，要其子入質，乃遣還父，自是諸子迭爲質，半歲而代。選馳疏以聞，自詡方略。選及巡撫徐紳等俱受賞。十月丁卯，辛愛與把都兒等大舉，京師戒嚴。帝諭閣臣徐階，令部論諸軍并勦。明日，選以寇東遁聞，爲將士祈賞。帝疑，以問階。對曰：寇營尚在平谷，選等往通州矣，謂追殺者妄也。帝銜之。寇稍東，大掠三河、順義，圍諸將傅津等於鄭官屯。選遣副將胡鎮偕總兵官孫臏、游擊趙溱擊之。臏、溱戰没，鎮力戰得脱。寇留内地八日不退。選、紳與副使盧鎰，參將馮詔、胡粲，游擊嚴瞻等，逮下詔獄。又二日，寇始北去。内侍家薊西者，譁言通漢父子召寇。帝怒，論選死。明史列傳。

顔鯨，字應雷，慈谿人。嘉靖三十五年進士。擢御史，出視倉場。奸人馬漢怙定國公勢，論殺之。四十一年，上漕政便宜六事。改督畿輔學政。大興知縣高世儒奉詔劾逃役，都督朱希孝以勾軍劾之，下部議。鯨劾希孝亂法，言：世儒按籍召行户，非勾禁軍。此乃禁軍子弟家人倚城社，冒禁衛名，致吏不敢問。富人得抗詔，而貧者爲溝中瘠，世儒無罪，罪在錦衣。帝怒，責鯨詆誣勛臣，貶安仁典史。萬曆中，中外論薦十餘疏，不果用。明史列傳。世儒，四川内江人。舉人，四十四年任，遷户部主事。據萬曆沈志。大興張志。

張守中，一統志五。按：畿輔唐志中作忠。字伯時，山西聞喜人。通州高志。嘉靖四十一年知通州。巡撫某敗績於邊，馳至州，守中不納。巡撫怒，將治五衛軍弁。一統志五。守中單騎造軍門曰：朝廷任知州以封疆，通州高志。城門啟閉，知州實司筦鑰，若曹何與？公當援桴再戰，芻茭不給，知州責也。若擁勁旅不申威境外，徒逞志於衛弁，竊爲明公不取。巡撫慚而去。畿輔唐志六十八。修文廟，辨祭器。（通州高志。）四十二年，（守中楊令公碑。）擢密雲兵備道。去之日，通人遮留不得，去，立祠祀之；籲閽願以通州改隸密雲道。（通州高志。）守中整飭密雲邊備，端嚴持重，彰善懲惡。（寶坻知縣唐鍊總會里甲記。）石匣去京百八十里，三面距邊城，累土易圮，守中議築石城。（陸泰石匣城記。）見學宮廢，庀材石塘嶺，取以兵，由潮河川筏以入，民無擾，輔以罰鍰。簡參軍廉能者，王廷範、祝啟蒙司其事，縣令邢元徵省厥成。四十四年，率邑子弟數十肄習其中，授經義。（王希烈文廟碑記。）治效爲時冠。所議里甲事宜，總會一册，條分六事，列七千有二，巨而祭燕科貢之供，細而館穀筆札之給，平物價之騰落，定品實之豐歉，諮民瘼，采羣議，隨時之便，因地之宜，折衷乃心，毅然行之。民歡若更生，（唐鍊總會里甲事宜記。）祀名宦。（通州高志。）

劉畿，（題名碑。按：王世貞羽泉劉公神道碑銘，畿作幾。）字子京，由汴南徙居長洲。（神道碑。）進士。嘉靖四十二年，（題名碑。）由太僕少卿遷順天府尹。獨欲修尹，故事曰：吾得備彈壓，安能以獄市諉而晝寢輦轂下耶？所賦役即彈射豪貴，亡所避，猾吏不寒而栗。時議城張家灣，而議者曰：虜衝也。城之利，然非十萬金不可。畿請以五萬金城，而移大官三萬金先之，益以勸募金。畿調度往來，僅四月而城成。會所勸募足，還三萬金于大官。上悦，特賜白金、文綺，進右副都御史，督撫兩浙。（神道碑。）

張應武，（大城張志。）字漁岡，（據馬雲凰保障記，馬雲鴻生祠記。）山西大同人。貢士。（大城張志。）嘉靖甲子，大城知縣。

霸州知州張雲鷟重修學宮記。按：甲子爲四十三年。沉静嚴毅，洞達虛明，不苛以慘，孜孜求民之莫，造福永賴，民未知作，爲之正經界，省耕斂，民未知學，爲之置社學，聚子弟，擇教讀。生祠記。先是，大城學宮圮，癸亥，霸州知州涇陽張雲鷟行縣，深用惻然，時缺令，無所與謀。應武知縣事，思新之，力取于民而不勞，財出于公而不費。乙丑興役，越六月成。重修學宮記。召學官、諸生課于堂，生祠記。文教聿興。大城張志。故城土築，創石城西北者，余貢績也。保障記。應武葺其東南之未備，不避浮議，不妨民力。生祠記。未三月，保障記。告成。民賴之無恐。除夙弊，遏稔惡，修隄防，條賦均徭，恤孤惠衆。生祠記。賢聲懋著，擢河間通判。至今人咸思之。保障記參張志。立生祠，同享者吴璞。歌曰：前有吴父，後有張母。生祠記。璞有傳。並祀者訓導牛利仁，山東平陰人。大城張志。奉應武條約而有功于司教。生祠記。以禮讓端士習，以道義孚士心。大城張志。

李琮，字協中，鄭民悦縣尹李公去思碑記。武城人。舉人。房山佟志。阜平廉吏。鄭民悦房山新建石城記。嘉靖丙寅，去思碑記。按：丙寅爲嘉靖四十五年。調房山，建石城記。廉介有爲，政教兼舉。畿輔唐志六十八。時房山荒歉，内戚中貴侵漁十之三四，琮抗疏禁之。去思碑記。學弛，牒聞于督學御史傅口，既得請，捐廩斥羡，取諸好義，鳩工始隆慶五年，成于萬曆元年。相是役者教諭李守貞、訓導劉祖堯。重修縣學碑記。琮仁厚，除民瘼，建石城記。擢雲中別駕。百姓叩闕留，遂易保定銜，仍攝房山事。房山佟志。繕城，慮民力不堪，力請出帑。教諭高陸、訓導黃繼元、巡檢王夢賢與有勞焉。建石城記。踰年，加通郡牧，仍管縣事，（房山佟志。）寒暑六易，（去思碑記。）遷保定府同知。去日，雖婦稚莫不悲號，送者如市。爲樹去思碑，祀名宦。（房山佟志。鄭民悦縣尹李公去思碑記：嘉靖丙寅歲，東魯李公豐崖來司房牧，時我房山節年荒歉，民半流移，兼以内戚中貴，與國同休之家，侵漁者十之三四，而閭閻呻唫疾苦之聲，不絶如縷。公自下車，夙夜警憂，若自致之，而惓惓以復故爲己任。是以司揪棍者，噬民之田，則抗疏以禁之，而不憚天顔之犯。辦紅爐者，伐民之木，則明法以絶之，而不恤夫冬官之校。招入版之氓，雖公侯之僕，亦附均，寄養之馬，雖閥閲之族必行。廟學將傾，感中官之賢者以新之，而輪奂之光，足以樹萬民之瞻仰。城垣已圮，勸富室之義者以助之，而高堅之利，足以爲百世之栟幪。禾槁于愆陽，則徒行以禱之，而滂沱卽見于須臾。民乏于耕斂，則出陳以濟之，而毫末不加于征取。全孽子狼狽之産，諧寒士秦晉之盟，加提攜于僚佐，而掄擢者先後數人，敦教誨于生徒，而科貢者紛紜多士，鄰封之寃抑而來質其誠，皆曰：願撥霧而見青天。鄉衢之奸宄，而爲摘其伏，皆曰能除莠以茂嘉穀，至于宦途久歷，清節不渝，而皎皎心地之光明，雖冰玉不足以擬之，當道罔不知其賢。迨關院饒公以優于邊務薦之，遂擢雲中別駕。羣姓皇皇然若無所歸，或泣訴于臺司，或號于銓部，或尚疏于彤墀，咸欲借寇一年，而秉均者亦爲之感，遂易以保定銜，仍攝房事。自是聲蜚朝野，德重搢紳，移檄持旌者三十餘度，而牘薦者亦交章焉。未幾，踰年復加以通郡牧。蓋諒民之所以留公者，不忍遽使之去。寒暑六易，治績有成，上下相親，油油然如父子。是歲仲春，擢保定二府。士夫黎庶，罔不垂涕遠送于途，濟濟如市。歸而思甚，命余記之。余曰：小人之情，趨于一時，一旦勢不相攝，視之若塗人，然惟公遷房山，而皐平思之，擢保定而房民思之。公諱琮，字協中，號豐崖，戊午鄉進士。）

唐鍊，字溪南，常德人，進士。嘉靖中，知寶坻縣事。殫心利弊，夙夜匪懈。自莊禪建設城池，奄忽百年，鍊乃倡衆修濬，增城二尺許，池浚丈有二，建敵樓，易水關以鐵，時人有保障千年功不泯，父歌莊叟母歌唐之頌。復新學宫，設義學于四鄉，力陳百姓疾苦，省里甲裁驛役，百年積困，爲之一蘇。民甚德之。邑志久不修，續上下二卷。嘉靖以上事蹟僅有存者，猶以此本。（寶坻洪志。）

陳碩，廣東舉人。嘉靖間寶坻訓導，學問淵邃，有就正者，叩之不窮。亹亹提撕，皆古人進德修業要旨。擢國子助教，遷松江通判。楊時泰，乾州人，監生，亦嘉靖中寶坻教諭。日手一編不輟。進諸生勗勵之，意懇如也。人以爲不媿師儒，有陳、楊二先生之目。（寶坻洪志。）

劉仲福，山西陽曲人，吏員。嘉靖間，平谷典史。絶賄賂，禁胥擾，然不忍用刑。巡夜有宜鞭朴者，曰：姑免之，勿再以身試也。（平谷朱志。）

宋儀望，字望之，吉安永豐人。嘉靖二十六年進士。嚴嵩敗，擢霸州兵備僉事，請城涿州，除馬户逋税，（明史列傳。按：弇州山人續藁云：吉水人，徙永豐。）前是有西甯侯者，道其地，盜夜迫之，倉皇溺死，盡剽其資財，詔捕之，格甚峻。儀望鉤得渠黨，悉置于理。霸人慴威神，竟任無竊發者。（王世貞大理卿宋公傳。）進大名兵備副使，稍遷南京大理卿。（明史列傳。）

譚綸，字子理，宜黄人。嘉靖二十三年進士。隆慶元年，總督薊、遼、保定軍務，綸上疏曰：薊昌卒不滿十萬，而老弱居半，分屬諸將，二千里間，敵聚攻，我分守，衆寡强弱不侔，故言者亟請練兵，然四難不去，兵終不可練。夫敵之長技在騎，非召募三萬人，勤習車戰，不足以制敵。計三萬人月餉，歲五十四萬，此一難也。燕趙之士，鋭氣盡於防邊，非募吴越習戰，卒萬二千，雜教之，事必無成，臣與繼光召之，可立至，議者以爲不可信，任之不專，此二難也。軍事尚嚴，而燕趙士素驕，驟見軍法，必大震駭，且去京師近，流言易生，徒令忠智之士，掣肘廢功，更釀他患，此三難也。我兵素未當敵，戰而勝之，彼不心服，能再破，乃終身創而忌嫉易生，欲再舉，禍已先至，此四難也。以今之計，請調薊鎮、真定、大名、井陘及督撫兵三萬，分爲三營，令總兵參、遊分將之，而授繼光以總理練兵之職。春秋兩防，三營兵各移近邊，至則遏之邊外，入則決死邊内，二者不效，臣無所逃罪。又練兵非旦夕可期，今秋防已近，請速調浙兵三千以濟緩急。三年後，邊軍既練，遣還。詔悉如所請，仍令綸、繼光議分立三營事宜。綸因言：薊鎮練兵踰十年，然竟不效者，任之未專，而行之未實也。今宜責臣綸、繼光，令得專斷，勿使巡按、巡關御史參與其間。自兵事起，邊臣牽制議論，不能有爲。故綸疏言之。而巡撫劉應節果異議。巡按御史劉翾、巡關御史孫代又劾綸自專。穆宗用張居正言，悉以兵事委綸。綸相度邊隘衝緩，道里遠近，分薊鎮爲十二路，路置一小將，總立三營，以時訓練，互爲犄角，節制詳明。是歲秋，薊昌無警。綸初至，按行塞上，謂將佐曰：秣馬厲兵，角勝負呼吸者，宜於南，堅壁清野，坐制侵軼者，宜於北，遂與繼光圖上方略，築敵臺三千，控守要害。入爲右都御史，進兵部尚書。卒，謚襄敏。明史列傳。

劉應節，字子和，濰人。嘉靖二十六年進士。隆慶元年，順天巡撫耿隨卿坐殺平民充首功，逮治，改應節代之。建議通漕。四年秋，進右副都御史，巡撫如故。旋進兵部右侍郎兼右僉都御史，代譚綸總督薊、遼、保定軍務。明史列傳。密雲城湫隘，于東偏建連城。劉應節新建重城記。奏罷永平、密雲、霸州采礦。又因御史傅孟春言，議諸鎮積貯，當計歲豐歉。常時以折色便軍，可以積粟，凶歲以本色濟荒，可以積銀。又明年，建議通漕密雲。上疏曰：密雲環控潮、白二水，天設之以便漕者也。向二水分流，至牛欄山始合。通州運艘至牛欄山，以上陸運至龍慶倉，輸輓甚苦。今白水徙流城西，去潮水不二百武，近且疏渠植壩，合爲一流，水深漕便。舊昌平運額共十八萬石有奇，今止十四萬，密雲僅得十萬，惟賴召商一法，而地瘠民貧，勢難長恃。聞通倉粟多紅朽，若漕五萬石於密雲，而以本鎮折色三萬五千兩留給京軍，則通倉無腐粟，京軍沾實惠，密雲免僉商，一舉而三善備矣。報可。明史列傳。六年，築隄城東，引潮、白二河合流，疏通州漕運爲河運，民便之。密雲薛志。又請建武學于密雲等處。從之。據建武學記。給事中陳渠，以薊鎮多虛伍，請核兵省餉。應節上疏曰：國初設立大甯，薊門猶稱内地。既大甯内徙，三衛反覆，一切防禦之計，與宣、大相埒，而額兵不滿三萬，倉卒召外兵，疲於奔命，又半孱弱。於是議減客兵，募土著，而游食之徒，饑聚飽颺。請清勾逃軍，而所勾皆老穉，又未必安于其伍。本鎮西起鎮邊，東抵山海，因地制兵，非三十萬不可。今主客兵不過十三萬而已。

且宣府地方六百里，額兵十五萬；大同地方千餘里，額兵十三萬五千；今薊、昌地兼二鎮，而兵力獨不足。援彼例此，何以能守？以今上計，發精兵二十餘萬，恢復大甯，控制外邊，俾畿輔肩背益厚，宣、遼聲援相通，國有重關，庭無近寇，此萬年之利也。如其不然，集兵三十萬，分屯列戍，使首尾相應，此百年之利也。又不然，則選主客兵十七萬，訓練有成，不必仰籍鄰鎮，亦目前苟安之計。今皆不然，徵兵如奕棋，請餉如乞糴，操練如摶沙，教戰如談虎。邊長兵寡，掣襟肘見。今爲不得已之計，姑勾新軍補主兵舊額十一萬，與入衛客兵分番休息，庶軍不苦勞，稍定邊計。部議行。所司清軍，而補兵之説，卒不行。萬曆元年，進右都御史兼兵部右侍郎，總督如故。明史列傳。隨卿，滑人，進士。畿輔唐志。

張臣，榆林衛人。隆慶元年，以功進副總兵，守薊鎮西協。萬曆初，録秋防功，進署都督僉事。炒蠻潛入古北口，參將苑宗儒追至十八盤山，戰歿，餘衆被圍，臣急偕遊擊高廷禮等馳救，寇始去，坐鐫一秩。十一年，守馬蘭峪，會朶顔長昂屢擾邊，薊鎮總兵官楊四畏不能禦，乃徙臣代之。長昂雅憚臣，使其從母土阿、妻東桂，款關乞降，乃撫賞如初。猛可真者，俺答弟老把都棄妾也，坐與小阿卜户犯黑峪關，罷賞。既納款，復猖獗。以謾詞報邊臣，而令大孌只代爲謝罪。大孌只者，順義王乞慶哈棄妾也。臣等測其許，令將士出塞，捕二十三人繫之獄，令還我被掠人。猛可真以所愛者五人在俘中，許獻還所掠，親叩關索故賞。臣等并召大嬖只入演武場，誚責甚厲，兩婦叩頭請死，乃貸之。先後獻還八十餘人，中有被拘數十年者。臣以功紀録優敍，尋進署都督同知。名著塞垣，爲一時良將。子承廕，承廕子應昌，崇禎二年昌平副總兵。明史列傳。

戚繼光，字元敬，世登州衛指揮僉事。隆慶初，譚綸督師遼、薊，乃集步兵三萬，徵浙江三千，請專屬繼光訓練。帝可之。二年五月，命以都督同知總理薊州、昌平、保定三鎮練兵事，總兵官以下悉受節制。至鎮，上疏言：薊門之兵，雖多亦少，其原有七：營軍不習戎車，而好末技，壯者役將門，老弱僅充伍。一也。邊塞逶迤，絶鮮郵置，使客絡繹，日事將迎，參、游爲驛使，營壘皆傳舍。二也。寇至，則訓遣無法，遠道赴期，卒斃馬僵。三也。守塞之卒，約束不明，行伍不整。四也。臨陣馬軍不用馬，而反用步。五也。家丁盛而軍心離。六也。乘障卒不擇衝緩，備多力分。七也。七害不除，邊備曷修，而又有士卒不練之失六，雖練無益之弊四。何謂不練？夫邊所籍惟兵，兵所籍惟將，今恩威號令不足服其心，分數形名不足齊其力，緩急難使。一也。有火器不能用。二也。棄土著不練。三也。諸鎮入衛之兵，嫌非統屬，漫無紀律。四也。班軍民兵，數盈四萬，人各一心。五也。練兵之要在先練將，今注意武科，多方保舉，似矣，但此選將之事，非練將之道。六也。何謂雖練無益？今一營之卒爲礮手者常十也，不知兵法，五兵迭用，當長以衞短，短以救長。一也。三軍之士，各專其藝，金鼓旗幟，何所不蓄？今皆置不用。二也。弓矢之力，不强於寇，而欲藉以制勝。三也。教練之法，自有正門。美觀則不實用，實用則不美觀，而今悉無其實。四也。臣又聞兵形象水，水因地而制流，兵因地而制勝。薊之地有三，平原廣陌，内地百里以南之形也。半險半易，近邊之形也。山谷仄隘，林薄蓊翳，邊外之形也。寇入平原，利車戰。在近邊，利馬戰。在邊外，利步戰。三者迭用，乃可制勝。今邊兵惟習馬耳，未嫺山戰、林戰、谷戰之道也，惟浙兵能之。願更予臣浙東殺手、礮手各三千，再募西北壯士，足馬軍五枝，步軍十枝，專聽臣訓練，軍中所需，隨宜取給，臣不勝至願。又言：臣官爲創設，諸將視爲綴疣，臣安從展布？章下兵部言：薊鎮既有總兵官，又設總理，事權分，諸將多觀望，宜召還總兵郭琥，專任繼光。乃命繼光爲總兵官，鎮守薊州、永平、山海諸處，而浙兵止弗調。録破吴平功，進右都督。寇入青山口，拒却之。自嘉靖以來，邊牆雖修，墩臺未建。繼光巡行塞上，議建敵臺。略言：薊鎮邊垣，延袤二千里，一瑕則百堅皆瑕。比來歲修歲圮，徒費無益。請跨牆爲臺，睥睨四達。臺高五丈，虚中爲三層，臺宿百人，鎧仗糗糧具備。令戍卒畫地受工，先建千二百座。然邊卒木彊，律以軍法將不堪，請募浙人爲一軍，用倡勇敢。督撫上其議，許之。浙兵三千至，陳郊外。天大雨，自朝至日昃，植立不動。邊軍大駭，自是始知軍令。五年秋，臺功成。精堅雄壯，二千里聲勢聯接。詔予世廕，賚銀幣。繼光乃議立軍營。車一輛用四人推輓，戰則結方陣，而馬步軍處其中。又製拒馬器，體輕便利，遏寇騎衝突。寇至，火器先發，稍近，則步軍持拒馬器排列而前，間以長鎗、筤筅。寇奔，則騎軍逐北。又置輜重營隨其後，而以南兵爲選鋒，衛兵主策應，本鎮兵專戍守。節制精明，器械犀利，薊門軍容遂爲諸邊冠。時俺答已通貢，獨小王子後士蠻徙居插漢地，控弦十餘萬，常爲薊門憂，而朵顔董狐狸及其兄子長昂，交通士蠻，時叛時服。繼光在鎮，二寇不敢犯薊門。尋以守邊勞，進左都督。已，增建敵臺，分所部十二區爲三協，協置副將一人，分練士馬。在鎮十六年，邊備修飭，薊乃宴然。繼之者踵其成法，數十年得無事。亦賴當國大臣徐階、高拱、張居正先後倚任之。督撫如譚綸、劉應節、梁夢龍咸與善，動無掣肘，故繼光益發舒。居正歿半歲，繼光改廣東，罷歸。明史列傳。

趙德光，大城張志。字歐岡，據馬雲凰保障記，王洧均田平賦記。山東樂安人。舉人。隆慶大城張志。戊辰，均田平賦記。按：賦記隆慶二年。知大城縣。據志。清仁平易，越月，詢丁糧之累，民不聊生，選公直耆民，分方均丈，復委主簿黎伯如、典史張文蕙，分履不咎往，不責謬，多則損，少則益。德光默巡以覈之，按册計畝，吏胥不敢上下其手。舊額僅踰頃，數有奇，今得二十頃，賦既平，養馬遞跕，二百年積弊，一旦振刷之。均田平賦記。己巳，城門敵樓、譙樓，捐俸督修，保障記。優學校，崇節義，恤里甲，釋刑獄，築河防，均田平賦記。百廢具舉。保障記。遷南京户部主事。伯如，江西新喻人，性清廉勤慎而民孚，署文安主簿。文蕙，江南泗州人。大城張志。

吴兑，字君澤，浙江山陰人。嘉靖三十八年進士。隆慶三年，遷薊州兵備副使。五年明史列傳。四月，授山東按察副使、霸州兵備，州隸京兆。大盜出没，兑之任籌賑貸，嚴保甲，塹塗布壘，賊屏伏它走，屬竟數百里無盜。吴氏家乘。秋，擢右僉都御史。九年夏，總督薊、遼、保定軍務，督治昌平兼巡撫順天，明史列傳。威望大著。吴氏家乘參采訪册。進太子少保，拜兵部尚書。明史列傳。吴氏家乘云：萬曆丙申卒，賜祭葬如例，祀鄉賢。

楊兆，字夢鏡，密雲薛志。膚施人。僉都御史。畿輔唐志六十八。隆慶三年，武清磚城記。撫薊，和輯軍民，悉心邊務。畿輔唐志。武清甃城費廣，恐重困民，乃發庫銀四千助役。磚城記。五年，總督薊、遼龍王峪之戰，密雲薛志。敵大舉，金吾緹騎日數十至，兆冒矢石，親將兵扼牆。夜募死士以火攻，汪道昆少師楊公生祠碑。却敵。明年，敵至馬蘭峪，復敗之。萬曆四年，以密雲舊城湫隘，請於城東建新城，爲重障。從之。擢官大學士。士民立生祠。卒，謚襄毅。密雲薛志。入名宦。畿輔唐志。

李宜春，山東莘縣人。進士。隆慶五年，固安縣河流入縣境，爲害者莫如渾、清二河。堰堤最爲鄭重，顧百姓困極，計爲募工，出以公帑。百姓歡呼稱便，風雨不輟。北障渾河堤三十四里，南障清河堤二十餘里，時萬曆三年。尤懋固安縣修堤建龍王廟碑記。

沈應坤，山西蒲州人。申時行涿州侯修學均田碑。知涿州。涿州吳志表。踰年，隆慶辛未，實始修學。越明年成，遂均田。屬其貳秦登厖事，浹月告竣。學擴舊址，增廬閣，田權畝以制賦，權賦以定役，無侵畔，無棄野，無漏籍，無溢稅，承積弊之餘，修無窮之利。申碑。按：辛未爲隆慶五年，據知沈應坤之任在四年。汏冗剔蠹，百廢肇舉，州民德之。涿州吳志。登，吳江人，申碑。涿州同知。涿州吳志表。

劉不息，隆慶戊辰進士，山東滋陽人，知寶坻縣。寶坻洪志參重修廟學記。按：此當在隆慶中。問民疾苦，與民更始。暇則進諸生勸學，爲政識大體，急先務。廟學記。寶坻學廟，入明二百年，敝甚，不息議新之。時有修城之役，越夏經始，以次修舉。會武清盜起，中丞、御史共疏移治，邑人惶惶，空城走，闕下乞留，乃得無行。歷官少卿。寶坻洪志。

張綸，畿輔唐志六十八。山東汶上人。通州高志。歲貢，隆慶中三河知縣。畿輔唐志。才敏法嚴，三河陳志。清田畝，核人丁，民不敢欺。行公攤法，凡經費俱取辦焉。民不知有供輸、驛遞、里甲之擾。畿輔唐志。萬曆五年，知通州。先是，鄉屯地畝，有過割之弊，里甲朝夕更改，多寡互異，賦役不均。綸作均糧册，嚴禁之，歲無異同，其法甚便。通州高志。轉户部員外。三河陳志。

李頤，字惟貞，餘干人。隆慶二年進士，萬曆初御史。母喪歸，起擢右僉都御史，巡撫順天，進右副都御史。按：頤累進京秩，其巡撫順天如故。下文在鎮十年一語，是其明證。以定亂兵，進兵部右侍郎，長昂桀驁。頤與總兵王保禽其心腹小郎兒等七人，賊遂讋。已，別部伯牙入寇，督將士敗之，進左侍郎。久之，進右都御史。時礦稅使四出，王忠駐昌平，張曄駐通州。頤疏言：燕京王氣所鍾，去陵寢近，開鑿必損靈氣。又言：畿輔地荒歲儉，而敕使誅求不遺纖屑，恐臨清激變之慘，復見輦轂下。頤在鎮十年，威望大著，中使憚頤廉正，畿民少安。二十九年，代劉東星管理河道，議上築決口，下疏故道。甫兩月，以勞卒。明史列傳。

錢藻，如皋人。進士，萬曆元年霸州兵備副使。才略精練，念民窮，百計區畫，築東南大堤一百二十里，水不爲害。又建益津書院，羣雋肄業，手爲評校，先後脱穎去。去官日，萬姓遮留肖像，栲栳圈與蘭州陸坤並祀。霸州周志。

陳庭訓，字孔學，泌陽人。王圖邑侯陳公去思碑記。萬曆元年據朱衡重修文廟碑記，庭訓知房山，萬曆二年尚未去任。據去思碑云，今上初曆，則之任在元年。知房山縣，廉明平易，房山佟志。縮己豐民。所最難者，抗忤津要，以庇孑遺。房山倖璫營窟，旁引諸俠邪，相車輔肆，蠹吮髓，莫可控籲。庭訓廉知其狀，下車謁神自矢曰：令而淟涊脂韋，不克爲民造福捍患者，神殛無赦。進三老與之約：爾輩瘡疾極矣，將滌煩蕩苛，與更始，轉告子弟，喻吾意，毋懼豺虎搏噬，輕相動摇，毋憑城社，自爲狐鼠。又進二三俠邪約：爾輩敢忤三尺，魚肉吾民者，令懦也。今新令計與爾衡，而獨不鑒閹瑾乎？一蹶，駢首僇矣。俠邪色沮，訴于璫。璫握内柄，思中傷，黠謫陰事，庭訓不少動。豎輩謂撼西山易，撼硬令難。知里甲多積蠹，均定徭賦，人人稱便。田畝影射者衆，躬歷覈之。比江陵度田令下，畿輔擾而房邑已竣事。邑人感之，爭繪生像。庭訓憐邑人悴，彌自節約，裁需供若干緡，減上司迎送費若干緡，察疾苦，賑煢獨，表孝節，嚴教約，又葺學宫，進博士弟子數十，廩餼之，爲校定疑義，繕城，飭壇，新郵舍。去思碑。增建預備倉六間，積紙贖穀一千六百十八石七斗九升五合八勺，黑豆六十石，粟米五百三十六石九斗五升。春給秋斂，如牛種例。房山佟志。建置秩然，絃誦相望。督撫臺使交章薦，議調平谷。平谷故有倖璫兔窟，梗格之。江陵門客語曰：獨無意相君知耶？庭訓陽若不解意，拂注。中考被蜚語，授南京大理評事。民惓惓，二十餘年不能忘。去思碑。爲立去思碑。佟志。

李蔭，字于美，河南内鄉人。萬曆三年知宛平縣。彊項執法。中官母殺人，捕論如法。司禮馮保，以屬江陵。江陵曰：此令非吾所能禁也。召之，竟不往。鎮静不淆，有古鳴琴而治之意。李北海雲麾將軍碑石蕪没良鄉驛舍，輦致邑署，名其齋曰古墨，士論多之。八年，遷刑部廣西司主事。畿輔唐志六十八參萬曆沈志。

焦元卿，山西高平人。舉人。萬曆三年五月知香河縣。性溫良，以和平爲治。到之日，書平易近民四字于門，謂諸生曰：爲政猶調琴瑟，大絃急則小絃絶，理固然也。滌煩苛，省箠楚，事務寬厚。是歲大有秋，四方糴者雲集，穀價驟踴，嚴禁，價遂平，民大賴之。教民勤紡織，公事畢，必躬行驗。馭下不假顔色，胥吏重犯法，時有神君之號。朔望視學，與諸生講書，一宗正傳。庚子，稅璫王虎榷寶坻，過香河，欲以撫按體統臨。元卿不屈，虎覊之郵館，脅以慢君悖勑，欲上疏劾。元卿不動。諸生十九人佐之，民聚而噪者萬計。虎度勢不協，罷去。至寶坻，誣奏，詔下撫、按，督學使者鞫之，罪坐首事。元卿有乾州之行，祖道日，香河至河西務，士民絡繹攀卧，涕泣載途，如失怙恃。香河劉志。

張世則，山東諸城人。密雲薛志。萬曆元年知寶坻縣。張世則密雲縣志序。三年，移知密雲。先是，縣治久廢。元年，邢玠知縣事，議修，以召去。世則下車卽修之。據劉效祖重修密雲縣治碑記。縣無志，世則創纂成帙，自爲序。據序。謂密雲有四弊、六害，作風俗論。風俗論：密雲，卽漁陽之西鄙也，自唐天寶以迄宋、元，兵氛未靖，民俗日偷。至今日，始卓然稱三輔之强，爲聖化首被，故士風多謙退，而民俗重修省，原其興善之心，殆涵濡之深乎？惟逼近邊鄙，是以民多悍勇而輕生，游俠而惰農，浮奢而疏于治產，酣恣而略于別嫌，此四弊風，至今存焉。余不德，未能起而維之。竊爲勸畊織則本敦，植桑棗則生殖，申明鄉約則勇悍可馴，而酣恣知檢矣。第化成於久，道未可以歲月期也。意賦役日煩，民既苦於徵，而病於勞矣。煤山未開，非直，米如玉而薪且桂矣。一夫應募，舉族以爲後憂，無亦行人之得，邑人之災乎？三廠採榛，中使蔓索而苛求，何若歲徵諸民，聽其自輸乎？夾河爲患，則新城東隅、舊城西隅，非建重隄以障之不可也。易芻豆必於招商，乃民間赴役，如蹈湯火，脚價時估，頻歲議減者，非經畫也。有此六害，民無安堵，亦奚望其務本業而正風俗乎？大抵風俗有利弊，政治有緩急，思以維風，存乎起弊，然必害除利興，而後風移俗易，機固有漸焉者耳。譬則義方以訓子，其撫摩之愛得宜，卽吾之法行，法行教亦行矣。蓋養子而後教子，父道也，訓民必先利之，王道也，慮及此者，謂之軫民瘼，諳治體矣。城南民病涉，適民王自綱等醵銀爲建浮圖費。世則勸造橋，橋成名曰廣濟。采訪冊。唐、宋已來，官斯土者，凡有實政，並請祀名宦祠。密雲薛志。

王道定，字懷田，良鄉楊志。山東濟陽人。歲貢。萬曆六年知香河縣。香河劉志。十一年，調知良鄉。良鄉楊志。香民有去後思。香河劉志。良鄉舊無城，隆慶初，知縣安守魯城之，甃城，東、南、北皆完，西門獨缺，垂二十年。道定捐俸鳩工，縣丞張滾董其役，墉袤三十餘丈。道定革承逃代納之弊，歲省租銀千兩。舉丁四地六之例，歲省差銀八百兩。復勻餘地以養馬，往者一畝三分，今則一分，創格眼冊，置欵使廨。楊守魯王公新築良鄉西門甃城記。守魯，貴州人，舉人，隆慶二年知縣事，遷袁州府同知。良鄉楊志。滾，字崇泉，山東人，甃城記。萬曆十一年縣丞。良鄉楊志。

邵寵，山西河津人，舉人。萬曆七年知通州時，奉旨清丈通州地畝，强半屬勳戚内臣之業，田糧飛灑民間，寵乃履畝，親自閱丈，造魚鱗冊報部，糧無影射，民鮮包賠。以勞瘁卒于官。民哀思，立祠祀之，祀名宦。通州高志。

狄同烇，字宿甫，史繼宸縣令題名記。別號默軒，溧陽人。大城張志。嘉靖辛酉，鄉薦試吏治交河、河間。萬曆辛巳，移官大城。歲餘，政和民安，百廢俱舉。縣令題名記。鹽課重，爲民困，檄革之。邑多内璫庇户丁，而困窮飲恨，裁以法，雖觖望，弗恤也。多流寓奸巧，占籍貧拙不免倍輸，同烇均之。丈量小地八千三百五頃一十三畝六分一釐，原額而外，得地百四十三頃三十七畝有奇。里甲汰庫藏，嚴士素少授，受延名儒訓之，捐俸以助，鋤强翼弱，彰善癉惡，難以更僕數。羅萬化默軒狄公復任受奬序。大城故無志，于是纂修之，立石題名。縣令題名記。一、縣令，史繼宸作記。一、儒學，陳以見作記。一、甲科，一、鄉賢。狄同烇自記。復以其一題名宦，自爲記曰：寬則慢，猛則殘，民烏祀耶？壬午承乏兹土，謁是祠，油然向慕。考其事，若高張撫字，與卓魯争光，張李死難，與巡遠兢節，陶司訓作興士類，亦庶乎與文翁相後先，惴惴焉懼芳躅之難繼矣。立石不朽，並虚左以俟來者。名宦題名碑記。按：辛巳爲萬曆九年，兹又云壬午者，以到官言之也。

丁應詔，字靖宇，長興人。隆慶辛未進士。吴彰建月城碑記參寶坻洪志。萬曆間知寶坻縣。據月城碑記十一年前。三岔口薊水逆入，捍災楗石，排衆議，一意嘉惠，張兆元三岔口河隄記。水患用除。寶坻洪志。城無月城，議未及行。月城碑記。遷評事，寶坻洪志。立祠岔口。岔口堤記。

管應鳳，字嶰谷，餘姚人。萬曆丁丑進士。十一年知寶坻縣事。寶坻洪志參吴彰建四門月城碑記。平政省刑，恤災興利。吴記。寶坻城四門無月城，前令丁應詔，萬世德議未及行。應鳳嗣之，志專保障，毅然經始，告成于十三年，帑不稱費，民不稱勞。時贊襄則有丞黄維中、主簿楊應張、典史何慤而、訓導劉廷桂屬教諭。廣東吴彰作碑記。據碑。

王準，陝西同州人。舉人，萬曆十二年知保定縣。凡損下事革殆盡，民與吏訟，輒治吏。時稱愛民如子。期年以才調平谷，猶惓惓保定，馬額賴以得減。保定成志。

梅國楨，字克生，麻城人。萬曆十一年進士，除固安知縣。明史附魏學曾傳。爲政濶略簡易，務得民心。畿輔唐志六十八。縣定額養馬二千三百二十匹，其實正地糧裒益，養馬止三頃六十畝，編馬一匹，小民苦偏累。國楨力請議減馬六百。題允。止養千七百二十匹，就所減馬地，參伍通融，增至四頃七十三畝，編馬一匹，民困少蘇。固安陳志。中官操豚蹄，畿輔唐志。詣國楨，請收責于民。國楨僞令民鬻妻以償，明史列傳。而僞遣人持金買民妻，追與偕入，民夫婦不知，哀慟死訣，畿輔唐志。中官爲毁券。擢御史，遷兵部右侍郎，總督宣、大、山西軍務。明史列傳。

沈有容，字士弘，宣城人。舉萬曆七年武鄉試。薊遼總督梁夢龍見而異之，用爲昌平千總，復受知總督張佳允，調薊鎮東路，轄南兵後營。十二年秋，朵顔長昂以三千騎犯劉家口，有容夜半率健卒二十九人迎擊，身中二矢，斬首六級，寇退乃還，由是知名。天啟改元，擢登萊總兵官。明史列傳。

周弘鑰，字元孚，麻城人。萬曆二年進士。順天通判，十三年春上疏，指斥朝貴，言兵部尚書張學顏，被論屢矣，陛下以學顏故，逐一給事中，三御史，此人心所共憤也。學顏結張鯨爲兄弟，言官指論學顏，而不敢及鯨，畏其勢耳。若李植之論馮保，似乎忠讜矣。實張宏門客樂新聲爲謀主，其巡按順天，納娼爲小妻，猖狂千紀，則恃宏爲内援也。鯨、宏既竊陛下權，而植又竊司禮勢，此公論所不容。祖訓：大小官許至御前言事。今吏科給事中齊世臣，乃請禁部曹建言，曩居正竊權，臺省羣頌功德，而首發其奸者顧在、艾穆、沈思孝，部曹言事，果何負於國哉？居正惡員外郎管志道之建白也，御史龔懋賢，因誣以老疾。惡主事趙世卿之條奏也，尚書王國光遂錮以王官。論者切齒，爲其附權奸而棄直言，長壅蔽之禍也。今學顏、植交附鯨、宏，鯨敢竊柄，世臣豈不聞？已不敢言，奈何反欲人不言乎？前此，長史坦者周邦傑、秦燿，當居正時，燿則甘心獵犬，邦傑則比迹寒蟬，今燿官太常，邦傑官太僕矣。諫職無補，坐陟京卿，尚謂臺省足恃乎？而乃禁諸臣言事也夫！逐一人之言者其罪小，禁諸臣之言者其罪大，往者嚴嵩及居正猶不敢明立此禁，何世臣無忌憚一至此哉！乞放學顏，植歸里，出燿、世傑於外，屏張鯨使間居，而奪世臣諫職，嚴敕司禮張誠等，止掌内府禮儀，毋干政事，天下幸甚。帝怒，謫代州判官。明史附李沂傳。

袁黄，字坤儀，疇人傳三十。一字了凡，嘉善籍，吳江人。萬曆丙戌進士。寶坻洪志。按：丙戌，甯河關志同，蓋萬曆十四年也。疇人傳云：神宗丙辰。畿輔唐志又云嘉靖進士。戊子知寶坻縣。甯河關志。夏雨河溢，民大饑，市間薪粒俱絶，索逋者不休，黄惻然，至即借俸以償，所活甚衆。時民苦浮賦，黄請免，以萬計，若庫子廠夫、皇木車、花板石、貢銀魚諸費，悉罷去。寶坻洪志。養馬甲復頃畝額，裁重夫重馬。韓初命袁侯德政碑。雖忤上官，弗恤也。寶坻洪志。正賦外，無別派。越明年，潞王之國，德政碑。供不貲。黄委曲調劑，事集而民不勞。邑之三岔口，薊水逆入爲災，前令丁應詔楗石堵之，薊民議復開。黄堅踵勞躅，庀祠祀丁，張兆元河堤記。以官争得寢。初下車，以十四事約己，遇旱潦，禱輒應。每斷囚，諭以禍淫説，囚爲感泣。一夕，獄牆圮，囚無逸者。嘗刊勸農書、水利説數千言，行之有成效。寶坻洪志。袁黄勸農説：古者田有井，黨有庠，遂有序，家有學，新穀既入，子弟始入塾，距冬至四十五日而出。聚則行鄉飲，正齒位，飲校法，散則從事于耕。蓋農與士未分也。詩云：黍稷薿薿，攸介攸止，烝我髦士。書云：惟土物愛，厥心臧。豈非農爲本業，而務之者可養德歟？漢取士以孝弟力田同科，此意猶未失也。高帝令賈人不得衣絲、乘車，重租税以困辱之。唐太宗亦詔，民有見業農者，不得轉爲工賈；工賈有舍見業而力田者，免其調。猶有重本抑末之意。今天下租税皆出于田，故惟農受累最深，而富商大賈，錦衣玉食，而無上供之費，幾何不驅力本之農而盡歸末作也？予爲寶坻令，訓課農桑，予得專之，今以農事列爲數款，里老以下，人給一册，有能遵行者，免其雜差。如農人與工商訟，必稍右農；游手及在官之人與農訟，必重責之；國家之制，惟農爲良家子，豈可與雜流爲伍哉！考古制，民之生也，宅不毛者，有里，布田不耕者，出屋，業民無職事者，出夫，家之征，及其免也，不畜者祭，無牲不耕者祭，無盛不樹者，無椁不蠶者，無巾不績者，不衰，古人之重本如此。今知縣勸汝輩：耕織有事到縣者必右，力本之農，其能從鄉約保正勸者，知縣所甚喜，即與准行。而但令兩造各罰種樹百株，非以厲汝也，欲以厚汝之生也，汝輩宜悉此意。以治心編，記當官功過。德政碑。講學造士，畿輔唐志六十八。孜孜化民，使同歸于善。民安其業，士佩其訓。甯河關志。辛卯，西夏、朝鮮相繼用兵，廷臣交薦，擢司馬，行，橐橐蕭然，惟圖書數車，送者爲掩泣。寶坻洪志。建生祠，四時致祭。

迄今鄉閭譚遺事，每津津樂道之。甯河關志。歷官太常寺卿。畿輔唐志。按：甯河關志云，知寶坻凡六年，今攷自戊子至辛卯四年耳。寶坻志名宧傳贊曰，余至寶坻，每聞民間稱述先生歷任時事，津津焉如將見之者，既讀其勸農、水利諸書，委曲周詳，入人肺腑，宜民之歷久而不諼也。世特以講學近禪爲先生訴厲，嗟嗟！政績則安可没哉！腐儒刻繩古人，及得尺寸柄，直如面牆，彼其所學者何也？蚍蜉撼樹，直姑聽之。而此邦獨尸祝至今，先生其可無憾矣。

陳良知，山東莒州人。舉人，萬曆十五年知霸州事。悃愊無華，安和不擾，擁褐含菽，蕭然寒素。蓋幾于古之狷者。州産無它奇，日中以布、粟、魚、菽交易，舊賦之苛，至責負販以綾縠。良知一切罷之。潞邸之藩，當路按景邸之籍徵役，民惶駭，良知白于諸部，爲減輿馬之役十五、供張之資十三。以憂去。民思之，立碑。服闋，知薊州，治如霸，清介之操彌著，祀名宧。霸州周志。參薊州張志。

賈濬，陝西甯羌衛人。選貢，萬曆十六年懷柔吳志。懷柔知縣。懷柔初創土城，後以碎石。前令賈濬重修懷柔城記。趙垧，懷柔吳志。不忍國無鞏翰，不忍爲城蠹民，始請軍夫壯，萬年長計。當道奇之。經始無何，而薦取行矣。後來者忽軍之將兵者，懈速其功，中虛歲傾。濬熟籌茲弊，請軍夫就修所根堅築厚，不蹈粉飾，閭里無擾，工告成。修城記。遷薊州知州。訟清政簡，日延父老詢疾苦，凡不便民者，力陳其狀，期必去而後已。遷山西大同府同知。畿輔唐志參薊州志。垧，字賡鳳，山東萊陽人，選貢，萬曆六年知縣事，調密雲。懷柔吳志。

沈榜，字子登，湖廣臨湘人。舉人。歷知内鄉、東明、上元三縣。萬曆十八年，擢知宛平。值大歉，帑僅五千餘，歲出且六千有奇。往例支解正供，皆額坐宅鋪税，萬曆初，十無一、二。有李守約者，糾黨王紀、沈傑，僞刻府縣石印一、木印二、契尾板二，罔利積年。榜訪捕按律。巡城御史以不實劾榜，順天巡按荆州士上疏理之。（疏曰：臣叨膺上命，巡按順天、宛平屬縣，官果不法，臣當有論，安敢隱忍不奏，庇貪吏以殃民哉？但朝廷之法，恤良民不宥奸民也。榜之所發者，奸民也，非良民也。李守約等僞造印信，律有明條，隱匿税課，法當究治。榜能悉心稽查，不避嫌怨，實乃守正，非爲好奇。謂榜任事過急則有之，謂榜别有他腸，臣敢必其無也。若果有之，將恐恐然惟懼人知，敢明討號簿于五城，明申文移于臣院哉？況申文明言，供題准之正額，何得爲囊橐之私計，以此指爲科罰，則律文可以不用；以此議其罷斥，不無隳任事者之心也。）章下部臣，留任，誣乃白。治三載，禮士，勞父老子弟，不啻切膚。先是，都門各有義塋，收諸不能葬者，榜于彰義門外，斥地如千畝以爲塋，凡可利民者，不辭艱瘁。縣故無志，著宛署雜記。官鑑民巖，犁然畢具。復取受事以來擘劃諸緊要，各論于後，遷户部雲南司主事。（宛平王志。參楊允長宛平沈令傳，萬曆沈志。）

張元芳，福建閩人。監生，萬曆十九年九月，任大興縣丞。（明題名記。）郊關外向有義塋掩骼，惟安定門闕。順天府尹謝杰，率屬捐貲經營義冢。會元芳眎縣事，輸俸市地三十畝，可掩骼六千餘。（萬曆沈志。）

謝杰，福建長樂人。進士，萬曆二十年順天府尹。（明題名記。）編審鋪行税契，其疏略云：大、宛二縣，告匱不支，臣以爲欲裕其所入，其説有二，欲節其所出，其説亦有二。裕所入之説，一曰復税契。夫屋契四十兩不税矣，析一契而二之、三之，則八十兩不税，百有二十兩亦不税。典契不税矣，買而託之于典，則百金不税，千金亦不税，徒使匿無已時，不如盡復之，而微爲區别：四十兩以下者，向每兩税三分，今則去其三之二，以一分税，或以八釐，典則去其四之三，以七釐税，或以五釐。都城内但使無不税之契，得寸則寸，得尺則尺，以既税存高皇之律，以薄税廣皇上之仁，使人無所用其詐，是兩利之道也。二曰復下則。夫鋪行而曰下，貧而甚者也，何爲復之？不知開一竇以示之，匿爲中則者曰吾可以下，爲上則者亦夤緣百出，不如復之，而爲之差等。向者下下，每年出銀一錢，今或減爲七分、六分，下中每年出銀三錢，今或減爲二錢五分，或二錢，無所用匿，縱匿，于則之輕，非匿于則之無，又一道也。節所出之説，一曰均遠近。夫尚供之物，獨取諸二縣者，利其近也。如鄉試，則畿内之事，遠矣。會試、殿試、武會試，則海内之事，尤遠矣。舊籍會試上下馬宴，補辦家火，約費銀千九百一十七兩有奇，殿試狀元歸第宴費銀六百四十五兩有奇，鄉試、武會試費銀千七百八十七兩有奇，是均協濟、均出之外，獨累該縣者也。夫此四千三百四十餘金，出之二縣何其重？若派之各省，則省各一百九十餘，派之八府，則府亦各一百八十餘，又何輕也！故均之便。它如兵部有車輛之費，宜歸之遞運所，騰黄、清黄有紙劄、木炭之費，宜歸之本部，内府染絹之費，宜節；葦把腳價之費，宜捐，省一分受一分賜矣。二曰酌徵解考鋪行之銀，自萬曆十年以後始解之，由二縣而徵之自五城。夫五城可徵，自可解；二縣可解，自可徵。如念二縣疲極，而分其解于五城令，鋪墊之需，守候之苦，不以獨勞，是息肩之上法。如謂縣官之解，相沿已久，則亦責其徵復十年前之舊，可也。如謂五城徵解爲便，當年題改，不爲無見，則以督察屬之于府，亦可也。錦衣難于比較，聽其仍舊徵解，亦可也。但九則全徵則同耳。乞敕下户部酌可否，覆請舉行簡命科道，會同編審，庶弊孔無由以滋。遷南贛巡撫、右副都御史。萬曆沈志。

張兆元，字蓮汀，烏程人。貢生，萬曆壬辰永平通判。寶坻洪志。署寶坻知縣。性清介，若罰鍰積羨，沽税寓徭，不以銖染。苑時葵張侯去思碑。時遼左方警，羽檄交馳，徵發無虚日。兆元調停，上下賴之。寶坻洪志。讞獄不以愛憎，羣小無敢探。去思碑。歲饑，請蠲逋賦累千。省里甲停撥馬，減更夫，寶坻洪志。禮髦俊，增城垣。去思碑。寶坻故潟鹵洿淖，農桑利不溥，三岔口前令丁應詔首楗石，民有攸賴。袁黄繼至，塞薊覬心。袁去薊，人投牒中執法視儲政者，中執法曰：無重難薊。三岔口隄記。兆元力持不可。寶坻洪志。白薊守，復上書中執法，甯抗當事指，不敢貽民患。三岔口隄記。議爲永罷是役。凡三廢三舉，而三令皆淛人。丁袁自有傳。兆元在任二年，所以恤民者甚至。瀕行，行李蕭然，猶檢囊中餘金，置地六頃充學田，爲寒士薪水助。既去，民懷之，刻石以紀其德。寶坻洪志。按：壬辰爲萬曆二十年。

李景登，字瀛洲，遼東廣甯人。萬曆壬辰進士，治猗氏有聲。移任寶坻，境內想望風采。寶坻洪志。下車問疾苦，刑僅示辱。革庫吏，招流亡，請蠲，請賑，繕城，濬池。李遇知李侯去思碑。加意作人，以七義月試諸生，丹黄甲乙，雖良師課弟子，不是過也。寶坻洪志。捐俸購書，去思碑。造尊經閣，開登瀛書院，一時才雋畢出。後修城隍廟，祝云：予無瀆於神，神尚祐民！在治數年，寶坻洪志。按：張兆元署寶坻知縣，在萬曆二十年，傳云在署二年，然則李景登任在二十二年以後。其節介，陞户部，行李蕭然，父老借寇無繇建祠，肖像祀之。崇禎丙子，民思舊德，懇入名宦，去任蓋四十年矣。去思碑。子永昌，歲貢，適爲縣教諭，寶坻洪志。著聲。署縣事，屢禽劇盜，威惠大行。辛巳，冬糧改陸運，寶坻派車六百，永昌身先推輓，民樂趨，一月竣。去思碑。

岳九逵，河南獲嘉人。萬曆丙戌進士。二十四年，官永清知縣時，固安築隄，障水東流。上官檄永清，僉民助役。九逵牒上官曰：嘗聞禹疏九河，惟行無事，桓嚴五命，致謹曲防，蓄水之爲道也，太上導之，其次用之，至區區以隣國爲壑，乃策之最下者也。當今渾河爲害甚矣，南流則强邨等處受其害，東流則北歌等處並縣城池受其害，此時既不導之使無汎濫之虞，然或南或北，聽其自至，爲害爲利，一出無心，在享其利者，固仰賴洪庥，即被其害者，亦罔所致憾，此亦因之之説也。矧決之使泛濫乎！決之南流，殃及民產，其旣小，決之東流，殃及城池，其旣大。擇害莫如輕，故公私僉謂：今日南流爲稍便也。今固安築隄，障之使東，是固安之利，永清之害也。利在固安，而害及永清，不阻其役，不撓其成，知縣强顔忍恥，亦云媿矣。乃復役使其民協濟修隄，親胼胝之勞，速襄陵之患，何異割己之肉，療人之饑？孰非朝廷赤子，何其不情之甚乎！自嘉、隆以來，水屯永清城下四十餘年，爲永清者自溺自拯，固未嘗號救於鄰封，而爲固安者，豈曾效一手一足之助哉？今日之固安，即昔日之永清也，何不修永清之故事，而紛紛徵役於四鄰耶？夫助之而不害於己者，尚不失恤鄰之雅誼，乃驅人之患，招己之災，其誰肯爲之？且爲知縣者，尚不能留去後之思，亦不當叢目前之怨，使今日協濟，而隄果築，水果東，異日漂没永清城池，魚鼈永清士庶，俾受害者追及首翫，則皆今日助夫築隄之開釁也。永清人士將謂職爲何如人？而職亦何顔謝此士民？爲民上者，任勞任怨，固所不辭，不知如此之勞，如此之怨，可任否耶？倘今日必欲以三尺從事，則永邑人士敢不趨走奔命！第通以民情，則役出無名，恐非佚道之使也。惟酌量民情，慨然罷協濟之役，是造福於永清，而民尸祝盛德，且將與此河同悠久矣。由此獲免其役，歲省千金，縣人至今德之。永清周志。

岳儲精，山東觀城人。進士，萬曆二十四年知文安縣。敏練剛決，賦役均平。文安楊志。邑，澤國也，滹沱水以爲委，隄決則數年不可耒耜。己亥秋王陞修城隍廟碑記。七月，洪濤齧隄，儲精無分彼此，風飱露宿者七日，力障狂瀾。遷刑部主事，歷彰德知府。有去思碑。（文安楊志。參保定陳志。）

史國典，南直溧陽人。選貢，萬曆二十九年（懷柔吴志。）知懷柔縣。邑，向三千户，而士爲曠，國典勞來，括餘田數十百頃。（史國典懷柔志序。）故無志，國典隨事搜求，不暇餐沐，屬成都周仲士董其事。志成，自爲之序。（據史志序參吴志序。）乙巳春，城以霪雨頹。國典爲保障慮，請借力于鎮、道，以去就争，始得請以本營春防軍士分修。（管朝爵重修懷柔城記。）昌鎮遊擊指揮管朝爵拜命之初，遂領斯役。國典調夫恤軍，靡省異同，工竣記之。（修城記。）

梅守極，江南宣城人。舉人，萬曆三十四年知通州。任二載，念州民頭役之苦，遵例行條鞭法救之。條鞭者，以田任賦，以賦任役，雖豪勢家一與編户等，此非勳璫利也。守極不畏權要，力行之。民藉以蘇。他如馬遞、拽木、輸邊諸害，殫力湔除，歲省緡以千萬計。通州新舊城圮，請葺。會擢南京户部員外，不果。（通州高志。）

田龍，山西五臺人。萬曆三十七年十月任（保定成志。）保定知縣。性介然慈祥，值甾祲後，百物凋耗，龍走馬荒，邨賑救於祁寒暑雨。明年辛亥，再明年癸丑，（張士雅保定縣報功祠碑記。）水患疊告，（保定成志。）隄幾潰，晝則督築，夜則躬巡，往事畚鍤，亦聊完役耳。龍獨著令附近挨丁負薪捧土，增卑培厚，設防夫，給工食，所謂捍患非耶？嚴吏胥，禁勾攝，革公出夫馬，杜輸火耗，報功祠碑記。城南更置養濟院，保定成志。五年之內，百姓宴然。報功祠碑記。坐衞民忤鄰左遷。保定志報功祠碑記云：拙守與巧宦隔，是以浩然掛冠。士民男婦號泣擁攀，至輟耕罷市，報功祠碑記。當路共惜之。保定成志。民立報功祠，有碑記。碑記載縣志。

梁綱，河南嵩縣人。舉人，萬曆三十八年知大城縣。能聽斷。徵糧無羨耗。邑有逋盜呂元臣、王宣化，皆武悍，綱不動聲色擒之。境北水口三家淀，被靜海奸民塞障，綱力請疏通，立石永禁，使文安、大城絶壅水患。簡士之俊異者，月課之，手自較定加丹鉛拔識，如劉漢儒、馬上選、梁國棟、趙世猷，皆掇巍科，顯當世。遷山西忻州知州。大城張志。

崔儒秀，字儆初，陝州人。萬曆二十六年進士。明史列傳。四十一年知文安縣。承凋廢之餘，盡心撫字，革里甲，無令供役。文安楊志。縣南北長隄，一有疏虞，三載不得平土而居，井煜舊志序。前令郭允厚欲障不果，據允厚注。四十二年，儒秀勘議，大城知縣梁綱、保定知縣田龍，詢謀僉同，自白家道口至五哥莊，築遥隄一道。天啟丙寅，黑牛口決，賴無虞。有去思碑。文安楊志。

戴九玄，江西新昌人。進士，萬曆四十二年文安知縣。鳴琴賦詩而事治。乙卯，靳家隄潰，工隸大城，關夫不應，九玄率丁塞之。歷官工部員外。文安楊志。

陳廷策，（畿輔唐志六十八。按：此與明列女傳林端娘所字之陳廷策非一人。）江西高安縣人。萬曆四十二年（保定成志。）知保定縣。廉明仁恕。（畿輔唐志。）遇水旱請賑請蠲，多惠政，（王柱史去思碑記。）招民夫築隄，給犒捐俸，視職盡勞。（保定成志。）州派濟遼車牛兵餉，屢白監司得免。（活民恩蹟録。）治縣五年，清白如一日。（畿輔唐志。）四十二年，遷霸州知州。丁艱，復補霸州，猶恤保定縣，充餉六次，申請減派。有政略、吏隱軒集行世。（保定成志。）

孫織錦，字伯開，河南許州人。庚戌進士。萬曆四十三年知固安縣。（固安陳志。）從武清移此邑，下車問俗，察利弊所在，興釐之。城工修繕，（郭光復固安縣創修重隄暨龍王廟碑記。）渾河舊隄崩陁，創修重隄，（碑記目。）長五百四十丈，樹柳萬餘，堅完倍昔。（碑記。）修文廟儒學。四十五年旱，饑民將爲亂，煮粥活之。（固安陳志。）

鄭之僑，（文安楊志。）字東里，山西文水人。甲午舉人，（紀克家鄭侯減徵碑記。）萬曆四十三年（文安楊志。）知文安縣。（畿輔唐志六十八。）清慎勤密，精鍊端凝。（文安楊志。）嚴于馭吏，篤于愛民。（畿輔唐志。）接士大夫，温良真懇，（文安楊志。）賑煢獨視如傷。（減徵碑記。）每春初修隄，先約以高厚式，親持竹簽驗之。（畿輔唐志。）澤藪原無額稅，正德初，議開墾，戚璫乞爲莊田，進爲宮稅，而牧馬備荒，種種徵求，倍急正稅。（減徵碑記。）之僑憫砦淀地窪糧重，（畿輔唐志。）請准減徵進宮，與莊田二項比額，歲省千餘金。民感泣曰：從此無蕩産析家、挈妻子捐鄉井者矣。（減徵碑記。）勒減徵碑記。（載文安志。）遷順天府通判。歷官工部主事。（文安楊志。）

陸燧，（東安李志。）字渭源，松江上海人。進士，（馮銓渭源陸公生祠去思碑。）萬曆四十五年東安知縣。（東安李志。）下車時，城不没者數版，燧齋而與河盟，河殺其怒，遂別汗邪毆窶之豐嗇，分六限以佐官輸，惟正之外，不索一錢，而民乃安堵。已而禱霽，禱雪、禱旱，肸蠁輒應，人嘖嘖呼神君。聽決平恕。常念民愚，苟拘文爲鉗網，自新謂何？清景射則豪猾不敢侵，牟立平準則駔驓不敢低昂，馬政，鹺政，學田，義田，義倉，儲穀七百。既殫厥心，鑄人才，振學校，陳説經史，（祠碑。）教無不興。（東安李志。）不設崖岸，而守正以行，亦不爲氾凫之習，戴星衝泥，不遑啟處。甫二稔，吏憚民懷，上計稱最。遷去，父老子弟奔走號呼，浹月不得發。建祠，立碑，（祠碑。）入名宦。（東安李志。）

吴中明，歙人。進士，萬曆年任薊州兵備道。剛直廉介，大節懔然，爲民謀則禍福不計，權貴不阿，自給牛種，勸民開荒，代民當驛，横使斂跡。陞任行，士民號痛，即樵夫、牧竪亦墮淚。其德澤之入人深如此。（薊州張志。）

劉曰淑，萬曆年宛平知縣。時僉京師富户爲商，被僉者重賄營免。曰淑言：京民一遇僉商，取之不遺毫髮，貲本俱罄，請厚估先發，以甦民困。御史王孟震斥其越職。曰淑自劾，解官去。（明史列傳。）

薛三才，字中儒，浙江定海人。進士，萬曆四十年薊鎮總督。通鑑綱目三編三十注。畿輔久旱，通州、三河等處饑民乏食，劫掠者衆。三才以蠲賑請命發通州倉米七萬石，并發本屬備荒穀，收買鄰近豐收雜糧以資之。畿輔唐志六十八。

尹同臯，密雲薛志。字舜鄰，寶坻知縣王則右重修武學碑記。山西興縣人。進士，萬曆四十一年知密雲縣。密雲薛志。首治學宮，以教多士。修武學碑。越三年，重修武學，羣材官蹶張及世胄子肄業其中。舊制中地二畝，視上地一畝，下地五畝如之，名曰推白地。民苦糧重，同臯毅然改之，每丁銀一兩，減二錢二分，均其田賦，每畝納二分七釐，歲閏之徵，請得免。又清庫吏，省役擾，除雜徭，定牙稅，置漏澤園，治聲大著。密雲薛志。

左光斗，字遺直，桐城人。萬曆三十五年進士，授御史。出理屯田，條上三因十四議。詳水利。詔悉允行，水利大興，北人始知藝稻。四十八年，出督畿輔學政，力杜請寄，識鑑如神。明史列傳。權貴不敢干以私。涿州置水田數百頃贍貧生，並給八府鄉試卷，永爲例。又請開武學，以教諸生射。刻兼才録，與文並興，人競超距。畿輔唐志六十八。天啟初，擢左僉都御史。魏忠賢矯旨獄斃。明史列傳。

張肇林，房山佟志。字茂卿，松江上海人。李聯芳邑侯張公生祠碑記。進士，房山佟志。初令萬安，有異政。改授房令，治如萬安。廉平不擾，然俶儻有大略。事關利病，不愛髮膚。糧額萬餘，革火耗，平出入。邑有川澤利，閹人乘權采踞周口廢廠，前令莫敢發難，遂爲邑患。肇林下車曰：吾牧民而以十六鄉赤子爲刑餘魚肉乎？姑翦滅此而朝食。其始終詳在案碑。閹人竄伏，邑之山田爲貴戚擅聚藪，實奸民獻之。肇林繩以法，不避强禦。于是莫敢獻，亦莫敢受。歲大祲，肇林請粟，酌口賑給。周歷窮鄉，于城隈爲百室，曰：冬生院粰粥者幾二千人，春盡，壯以農作去，羸老及麥而後已。每出，齠稚隨之，如依父母。捐俸置學田二頃，以周貧士。民多訟，廉知代書之譸張，逐其尤。先是，賦重不平，肇林易九則爲平鋪。七月未雨，邑北五十里有龍湫，民祈不應，肇林自禱之。時熇暑，不乘不蓋，步禱歸，未半途，而雨滂然。大工之役，頻年采石，輪蹏所歷，張勢恫喝，民或不稼以待蹂踐。肇林折其鋒，遂不敢肆。收遺骸，驅鹽徒，抗闒提，嚴賭博，惠政莫可殫書。逾二稔，入爲司李。去之日，圖書外無長物，民慆乎若嬰兒失母。生祠碑記。立生祠。佟志。

張所蘊，四川人。舉人，萬曆年三河知縣。教民種秔稻，資水利，捐俸修橋，邑人德之。三河陳志。

邱民仰，字長白，渭南人。萬曆中舉于鄉，明史列傳。天啟六年，東安李志。以教諭遷順天東安知縣。釐宿弊十二事。河齧，歲旱，蝗，爲文祭禱，河他徙，蝗亦盡，調繁新城。崇禎十三年，擢右僉都御史，巡撫遼東，錦州破，民仰死。明史列傳。

胡士容，字仁常，廣濟人。（明史附耿如杞傳。）萬曆庚辰進士。天啟六年，由部郎任（畿輔唐志六十七。）薊州參議，（明史傳。）守介心慈，（薊州張志。）均徭剔蠹，增修城堡，（畿輔唐志。）數忤其鄉官崔呈秀，呈秀銜之，將爲忠賢建祠。（明史傳。）時盧溝橋立隆恩祠者，工部郎中曾國楨也。崇文門內立廣仁祠、宣武門外立茂勳祠者，順天府通判孫如洌、府尹李春茂、巡撫劉詔、巡按卓邁也。通州立懷仁祠者，督漕內監李明道也。通州、昌平二鎮立崇仁、彰德二祠者，總督閻鳴泰也。密雲立崇功祠者，巡撫劉詔、巡按倪文煥也。（明史紀事本末。）士容不奉命。及士容遷江西副使，道通州，遂誣以多乘驛馬，侵盜倉儲，捕下詔獄，論死。（明史傳。）士民寃之。（薊州沈志。）莊烈帝即位，釋出，進右參政。（明史傳。）

張兆曾，字開若，江南華亭人。舉人。天啟六年，知通州時，瑞、惠、桂諸藩就封國，道出於通，舟車絡繹。兆曾經理應付，僕僕于風雨間，殆不可以日計。既戒而具，無留行。朝廷嘉其幹力，加四品服。晉永平府同知，仍管州事。尋擢南京大理寺寺正。（通州高志。）

周詩雅，武進人。進士，（寶坻洪志。）知寶坻縣。冰堂者，昔歐陽文忠攝滑邑，以名其燕息所，（詩雅冰堂記。）詩雅亦以是命名。（據記。）記曰：令長于民，親而疎，疾苦呻吟，往往什不得半。茲土他族僑處，都門相距十舍，自冷其官，而後可行吾意任吾法，甯得罪客，不得罪民，甯澮吾官以快客，不驅吾民以徇官。題楣曰：一官原冷甯留法，百姓真窮不受私。其冰堂記。絶賄竇，不負所言云。采訪册。

劉宗周，字起東，山陰人。崇禎元年冬，召爲順天府尹。明年九月，入都。上疏明史列傳。剴切，一統志五。疏曰：陛下勵精求治，宵旰靡甯。然程效太急，不免見小利而速近功，何以致唐虞之治。夫今日所汲汲近功者，非兵事乎？誠以屯守爲上策，簡卒節餉，修刑政而威信布之，需以歲月，未有不望風束甲者。而陛下方鋭意中興，刻期出塞。當此三空四盡之秋，竭天下之力以奉饑軍，而軍愈驕；聚天下之軍以博一戰，而戰無日。此計之左也。今日所規規於小利者，非國計乎？陛下留心民瘼，惻然痌瘝。而以司農告匱，一時所講求者，皆掊克聚斂之政。正供不足，繼以雜派。科罰不足，加以火耗。水旱災傷，一切不問。敲扑日峻，道路吞聲。小民至賣妻鬻子以應。有司以掊克爲循良，而撫字之政絶，上官以催徵爲考課，而黜陟之法亡。欲求國家有府庫之財，不可得已。功利之見動，而廟堂之上，日見其煩苛。事事糾之不勝糾，人人摘之不勝摘，於是名實紊而法令滋。頃者，特嚴贓吏之誅，自宰執以下，坐重典者十餘人，而貪風未盡息，所以導之者未善也。賈誼曰：禮禁未然之先，法施已然之後。誠導之以禮，將人人有士君子之行，而無狗彘之心，所謂禁之於未然也。今一切詿誤及指稱賄賂者，即業經昭雪，猶從吏議，深文巧詆，絶天下遷改之途。益習爲頑鈍無恥，矯飾外貌以欺陛下。士節日隳，官邪日著，陛下亦安能一一察之？且陛下所以勞心焦思於上者，以未得賢人君子用之也。而所嘉予而委任者，率奔走集事之人。以摘發爲精明，以告訐爲正直，以便給爲才諝，又安所得賢者而用之？得其人矣，求之太備，或以短而廢長，責之太苛，或因過而成悮。且陛下所擘畫，動出諸臣意表，不免有自用之心。臣下救過不給，讒諂者因而間之，猜忌之端遂從此起。夫恃一人之聰明，而使臣下不得盡其忠，則耳目有時壅，憑一人之英斷，而使諸大夫國人不得衷其是，則意見有時移。方且爲内降，爲留中，何以追喜起之盛乎？數十年來，以門户殺天下幾許正人，猶蔓延不已。陛下欲折君子以平小人之氣，用小人以成君子之公，前日之覆轍將復見於今日也。陛下求治之心，操之太急。醖釀而爲功利，功利不已，轉爲刑名，刑名不已，流爲猜忌，猜忌不已，積爲壅蔽。正人心之危，所潛滋暗長而不自知者。誠能建中立極，默正此心，使心之所發，悉皆仁義之良，仁以育天下，義以正萬民，自朝廷達於四海，莫非仁義之化，陛下一旦躋於堯舜矣。帝以爲迂闊，然歎其忠。未幾，都城被兵，帝不視朝，章奏多留中不報。傳旨辦布囊八百，中官競獻馬騾，又令百官進馬。宗周曰：是必有以遷幸動上者。乃詣午門叩頭諫曰：國勢强弱，視人心安危。乞陛下出御皇極門，延見百僚，明言宗廟山陵在此，固守外無他計。俯伏待報，自晨迄暮，中官傳旨乃退。米價騰躍，請罷九門稅，修賈區以處貧民。明史列傳。按：資治通鑑綱目三編云：疏言國勢據知，非口陳矣。發内帑賑給平糶，立保甲法。近輔之流離者日千百，至廷臣慮藏奸，議勿納。宗周曰：此京兆事耳。遣屬籍、姓氏、居業，記以篆符，宗周驗符入分，插之而聯于保甲，發賸鍰，設粥，傴者使就火室，道殣給槀，其閒左單户，令富民互相恤。師退，宗周瘞戰亡將士，自德勝門、涼水、盧溝諸處，瘞骨三萬，標以柳榆。西河集四。時樞輔諸臣多下獄者，宗周言國事。明史列傳。傳又云：宗周言：國事至此，諸臣負任使，無所逃罪，陛下亦宜分任其咎。禹、湯罪己，興也勃焉。曩皇上以情面疑羣臣，羣臣盡在疑中，日積月累，結爲陰痞，識者憂之。今日當開示誠心，爲濟難之本，御便殿以延見士大夫，以票擬歸閣臣，以庶政歸部、院，以獻可替否予言官。不效，從而更置之，無坐錮以成其罪。乃者朝廷縛文吏如孤雛，而視武健士不啻驕子，漸使恩威錯置，文武皆不足信，乃專任一、二内臣，閫以外次第委之，自古未有以宦官典兵不誤國者。又劾馬世龍、張鳳翼、吳阿衡等罪，忤帝意。三年，以疾在告。進祈天永命之說。明史列傳。傳又云：宗周言：法天之大者，莫過於重民命，則刑罰宜當、宜平。陛下以重典繩下，逆黨有誅，封疆失事有誅，一切詿誤，重者杖死，輕者謫去，朝署中半染赭衣而最傷國體者無如詔獄。副都御史易應昌以平反下吏，法司必以鍛鍊爲忠直，蒼鷹乳虎接踵於天下矣。願體上天好生之心，首除詔獄，且寬應昌，則祈天永命之一道也。法天之大者，莫過於厚民生，則賦歛宜緩、宜輕。今者宿逋見征及來歲預征，節節追呼，閭閻困敝，貪吏益大爲民厲。貴州巡按蘇琰，以行李被訐於監司。巡方黷貨，何問下吏？吸膏吮脂之輩，接踵於天下矣。願體上天好生之心，毋驅除異己，搆朝士以大獄，結國家朋黨之禍，毋寵利居功，或導人主以富强，釀天下土崩之勢。周延儒、温體仁見疏不懌，以時方禱雨，而宗周稱疾，指爲偃蹇，激帝怒，擬旨詰之，且令陳足兵、足餉之策。宗周條畫以對，延儒、體仁不能難。京尹爲卿貳遷轉之階，無舉其職者。一統志。宗周爲京尹，政令一新。明史列傳。集諸師儒，示聖賢爲學之要，諮三老嗇夫，興利剔弊，所屬奸胥，有乾没帑金，狀論如律，勳戚家人豪彊，不法抑之。西河集四。閹人言事輒不應，或相詬誶，宗周治事自如。武清伯蒼頭毆諸生，明史列傳。宗周直入第，捕得之，榜掠加三木，示長安街。西河集四。嘗出，見優人籠筴，明史列傳。詢爲司禮監奏樂器，一統志五。焚之通衢。明史列傳。裁京兆宂費一萬六千餘金，而大興、宛平費額尤甚，悉裁如舊籍，權貴無敢難者。西河集四。居一載，謝病歸，都人爲罷市。南都亡，宗周絶食卒。明史列傳。

武起潛，進賢人，天啟五年進士。明史坿李獻明傳。崇禎初，一統志五。爲武清知縣，有諸生爲人所訐，納金酒甕以獻。起潛召學官及諸生貧者數人，置甕庭中，謂之曰：美酒不可獨享，與諸生共之。酒盡，金見。其人惶恐請罪。卽以金分畀貧者。治縣一年，有聲，調遵化，被劾解官候代。明史附忠義李獻明傳。按：武清吳志漏此。大清兵臨，城破，死之。明史傳。

党還醇，字子貞，三原人。天啟五年進士，授休甯知縣。明史忠義傳。崇禎元年十月，知保定縣，十一月，調良鄉。保定成志。二年十二月，大清兵薄城，督吏民乘城拒守。或言縣小無兵，盍避去。還醇毅然曰：吾守土吏也，去將安之？救兵不至，力屈城破，與教諭安上達、訓導李廷表、典史史之棟、驛丞楊其禮並死焉。事定，父老覓還醇屍，得之草間，赤身面縛，體被數鎗。羣哭而殮之。明史忠義傳。怒氣勃勃如生。明季北略五。按：北略又云，還醇方赴選時，送座師侯恪出都門，恪曰：但願諸君子爲好人，不願諸君子爲好官。醇常諷誦不輟云。上達，貴州安順人。萬曆末年舉於鄉，謁選得教諭，至是闔門死難。

事聞，贈還醇光禄丞，（明史忠義傳。按：明季北略云，贈太僕寺卿。）謚忠節。（明季北略五。）予祭葬。有司建祠，官其一子。之棟等亦贈卹，給驛歸其喪。已而吏科上言：還醇城亡與亡，之死靡貳，猶曰：有守土責也。上達、之棟等微員末秩，亦能致命遂志，有死無隕，宜破格褒崇，乃僅贈國學教職，良鄉主簿於聖主優卹之典謂何？帝感其言，下部更議，乃贈上達廷表，五經博士，與之棟等及千户蕭如龍、何秉忠，百户李廕並配祀還醇祠。順天府尹劉宗周，以上達得死難之正，請贈翰苑宫坊，不報。時列城以死事聞者，更有香河縣知縣任光裕，（明史忠義傳。）不媿其官，（明季北略五。）贈卹如還醇。（明史忠義傳。按：一統志入名宦，明史孫傳庭傳，崇禎十五年陣殁之任光裕又一人。）光裕，山西霍州人。歲貢。（香河劉志。）

唐紹堯，（文安楊志。）字二華，（紀克揚贈唐二華父母敍。）湖廣武陵人。進士，崇禎元年任文安知縣。（文安楊志。）才犀利，（邑侯唐事宜敍。）廉公有威，勇于任事，誠于接物。甫下車，悉大户頭役爲邑積苦，嚴爲剔除，解支不煩里甲，（文安楊志。）凡宂濫侵漁之弊，悉爲杜絶。（事宜敍。）及編審變九則爲平鋪，真杜祐所云版圖可增，其信徵。繕自減其半，安人濟用，莫過于斯者。（文安楊志。）修葺學宫，（紀敍。）朔望與諸生説經，移日不厭。（文安楊志。）縣無志，紹堯訪遺事，條列成卷，（紀敍。）補二百餘年闕典。惜膺内詔，規畫新防，未竟厥績，士民扳留無計。（文安楊志。）

劉伸，麻城人。天啟戊辰進士，崇禎二年八月知固安縣事。甫三月，萬騎攻城。伸躬率士民，登埤堅拒，内無守兵，外無國援。有劣生布言，經過郡邑，所至受降，誘以順免。伸嚙指厲駡，同生員張國銘等誓以死守。矢石亂下，退舍者三。越兩日夜，矢盡力窮，敵撤良鄉老營齊來，聲東擊西，人心潰亂。伸知勢難支，從容密藏庫金，扃錮倉穀，藏印于身。城陷，被射傷一膊，墮臥亂屍中，懨懨餘息，家屬被殺大半。敵退，伸勉起，嚴捕兇黨，民始定。内外法司屢訊士民，莫不涕零。蒙旨：完庫，守印，家慘，身傷，原情矜憫。（固安陳志。）

秦士奇，字公庸，山東金鄉人。天啟乙丑進士，崇禎二年補獲鹿縣。三年，（固安陳志。）以固安瘡痍之地，（秦士奇兵靖保守疏。）調任，招集殘黎，掩骼埋胔。法嚴，黨惡兇亂俱息，多方賑濟，築城鑿池。（固安陳志。）

秦士奇兵靖保守疏曰：奏爲蒙調殘邑，恭繪形圖，以專保守事。臣自萬曆年間，十五入學，薦登鄉試，至天啟乙丑，成進士，授令崑山，積病告歸。去年八月，出補獲鹿。新正十三日，忽接部文，以固安瘡痍之地，蒙我皇上軫念痛切，調臣移任。臣思：自秀才以迄今日，叨我皇上衣冠，食我皇上廩禄，荷蒙皇上寵榮，八口之家，七尺之軀，安往而非皇上所肌淪而髓浹者？凡可以計安百姓之處，無非可以報効聖恩之處，當此而不任其難，誰任其難者者？卽日交盤倉庫，二十三日，日夜兼程，自獲鹿抵固安，七百餘里，七日而至，卽奉按臣董羽宸票諭，令臣星馳料理招撫安輯等件。又奉新道臣方一藻面諭臣招撫流移，修葺城池，操練鄉兵，預備糧械。臣奉以從事。至于本縣屠殘來歷，與受患根源，併臣親歷情形，目前整理事宜，輒敢爲我皇上瑣陳之。敵衆于十二月自良鄉來，零星薄至邑之西北，雖邑中原，無兵馬設，令官民站城，屯門自可固守，奈有惡棍、偷兒，平素結盟行劫思亂，各垂涎富有之家，一聞風動，卽有奸棍嚮道，乘機夥搶。未破城時，遍郉中或假扮異服，或學爲異語，竄食搶劫，自白郉、官郉、西玉等郉以及北關，凡商賈店鋪，席捲而空。有人言及，鄉鄰識面者無不付之刀頭，及竄至城中，止有諸生喝駡，而民兵膽落矣。更有亂民，報知城中虛實，彼卽令其踏梯踰垣，城上一呼，遂至星散。若士夫怒駡，被戕者與婦女自縊投井者，已經申報外，迨進城，卽恨生員詆駡，大肆屠戮，蜂擁縣衙。屯聚數日，其官舍民屋，盡爲灰燼，然金銀色衣之外，一毫不取，凡在城、在郉，其窖藏之糧米，匿收之器具，反爲地棍惡徒鑿壁錐地，秋毫無遺，甚而擄掠其子女，捆載其衣糗，焚毁其房屋。嗟嗟！固安之民，以何累劫，遭此異慘！殲于外敵，再盡于土寇。臣始至之日，種種見告，不覺髮上而淚下，一入宅中，土灰滿眼，腥穢襲人。吏役半屬亡魂，文卷化爲紙灰。一踏勘郉落，晨爨無煙。臣日日匹馬招安，家喻户曉，令其速歸復業。一月以來，城中漸有往來，郉落之來歸者亦十室而五，但家破人亡，枵腹露行，無本無資，言念及此，臣有筆與淚泚而不能下者。幸蒙皇上照見逃亡，慨發渥澤，有府丞魏光緒乘春和而義賑貸，仰承德意，提取固安庫埋銀二千兩。臣卽備印文擇官連夜解府。府臣捧命勸農，親至固安縣，出示曉諭，發留銀三百兩，令臣逐邨遍查被傷人户，無牛種者量爲給散，已開册報府，外尚有不足，臣又將存下倉穀，量給四百餘石，今復奉皇上新編蠲免本年錢糧矣。殘邑再沐皇恩，不啻白骨而肉之，一時臣民無不加額改顔。至防守事宜，增城濬池，不敢別請錢糧，亦不敢復請官兵，斟酌地畝，編丁壯，一人于舊治獲鹿能習武藝者，臣割俸共奉團練以固吾圉，不特臣盡心力爲之，又有撫臣、按臣及道、督責而經營之，臣斷不遺餘力。嗟哉！撫殘破之邑，與平常異。臣更有所不得爲者，敢不祈請主上耶？蓋平常縣令，在急國課，速轉輸，而今已幸蠲徵，不至竭蹶，然固安東路衝地，且復協濟涿、薊等處驛站銀兩，如徵兵提餉，一有差遲，應付頃刻，勢不得不用馬用夫。此處原無驛遞、郵丞，非此地此民之財力，誰爲代之？此民之不堪再疲者，或量免接濟，以抒本處之應付。至于寄養馬匹一節，原以近地便于提取，平其照，地數若干畝，養馬一匹，誠爲便計，但本原派馬一千七百二十四，幫貼偏苦，猶可支也，值此兵燹，又經擄六七十四，今尚苦于補還，如有再派，其何以堪？伏望皇上痌瘝在念，將此殘邑，姑免發派，令其休養一、二載，暫借民力，幫餉練兵，以守外城，則孑遺之民，庶其有瘳乎！今日本縣根本之慮又在人心，臣更有隱憂焉：固安亂民引導，乘機喜禍搶劫者，已奉按臣、道臣之批，發與臣自理之，告揭者除傷人焚劫，按律置辟，其脅從量懲開網。獨有搶劫擕妻子而走者，招之不來，恐怙終不歸，復入夥黨，爲害不淺，臣除用印給帖出示，有逃亡不歸者，令其族人親戚執文赴遵化等處尋覓復業。卽有平日無知拾遺棄物者，亦許其改過自新，如有不歸，查其地產，申報估給，令無業承種。既以招其來之永利，并示以不來之大害，庶民樂歸，而有土有人。臣么麼下吏，不得已之情，爲不得已之言，謹將勘城邨被寇殘害形圖，恭進睿覽，爲此具本專差義男秦盛齎捧，謹具奏聞。不敢請糧，請兵，酌地畝，編丁莊。疏詳上註。誓與民効死。固安陳志。疏請量免協濟涿、薊驛站銀兩，發派寄養馬匹，逃亡許其自新，如有不歸，產給無業承種。據疏詳上註。創棍執法。中蜚語出署，囊橐蕭然，圖書盈篋而已。父老保留嗚寃當路，格者再餽贐，一絲不受。一時悲送，塞巷盈衢，有匹馬直隨至金鄉者，其感人如此。固安陳志。

王象雲，畿輔唐志六十八。山東新城人。進士，崇禎二年知永清縣。永清周志。大兵至，明季北略五。攻城，人無鬭志，日數十驚。永清周志。象雲命男婦乘城，設擂炮木石，畿輔唐志。有備無患。明季北略五。卒保孤城。

縣人建祠祀之。永清周志。擢御史。畿輔唐志。

常維翰，畿輔唐志六十八。河南商邱人。舉人，崇禎二年保定成志。知保定縣。畿輔唐志。慈明簡靜，吏肅民懷。十二月，保定成志。流賊入畿輔，畿輔唐志。破固安，至霸州，州官宵遁。保定成志。維翰曰：守土之吏，義與城存亡，甯死敵，勿死法。畿輔唐志。語士民曰：城丈二，池尺餘，無高深可恃，然衆志成城，與爾等死守勿去。保定成志。事定，陞東平知州。畿輔唐志。保定成志：城門任民往來勿閉，時眷來近城，固安已陷，人有以事急語夫人，可勿進城，乘此南歸，夫人曰：任所是吾歸地，與爲存亡，忍妄求生耶！驅至邑，既而兵定，保邑安枕。議祀名宦。

石鳳臺，陽城人。天啟乙丑進士。崇禎己巳，良鄉殘破，畿輔唐志六十八。庚午，良鄉楊志。按：此崇禎三年。鳳臺自南宮調任，撫殘黎，立官署，上疏請蠲二年賦稅，十年俵馬。詔從之。畿輔唐志。驛馬官自牧養，永爲例。禁止迎送，累官廉使。良鄉楊志。

李一爵，字景先，山西長治人。舉人，崇禎四年知通州。清廉勤慎，嚴于釐剔。先是，錢糧完欠無稽，吏胥得上下其手。爲置印簿三：一、存房，一、存庫，一、存堂。纖悉必登。積猾者銜之，思嗾之去，造匿名帖，誣指閙班鹽引，雜支多贓。聞于巡撫吳阿衡，遽疏糾參，事下密雲道兵備高按之，轉發寶坻、三河、密雲三縣會勘，欵盡虛。卽欵內證贓人，亦爲嗚寃。諸生賈我年等數十百人，環案泣，閭里囂然。高按之力白其誣。督撫、巡按，合疏請復職。下吏、刑二部覈議：凡精明强幹之吏，每不便于姦蠹，往往造謗，揭逞私圖，至無等也。一爵一案，駁察至再，彙審詳明。據稱，火耗無染，節省多方，是潔己急公，實心任事者。釐弊過嚴，姦徒誣揑，今博采輿論，咸爲昭雪，非有私于一爵，實爲朝廷惜人才，爲地方存公道。贓欵皆揑，職官無虧，應復原官。上可其奏，以原官改補。一爵得旨，辭職去，行李蕭然，州人送者塞路。吏部劉咸贈詩，有官從摒後知慈母，人到窮時識丈夫句。至今稱廉吏者，羣推一爵云。通州高志。

黄奇遇，字亨臣，廣東揭陽人。崇禎戊辰進士。四年任固安陳志參侯奉職邑侯黄公築城記。固安知縣。志目。前令秦士奇，以任事過鋭被譴，人人疑畏。上以邊才借奇遇，奇遇毅然任之，懲前飭後，一意拊循，大率嚴奸猾，寬良善，縣尉職原以捕盗安民，積習相沿，其首役每月科歛郵民，甚且誣盗挾奸，視爲利藪。奇遇欲翦除，會有告虎役者，遂盡發宿癰，搜剔無遺。疏糾坐法，申文鐫石，歡聲雷動。固安陳志。殘者蘇，燬者葺，生聚教訓，士民相安。乙亥冬，羽蠟麏至，固安素無甎城，壕淺堞卑，議助役捐資，朝夕撫犒，無少倦，費不足，多方設處以襄事。黄公築城記。按：乙亥爲崇禎九年。修械練兵，每出贖鍰，易鐵鳩燬，氏繕人輩製神器，大小有額。七月警報至，比屋寥落，山陜貿遷者强半，有攜負潛奔者。奇遇誓士民曰：嬰城拒敵，倡逃者，殺無赦。時飲食卧榻，俱在譙樓。壯偵遇敵於陶家營，奇遇出奇制之，於林木茂密中立幟爲疑兵，詐書邊帥禁示，若大兵屯聚者。敵悸，不敢近。守堞丁，原鄉居，聞家擄哭號，恐倡亂，簡作俑者一人，置之刀俎，密以死囚易之，昧爽梟示，衆股栗。從此静聽約束，無叫讙聲。時牛酒犒，病授藥，寒給衾，四鄉離亂徙入城者周之，捐借麥豆以佐不足。敵老營來逼城，奇遇命擂鼓傳喊，響振林木，以示先聲，砲斃數十，披靡遁，是爲八月六日。關永黄侯城守記略。九年，調署東安，受事未久，剔釐六案，革前弊，定後章，凡除侵派銀三千有奇，百姓感之，固安祀名宦。東安李志參固安陳志。

李鑑，畿輔唐志六十八。字涵白，劉鍊崇禎六年修學記。四川安縣人。崇禎戊辰進士。四年，永清周志。知永清縣。畿輔唐志。姦彊帖柔，瘡痍昭蘇。修儒學記。時鄰境有土賊之變，永清周志。鑑練鄉壯，積軍需，畿輔唐志。禮武弁，永清周志。繕甕城，畿輔唐志。懸樓，修儒學記。民恃以無恐。永清周志。六年，濬渠築隄，既竣，庀材費以有事于學宫。修儒學記。教諭楊恒、訓導楊化中，永清周志。指畫方員，修儒學記。典史陳百善，永清周志。督工採伐。修儒學記。考課案程，則鑑也。有大獄，片言折之，無寃抑。先攝武清縣事，武清人相率卧轍。永清人曰：我父母！武清人亦曰：我父母！相争境上。歷總督宣大軍務、兵部侍郎、副都御史。永清周志。恒，字慰所，武定人。化中，字紹虞，保定人。百善，嘉善人。周志參修儒學記。

劉躍龍，懷柔吴志。字禹門，王建極重修學宫記。陝西安定人。舉人，崇禎四年懷柔知縣。懷柔吴志。先是，學宫圮。天啟癸亥，殿成，餘弗給也。崇禎二年，知縣周道洽捐俸鼓士，櫺星門、龍鳳壁又成，躍龍至，廡祠俱修。（據重修學宮記。參懷柔吳志。）歷年兵荒，躍龍洞悉民瘼，凡未備者興之，便官府不便百姓者革之，其端有八：一、庫吏司握算，任包賠，爲之清出入，令庫書代之；二、禮吏司儀文，邇來充置辦，甚以難得之貨責焉，爲之崇儉，約令禮書代之；三炭户供負載，償價直，今各停止，縣用不取之民，詳允永革；（三者並革。）四、大户供解送，今解銀堂給止差快手護送，不僉派一人；五、槽頭供郵役，爲之編字號，置馬牌，酌遠近，權里分之大小，爲分派之多寡，役均弊除；六、陵丁供焚埽，近日射影攀扯，爲之酌貧富，充一役，各項俱免，文册可據；七、積穀，懷邑倉庫如洗，爲之倡義買穀，不逾月，積穀四百，春放秋收，量行出息；八、器械火藥，斗城與虜爲隣，爲之捐俸鑄造。此數政者，（成德劉君興革實政記。）進士成德爲之記。（據記。）道洽，陝西臨潼人。恩貢。（懷柔吳志。）

余世名，江西奉新人。舉人，崇禎七年知永清縣。推誠待下，人不敢欺。（永清舊志。）登埤歎曰：斗大一城，纔數尺，無險足恃，爲高爲深，豈異人任。不請帑，不加賦，吾自有法，捐貲以倡。凡紳衿父老，量力受工，成堞千四百有奇。又積穀草，貯硝黄，簡丁壯千，建弩臺八，攻有備，守有資，士民歌之。（劉惟蕙重修城垣記。）崇禎九年，孫養深繼其任，重修之。（按城記云，正月始事，三閱月成。）

沈域，（畿輔唐志六十八。）河南商邱人。舉人，（通州高志。）崇禎中知漷縣，料理城守。（畿輔唐志。）時巡方董邃，初見漷縣斗大空城，而域舉動安詳，問曰：情景若此，何恃而不恐？域從容拱手曰：以身殉之。遂爲改容以謝。明季北略。城卒無恙。畿輔唐志。

趙國鼎，山西樂平人。鄉試第一，崇禎七年進士，明史附忠義王肇坤傳。知寶坻縣，有政聲。一統志五。九年，大清兵明史傳。猝臨。時屢被兵，城郭未繕，外無援，或言邑小，盍姑避。國鼎毅然曰：吾守土吏也，去將安之？論士民爲守禦計，誓必死守。救久不至，國鼎抽刀曰：事迫矣，死耳！諸君勉之。衆皆泣曰：願從死！城破，國鼎被執，脅降之，卒不屈，寶坻洪志。死之。一統志五。主簿樊樞、典史張六師、訓導趙士秀皆死。事聞，贈卹如制。明史傳。葉夢熊，崇禎九年文安典史，殉城，葬相公莊。文安楊志。按：此非明史魏學曾傳內葉夢熊。

王禹佐，明史附忠義王肇坤傳。以保定通判攝昌平州事。一統志五。明史王肇坤傳云：攝知州事，保定通判王禹佐。崇禎九年七月，大清兵入喜峯口，昌平被圍。禹佐分門守，有降丁二千爲內應，城遂破。禹佐及判官胡惟忠、吏目郭永、學正解懷亮、訓導常時光、守備咸貞吉皆死之。贈卹如制。明史傳。

上官藎，字忠赤，曲沃人。起家鄉舉，廉執有聲。崇禎四年順義知縣。在官三年，薦章十餘上。七年，重修學宮。九年，昌平破，大清兵攻順義。藎與遊擊治國器、都指揮蘇時雨拒守，城破，藎自經。國器、時雨及訓導陳所藴皆死。贈卹如制。明史坿忠義王肇坤傳參一統志重修學宮記。按：學宮記，藎之官在辛未，而順義黃志云崇禎六年任，誤也。

武維周，山西太谷人。舉人，崇禎九年知大城縣。操如山峻，絶請托，輕徭役，禁藏宄人，保全善類。大城張志。七月，大清兵下大城，維周中流矢死。綱目三編三十六注。追贈光禄寺少卿。大城張志。乾隆四十一年，追謚節愍。綱目注。

王鑰，明史坿忠義孫士美傳。武功人。一統志五。舉人。明史傳。崇禎中文安知縣，一統志五。勤敏果毅。畿輔唐志六十八。十一年，大清兵至，明史傳。率士死守七晝夜。城破，與主簿安衡、典史湯國紀、訓導郭養性一統志五。以殉難聞。明史傳。鑰贈太僕寺少卿。一統志五。乾隆四十一年，追謚節愍。綱目三編三十七注。衡，山東莘人，崇禎九年任，贈經歷。國紀，河南孟人，十年任，贈吏目。養性，河間人，貢士，十年任，敦篤醇謹，循循善誘，戊寅分汛東城，晝夜防禦，力竭死，贈國子監博士。文安楊志。並入祠。綱目三編三十七注。

王弘祚，字玉銘，雲南保安人。舉人。去思碑參薊州張志。崇禎戊寅寶坻縣教諭。訓士不倦，寶坻洪志。由渠陽學博擢平谷令，捍禦有功。去思碑。創義學，修文廟，平谷朱志。遷薊州知州。薊州張志。按：戊寅爲崇禎十一年。瘁貌勞神，有便于民，無不舉，有害于民無弗剔，繕城垣，嚴保甲，練鄉勇，廣積貯，革火耗，平市價，積郵符，省囹圄，勤課藝，庀黌序。自榜座右曰：从冰上立。去後，去思碑。民思之，立碑。魏藻德作記。歷官户部尚書。薊州張志。按：平谷朱志云，陝西三原人，或其原籍也。

王永吉，畿輔唐志六十八。字鐵山，劉廷棟通州兵備王鐵山晉山東大中丞序。高郵人。進士，崇禎十四年通州兵備道。按地編丁，按丁徵徭，民困以甦。歲旱，設法勸賑，畿輔唐志。日就食者以千計，積冬春，全活數十萬。往中使未撤兵，常譟驕不可制，永吉威以著恩，此閒不鍵户而宿。陸運之役，米豆騰貴，公給不足分什一，剜肉醫瘡，死逃相半。永吉請如部商例，尺則尺，寸則寸，一切出納，榜于四境。漕涷阻，借力于民，酌其遠近多寡，次第之，而勞無怨，訟無留，獄無寃。劉廷棟序。擢山東巡撫。去之日，民爲立祠。畿輔唐志。方賊之陷山西也，永吉總督薊、遼，請撤吴三桂兵，選士卒西行遏寇，卽京師警，旦夕可援。天子下其議，吴麟徵深然之，輔臣不可，及烽煙徹内，帝始悔不用其言，旨下永吉，而京師陷矣。明史吴麟徵傳。

趙煇，字黄如，河津人。崇禎七年進士，明史坿忠義顔孕紹傳。霸州兵備副使。勤于其職。一統志五。十五年，大清兵入霸州，煇偕知州丁師羲等，督士民固拒，援軍不至，城遂破。煇整冠帶自盡，子琬、丁師羲，偕死之。煇贈光禄卿。明史傳。乾隆四十一年，追謚節愍。綱目三編三十五注。師羲，字象先，楚雄人，選貢生，贈參議。明史傳。薊州兵備僉事張名世，崇禎十五年殉節；霸州道參政李喬崑，十六年不屈死。乾隆四十一年，謚名世烈愍，喬節愍。綱目三編三十八注。

高維岱，昌邑人。舉於鄉，明史坿忠義吉孔嘉傳。按：畿輔志云，貢生，永清縣志沿之。崇禎十五年，知永清縣。視事甫旬餘，謀守禦，聚軍儲，選壯士，編伍守城。永清周志。大清兵臨，縣人死戰，火藥矢石皆盡，城陷，一門死之。典史李時正、教諭邸養性同死。贈維岱僉事，餘贈恤有差。明史傳。按：一統志五入名宦，邸綱目三編注與明史同，一統志作鄒似譌，鄉官劉惟蕙同死，詳人物。乾隆四十一年，追謚維岱烈愍，時正等並入祠。綱目三編三十八注。時正，山西霍州人。養性，昌黎人，舉人，並十四年任。永清周志。按：養性死事見明史，而永清縣志竟未之及。

高承埏，一統志五。字寓公，嘉興人。崇禎己卯舉于鄉，明年成進士，知遷安縣事，調知寶坻，寶坻洪志參甯河關志。京師左臂也。九月失守，瘡痍未復。承埏至，畫郊圻，均田賦，濬河漕，免剥船解户之役，朱彝尊前進士高公墓表。縣多中貴豪猾，倚爲姦。承埏以法繩之，不少貸。一統志。民間生子，每自閹割。承埏禁甚力，終其任無敢犯者。戴斗夜談。初修城浚濠，練兵積粟，大盜蘇鳴秋等，踞埋珠莊，亡賴子坿之，勢張甚。承埏鎮以静，計禽之，兵猶未至，誅厥魁，脅從則免，慶更生者無算。甯河關志參采訪册。十五年，太宗文皇帝兵踰界嶺，自黄崖口入，承埏集邑人于漢前將軍關侯祠曰：承埏，守土吏也。城存與存，城亡與亡。吏効死勿去，爲朝廷守封疆，亦不忍爾等室家墳墓之委棄，爾其一乃心力，毋作神羞。衆皆曰：諾。乃治守具，製懸簾，束葦加土，俾火不能灼。樹旗幟，架礮石，分設士卒于四門。俄而薊州下，師從豐潤渡河，連十三營，集城下。承埏悉士卒登埤守，多掘泉井分汲，斂雞犬于城中央廢寺，令嚴肅，夜寂無聲。攻者曰：此啞子城也。兵法不易拔。越九日，引去。衆交賀。承埏曰：必不我舍。乃添繕守具，築礮臺，鑿郭外溝千三百七十七丈，揖坑二萬二千，誡粱城所千夫長，選力士爲游兵策應，檄蘆臺巡司，練鄉兵防禦。十六年夏四月，師復攻，連營一十五屯，二旬有四日，承埏堅壁不戰，間出奇兵，奪馬羸羊豕，收集羇傖難婦，資之還鄉。當是時，王師自薊乘勝下畿南，轉而山東，連收九十餘城，所過如破竹。獨寶坻彈丸地，援師莫至，承埏以一書生，率校官、主簿、尉固守，城卒全。事聞莊烈愍帝，有高承埏全城却敵，功在封疆，從優議敍之褒。會計吏有選人持之，反以才力不及調簡，改知涇縣，入主虞衡司事。（朱墓志銘。）

于君鼎，以指揮僉事掌梁城所事。當明末，流兵四起，薊州、寶坻俱失。君鼎率千百户、吏目等築城濬池，多方守禦，誓死不去。流賊抵城下時，河水大潮，一日而三，遂引去。賴以全者數萬計。月河莊道人謀不軌，奪軍馬，聞兵至，遁。獲一僧，曰：往梁城所。將兵者，卽移兵向城，合所震懼，君鼎隻身出迎，左右執之，將兵者曰：聞汝地方反矣，得毋來探虛實？君鼎曰：無反，故迎。使有反者，當擒以報。色溫辭壯，將兵者釋然。梁城士民無恙，皆君鼎之力。至今談者，猶美其功云。（甯河關志。）

鄭昂，任梁城所守禦千户，（按朝陽寺碑係百户。）果敢有膽力。當明季，流寇猖狂，常思奮身立功，以職守不得擅離，無所試其材。一日，聞賊臨境，慷慨起曰：今得自効矣。策馬負弓矢，持刀出，從者數十騎，居人控馬諫曰：賊不下數萬計，而以數十人與之抗，卽以死殉，其如民何？莫若闔門以待，賊或以邨落不措意，吾屬猶可望生也。昂重違衆意，斂息立門左，欲俟其至，以一戰效死。未幾，賊徑去，梁城民得無恙，昂終以未死是役爲憾，居常鬱鬱。後移他汛。甯河關志。

趙一桂，崇禎末省祭官，署昌平州吏目，有聲。甲申三月，莊烈帝后既殉社稷，僞符下州令葬，時州無正官，庫藏如洗，一桂與守備王政行、監生白紳、庠生孫繁祉、義士劉汝朴、王汝朴、徐魁、李某、鄧科、趙永健、劉應元、楊道等，各傾資産，得錢三百五十千，啟田妃壙宮，以妃槨爲莊烈槨，募西山口居民，擔筐舁土，築塚修垣，復率鄉耆奠祭悲號，聲震陵谷。畿輔唐志六十八。參昌平吳志。

官師志三

傳三

德清傅雲龍纂　江陰繆荃孫覆輯

國朝

順天府尹按：歷朝以時代次，國朝則分職、分地，略有區別。

施世綸，福建晉江人。康熙二十四年，由任子授泰州知州，入爲太僕卿，坐事免。特旨授順天府尹。先正事略。時金吾帥託和諾行驕縱，輤前常擁八騶。施遇諸途，乃拱立道旁，長揖以俟。託驚駭，下輤問之，施忽厲聲曰：國家制度，非王公不設騶馬，吾以爲諸王至此，拱立以俟，孰意汝也！欲劾之。託謝乃已。嘯亭雜録。令行禁止，畿輔肅然。事略。俗呼曰施青天。嘯亭雜録。

衛既濟，字爾錫，山西猗氏人，康熙時檢討。二十年，爲霸州州判。二十六年，起用原官，授山東布政使。三十年，入爲順天府尹，有聲。時陸清獻隴其以言事當謫，既濟奏：陸爲縣令時，深得民心，得免。初不相識，後亦如初，人兩賢之。霸州周志。

孫嘉淦，字錫公，號懿齋，山西興縣人。康熙五十二年進士，官檢討。世宗憲皇帝卽位，以言事見知提督安徽學政。雍正三年，調順天學政。教人一本經術，奏革一切供應。蒙恩賜養廉歲四千兩，並賜西城官房七十餘間，爲考校京邑生童之處。歲滿，受代蒞祭酒任，署順天府尹，奏請立法，以平米價。丁父憂服闋，以順天府尹召，官至吏部尚書，協辦大學士，充經筵講官。薨謚文定。盧文弨抱經堂文集。

胡寶瑔，初名金蘭，字泰舒，江蘇青浦人，遷自歙，舉人。乾隆二年，試授內閣中書，累擢給事中，再遷順天府丞，督學政，有聲。十三年，從征金川，以功擢順天尹。順天號難治，寶瑔游刃有餘，若無事者。十四年三月，大學士傅恒奏稱，胡寶瑔辦事甚屬諳練，順天府尹衙門事務尚簡，請仍留軍機處辦事。報可。官至河南巡撫、太子少傅。謚恪靖。先正事略參春融堂集、小倉山房文集、胡公墓誌銘、梁章鉅樞垣紀略。

李因培，字鶴峯，晉甯州人，乾隆乙丑進士。題名碑。十八年兼順天府府尹。六月，因培奏言：順天府屬飛蝗，皆自灤州、玉田至，急宜撲捕。命因培馳驛往，督率地方官，不實力者，許糾劾。七月，參通永道王楷等撲蝗不力，皆革職。九月，因培奏言：涿州知州李鍾俾，素著虧空名，正在訪實。而督臣方觀承以不宜涿州之任，奏請撤回。鍾俾果不勝任，則在任四年，督臣何以若罔聞？知而必待至劣迹彰聞，事將敗露之日。又據鍾俾稟稱，必不誤交代。州縣交代，或墊發留抵，或米穀霉變，新任不肯接收，上司率以刁勒訓飭。臣不敢謂方觀承必有其事，然核其情節，自在聖明洞鑒中。疏入，革鍾俾職，尋得其虧空挪移，治罪如律。（漢名臣傳。）

劉綸，字繩菴，（題名碑。）江蘇武進人。乾隆丙辰，由廩生應博學鴻詞科考，授編修、户部侍郎，兼順天府尹。故事，順天府公牘，治中、通判不署名，皆亢放自廢。綸請以錢穀屬治中，獄訟屬通判，先署牘，呈尹以可否之。王師西征準噶爾，將發役車供偫，一切辦治事竟無一人譁於道者。（先正事略。）二十四年六月奏：薊州、寶坻等處蝻子萌動，一邑村落甚多，州、縣官事繁，未能周徧，派千總、外委同佐雜分捕，參將大員偕監司巡察勤惰，以示勸懲。（漢名臣傳。）

陳兆崙，字句山，（采訪册。）浙江錢塘人。雍正八年進士，召試，入詞林，官太僕寺卿。乾隆十九年，擢順天府府尹。歲大水，所在告災。兆崙心計指畫，撫綏安集，無不得所。畿輔役繁，舊設官車力疲敝，議僉富户以代，兆崙奏罷之，咸以爲便。時西路出師，徵發禁旅索倫。兆崙經畫宿頓儲蓄，井井有條，軍民晏然。二十一年遷太常卿，入直上書房，遷通政副使。（國史文苑傳 先正事略。）

竇光鼐，字元調，號東皋，山東諸城人。乾隆七年進士，授編修。十三年，累官内閣學士。憂歸，起補副都御史，尋授順天府尹。畿輔叢弊久，吏胥因緣爲姦，光鼐受事，苞苴屏絶，首劾薊州知州長全，聲名狼藉，按治之，特薦京縣蘭第錫、李湖，後官督撫，皆稱賢臣。任府尹四年，丁外憂歸，服除，再補原官。蝗蝻災，光鼐報聞，親捕之。旗莊不出丁協捕，與督臣奏辨，褫職。不數月，起通政副使。奏瀛小峴山人文集五，參先正事略。三十五年再尹順天，官至吏部侍郎。據題名碑。

吉夢熊，字毅揚，一字渭厓。江蘇丹陽人。乾隆壬申進士，選庶吉士，累官順天府府尹。初巡視通漕，釐革弊端，胥吏咸懾，又奏稽察剥船，疏濬河道，俾運穀增數速竣。上韙之。薊之軍糧，曩自直沽抵五里橋，水淺，恆懸擱高岸。夢熊請改陸運赴易州，得早給。兵與旗丁，並稱便。其尹京兆也，絶苞苴，平案牘，兼施威惠，輦轂肅清，當酷暑捕蝗，不肯張蓋，膚焦吻渴，不以爲苦。大雨經旬，民病涉，措設多方而事集，行旅頌德。受代者乃諸城劉文正統勳之弟純煒。統勳遇夢熊，迎謂曰：君廉明，爲從來府尹第一，已飭弟仿君舊規勿更變，蓋治績夙彰，見重如是。官至通政。小萬卷齋文集十九，翁方綱撰墓志銘，府尹題名碑。

汪如淵，浙江秀水人。己未進士，嘉慶二十四年，采訪册。任順天府尹。遇林清變後，事如蜩集，如淵不延幕客，危坐堂上，然燭觀文書，四鼓乃寢。暇獨處陋室，足不踰閾。劉鐶之過訪，歎曰：此去枯寂禪師有幾，爲官如此，有何樂境？如淵曰：此汪某報國之始念也。劉笑謝之。京兆爲之大治。嘯亭雜録。

何淩漢，字雲門，又字仙槎，湖南道州人，嘉慶十年進士，由編修累遷通政司副使。道光六年春，擢順天府府尹。時前尹朱爲弼，無被議事而左遷府丞。淩漢蒙特旨除授，召對時有人品學問，朕所深知之諭，蓋在帝簡中久矣。甫莅任，聞抱養育嬰堂幼孩者，須以數十金買龍票，立革其弊。立內號簿，飭屬訊案，每月按簿催結，無留獄。八年元旦，逆回張格爾就擒，先正事略。上以淩漢於協剿回疆之吉林、黑龍江官兵，由京進發彈壓静謐，支應妥速，兩次交部優敘，順天所屬州縣，擢至四路同知，更無升途。淩漢以人材須鼓勵，會大名府缺出，與直督會奏，得旨以西路同知辛文沚補授，遂開此例。京畿獄訟繁多，自府縣收理各案外，由刑部、都察院、提督府奏交，咨送無虛日。淩漢盡心研究，大要以罪疑惟輕，務歸仁厚。如宛平縣民張文恭等，曾習天主教，改悔免罪，漏繳經卷，蔓累多人。涿州民果三，毆死白兑兒，棄屍大清河，三載無獲等案。一則援例減等，一則奏請暫行監禁，惟於凶盜案件謂宜懲一警百。如拏獲奪犯、傷差、窩賊馬七等，拏究兇惡棍匪王殿臣等，皆從嚴訊辦。府廨後有廢園，就蒔花竹，爲退思之地，顔其亭曰佳晴喜雨快雪之亭。志無忘民事也。十年立春日，循例進春。上召問春牛顔色，起於何時。淩漢奏：月令稱出土牛並無顔色，宋時頒行土牛經，支幹各色，略與今同，始於仁宗景祐元年。其博洽强記多類此。阮元何文安公神道碑銘。七月，命皇長子往祭孝穆皇后陵寢。凌漢以大雨時行，橋道難恃，請改派親王、大臣。上深然之，即改派。先正事略。尹兹五年，地方綏静，命、盗各案甚稀。聖心倚注，久任不遷。是年復調吉林、黑龍江兵征臺灣，彈壓如前。簡浙江學政。十三年春，調補吏部右侍郎，兼順天府府尹事，命即來京供職，時歲試未終也。凌漢益靖共爾位。時濬九門護城河，以工代賑數萬人。上問：工竣如何資送？凌漢奏：附近京城之民，無庸資送；其隸外州、縣及外省者，應於散工日給盤川錢二百文，再給印票一張，注明制錢五百文，回本籍衙門承領，貧民歸有餘資，散歸必速。奉旨允行。神道碑銘。謚文安。題名碑。

翁心存，江蘇常熟人，道光壬午進士，編修，累遷工部尚書。咸豐三年，兼管順天府尹時，粤寇北竄，畿輔驛騷，徵調關東索倫兵，及東三盟蒙古兵駐畿甸外，所需車馬芻糧之屬無算，有不給者，以乏軍儲論。心存先期辦治，民不知役，規度可控，扼地列栅，屯守料簡，民兵壯聲援舉司其事者，百里外烽堠相望，金鼓聲四聞，寇窺其有備，遂不敢偪。先正事略。謚文端。題名碑。

李朝儀，字藻洲，貴州貴筑人。道光乙巳進士，簽分直隸知縣，先後官畿甸者三十七年。初知平谷縣事，歷官三河、大興知縣，署南路廳同知、東路廳同知。其在三河，建置書院；在南路廳，創辦民團；在東路廳，督捕蝻孽；在通州，值咸豐庚申之役，土寇蜂起，朝儀自天津防所星夜馳歸，聯鄉團，除奸宄，修城守，通州賴以不擾。進道銜，歷知順德等府同知。七年，前直隸曾國藩洊舉賢員，以朝儀居首，特擢永定河道。永定河遇澇輒潰，儀在任十年，籌備料垜，搶護險工，請修金門閘及灰壩，分洩汛漲，每遇狂瀾驟至，董役于深宵風雨中，員弁兵夫靡不鼓舞。慎核官帑，裁減陋規，所定章程，至今遵守。光緒六年，由山東鹽運使遷順天府尹，卒于官。大學士直隸總督李鴻章奏請宣付史館。報可。采訪册。巡道同知。

蔣三捷，遼東人。歲貢，順治元年由户部郎任通州兵備道。性威嚴，奸胥氣懾，政教甚舉。月朔、望，輒講鄉約六則，士大夫及里老子弟，次第立左右，跪罪囚于庭前，聽講畢，有罪者樸治，冤抑者辨釋，人服其斷，稱其廉云。畿輔唐志六十七參一統志五。

陳維新，奉天人。順治四年，任昌平兵備道，有惠政。畿輔唐志六十七。渤海盜起，兵剿捕株連及州，維新請兵無入境，一統志五。力雪之，民賴以全。去後，爲立生祠。畿輔志參采訪册。

崔誼之，字老山，平度州人。進士，康熙十年任通永道。性寬和，然治政明決，鞫讞不苟不徇，饋送悉屏絕之，時稱廉靜云。畿輔唐志六十七。

祝兆熊，奉天人。蔭生，康熙三十八年爲通永道。通州高志。宏綱細目，釐然備舉，興利革弊，果于奉行，善政難數。最著莫如七行之税，力持而罷之，日用不缺，淪肌浹髓。雷一龍通永道祝公去思碑。州人建祠立碑。高志。

杜濚，字子濂，濟南濱州人。順治丁亥進士，真定府推官，累遷副使，備兵通薊道，密邇京師，豪室巨猾，膠牢固結，號難治。濚不茹不吐，風流令行，僕區法嚴，民易羅罪，爲立保甲之令，什伍相保，奸無所售。司密、薊兩鎮餉，絶朘削之弊。秋杪，例一點兵，飲食秣芻，無所驛騷，有冒名尺籍者，爬剔無隱，將弁畏愛之。至於催漕濬河，不憚劬勸督率。時王永吉督倉場，恨得濚晚。會天津道屬小園漕艘失事，諉罪通、薊，遂奪二級，詿誤去官，事尋白。帶經堂集四十六。

陳鵬年，湖南湘潭人，康熙三十年進士。五十五年命署霸昌道，乘傳奏事。在昌平有冠花翎者數人，稱某王遣來，索修城者金，勢張甚。鵬年僞遜辭，延之入，而陰伏健步，縛置獄中。因馳奏。適某王入對。上示以鵬年疏。曰：無之。曰：然則可聽陳鵬年處分。鵬年杖斃一人，枷四人，徇於城。自是畿甸肅然。嘗進瓜熱河，上命傳諭家僮：汝主官清，不必常例進奉，可將瓜帶歸，以賜汝主。鵬年既受代回京，修書。先正事略。

龔佳育，字祖錫，又字介岑，杭州仁和人。由龍驤衛經歷，累擢山東按察司僉事，分巡直隸通永道，兼司穵運廳税課。佳育周知其弊，騶儈交憚佳育。楊起龍潛京師謀爲變，事發，伏誅，於時告訐者蜂起。民有賽社者，製儀仗迎神，爲怨家所訐。佳育取驗，悉焚之轅門外。富家子爲盜牽連，拘之，則其貌不類，察其僞，令僕三五，偕富家子並立，俾盜識之。盜誤指僕爲富家子，寃乃白。平寇將軍出師，自潞河南下，塗方積雪，佳育念輓夫寒餓，分遣僕隸，載餫饠五車給之，飲以薑湯，輓夫懽騰於路。察哈爾叛，佳育勘羽書，恒至夜分，置郵供餽無缺。晨起，念三河縣令甫之官，未識其人，遂懷白金二鎰，以匹馬自隨，馳入縣城，縣令方詰窘乏策，佳育畀以金，爲區置乃還。蒙古兵經通州，佳育慮爲民擾，列軍校道旁，持白挺，俾按隊入城，擊出隊者，市不改肆。九門水口圮，僉估須七萬金。佳育往勘，謂三千金可集事。修泠口邊牆，估減類是。伶人黃丁者，投旗下，橫行鄉曲，貸錢運户，强留其子女爲僕妾，人畏避之。會軍興有例輸鳥槍者，官議敍。佳育首以百竿進，加二級。吏胥入賀，佳育曰：若等知我意乎？我非藉此爲榮也。令甲責旗人者，當降級，我今可以撻黃丁矣。吏胥多與丁往還，潛誡之，匿不敢出。三等侍衛達爾瑪，詐傳敕旨，佳育解其佩刀，執送吏部。帶經堂集四十六。

王繼謨，□□人。進士，爲霸州道。清約異常，市米蔬，手自正簿。妻命市肉，繼謨視簿，輒抹之。妻怒，誓不會食。既數月，值妻誕日，置酒肉爲壽。妻推案覆地曰：吾此生不食肉矣！繼謨笑而撤之。愚山文別集四。

郎廷棟，字□□□□人。□□□□年爲直隸霸昌道、按察使副使。治昌平州，最衝要，管京城四路捕盗同知，及居庸關、古北口諸塞。廷棟捕治明迅，盗賊屏息。修築永定河張各莊石堤，廷棟厚餼募工，應期事集。上親臨霸州閲視，至信安，當拔支河壩樁，以便舟行。咸以壩解則水急洩，上流之舟必淤阻。大臣將馳奏，而御舟已發，相顧莫敢任。廷棟毅然曰：倘詰責，卽云郎某遲誤可也。既御舟至，投碇，俟拔樁，乃行，亦竟不加譴。其勇決類此。塞外每年例貢皮張，自張家口抵京，千里車贏勞費不貲。廷棟請由驛站遞送，至今便之。歲給各鎮協兵餉，悉如法。又雅意文治，葺文廟，興義學。己卯京闈榜放，臺臣言南人冒北籍應試，内有中式舉人唐執玉、王昌等八名牒，廷棟察治。廷棟以士子獲舉甚難，且率土王臣，何斤斤於此？訪有入籍田土、户口、墳墓，卽不問，再奉駁審南北語音。時嚴寒，諸生窮乏，趨昌平良苦，廷棟乘公事赴京師，集訊審，非南音卽列狀保之。巡撫以清慎勤勞獎勵再四，又數薦於上，蒙賜御書一幅。李紱郎廷棟墓誌銘。

辛文沚，字雲洲，山東蓬萊人。進士，由庶常改知縣。道光五年，擢東路同知。絜己率屬，政聲翕然。通州潞河書院久弛，捐廉爲倡，多延師，備膏火，肄業者數十，暇輒課之，亹亹不倦，成就甚多。遷清河道，祠名宦。通州高志。

馮德峋，字如堂，商城人。嘉慶十六年，援例得直隸通判。年少而開敏，冠其曹。時吉林兵進關捕林清黨，大吏以良鄉首過兵，而令怯弱，須强佐，即使德峋往，兵以不譁。道光二十四年，補永定河北岸同知，改南岸。在北岸時，三角淀潰，德峋冒雨越界防遏，其通判得無坐，而德峋隄亦全。德峋以賢見勞，不自難阻，至非道求進，則夷然不屬，故僅以是官終。梅曾亮馮君墓誌銘。

大興

錢復，字景顔，號蓉裳，浙江嘉興人。其先姓何氏，易自明初，監生。嘉慶初，知吴橋縣。四年六月，擢知大興。大興爲畿輔首邑，逢國大典，皆得執事，未嘗有愆。府尹若戴文端、汪承霈、閻泰和、章煦，皆器重之。一時章奏，每屬裁稿，遇疑獄必詢。有負貴人錢者，繫獄久，復至曰：獄以繫重囚，若所負者錢繫之，錢將安出？釋之，皆如期歸貴人錢。曰：不敢負錢公。黄邨營弁與民争一驢。則曰：吾使驢自擇其主。縱驢通衢，竟奔民家，弁乃服。貴人姬毒婢死，以病報兵馬司，驗如報。婢父不伏，控部。奉旨再驗。事乃白。古北口守備倭什額，與鎮守官角而自刭死。聞，詔揀員往鞫，府尹以復名上，得旨往。鎮守官郊迎，復曰：某小官，固奉命鞫獄者也，敢有所徇？卒訊得實。六年大水，通衢没馬背，邨野不見廬舍，民皆避之高阜，復亟束木筏，載餱糧，出永安門至孫河、黄邨、禮賢、采育諸處，給飢黎，活無算，旋奉旨發帑賑濟，于是宣上恩德，按户給發，吏胥無侵漁，自夏徂春，居鄉邨者六閲月，民困乃蘇。水初發時，在孫河，水暴至，跽水次，願與民俱死。頃刻退數尺。民歡呼，以爲神。九年秋，疾，乞休。錢泰吉先考蓉裳府君行述參采訪册。

宛平

劉峩，字先資，號宜軒，山西洪洞人，明中葉徙單縣。乾隆戊寅知曲陽縣，癸未調宛平，丙戌官順天府南路同知，丁亥調東路。壬辰，官由永平知府遷通永道。戊戌官天津道。旋仍調通永道，官至直隸總督。性伉直，疏疏落落，似吏才不足者。然起家郡縣，周知小民之疾苦與下吏之艱難。官宛平時，盧溝橋尚氏旅店多陰戕過客，没其財，峩委曲發其奸。西山煤礦，多藏匿亡命，峩偵緝，散其黨。官南路同知時，擒白塔巨盜。迨老病乞歸，特加太子少保，致仕没，謚恪簡。紀昀劉恪簡公墓誌銘。按：癸未爲乾隆二十八年。

良鄉

張士彪，遼陽人。李昌垣重修良鄉儒學碑記。順治戊子知良鄉縣。良鄉楊志。按：戊子爲順治五年。先是，官兹邑者，督戈殳，飾厨傳，負弩于輪蹏間，星飯昃櫛，簿獄不暇理，遑問黌序爲？故學宫鞠爲茂草。士彪謂正人心，維士習，必以詩書始，數課士，出俸鳩工，甃絢學宫，賦徭清節，卹羸剷暴。癸巳，遷靖州牧。儒學碑記。

李慶祖，字□福，號玉龍，奉天鐵嶺人，康熙十年知良鄉縣。識通敏，緝逃捕盜，除荒田。良鄉楊志。蘇之屏民瘼議：從來民瘼，關乎國計。就今日之民瘼，今民所處之時勢而備書之：良鄉以彈丸小邑，爲京師屏翰，萬國咽喉，自明季以來，地瘠民貧，莫此爲甚。諸莅茲土者，莫不鰓鰓焉，憂兢兢然慮也。嗣後疊遭兵燹，生民凋瘁，載在册籍者，民不滿八百丁，驛地梗塞，縣治幾廢矣。故前令特疏奏請嚴催協濟車馬官吏，寥寥孑遺，不過僅延殘喘而已。自我清朝定鼎，以滿、漢不便雜居，被圈民地撥補定州，以輸國課，以裕民生，其爲百姓計，周且詳也。況休養幾三十年，宜乎生齒日繁也，俯仰有資也，室家保聚，父母妻孥之慶樂也。何爲不其然也！是豈法之不善與？乃法行而弊滋，奉法者之不善也。何也？民以地爲根本，自宜隨地而居，何以在定者少，而在良者多也？説者曰：一則爲本縣差徭路途阻隔，應當不便也；一則爲祖宗墳墓别離不忍也；一則爲地之零星沙薄，室廬全無，耕種爲難也。於是向定民取租，以完國課，情理亦似相通。不知往返途長，盤費不貲，定民且未必應手而與也。遲延日久，地租未全，而耗費將盡矣。空拳回里，又懼催科限嚴，沿門稱貸，或典妻鬻子，賣身旗下，比比也。詩曰：醫得眼前瘡，剜却心頭肉。殆良民之瘼乎！幸而窮則思變，良、定争訟盈庭，上臺久厭惡之，因俯允良民之控訴，立爲永遠之規則，以定州絶地租銀徵作良民賦税，官收官解，美意良法，孰善于此。是又良民之出萬死而獲一生也。至于丁，則更有難焉矣。册上空名雖有二千餘數，除老弱殘疲，精壯者不過數百名耳。衙役、吏書、壯快等，占用實多，而衙役之苦，又不堪言矣。日行差使，紛紜絡繹，印官親身應付，衙役傳催，少延時刻，官長遭其辱詈，胥役被其鞭笞矣。且借端需索，恐小人之腹難饜也。甚至解京銀糧，晝則查看，夜則巡警，官長且飲食俱廢矣，又何有于衙役乎？更可憂者，起解逃人、盜賊等事，干繫重大，常遇衙門公務，數日不得投文，本身工食有幾，盤費其從何辦乎？其餘老弱殘丁，或傭工以養身，或買賣以糊口，或賃居街市，或散處滿屯，遷徙無常，定居無所，諸如運木修橋，大夫大役，能一呼而卽應乎？甚有一丁逃避，累及里老，害及宗族者矣。古云：鳥驚則飛，魚驚則散。良民之謂乎？予惟目擊艱難，甘苦與共，痛癢相關，故洞曉民情之痿痺，熟觀時事之沈痾，舉筆而直書焉。倘軫念民艱，就目前顛連之形，建奕葉長久之計，以造福于良邑，予其引領望之矣。按：蘇議是荒田當除之證，坿注于此。釁序樓圯，建新閣，自爲記，以勉多士。李慶祖新建魁樓碑記。舊志厄于火，慶祖纂修之，李慶祖縣志序。成册三。楊嗣奇縣志序。

傅作楫，康熙三十六年知良鄉縣。采訪册。敦詩説禮，士風鼓舞。縣南普濟橋圯，行人病涉，作楫出橐中俸，勸盧芝秀等助其不足，砌以石，直接南關。良鄉楊志。

李維翰，鑲黄旗人。捐貢，康熙三十六年良鄉教諭。時縣民子弟不急學，維翰課之勤，而學者苦無書。采訪冊。維翰曰：是運楫而無舟，惡乎可？乃出囊中貲，爲集巨部書二十有八，列目緘之，俾諸生會藝日聚觀焉。李維翰捐藏書籍序。

固安

張夔，江南桐城人。進士，康熙三十七年，由平山知縣調固安。廉得苞苴竇塞之，勸農興學，有廉能聲，擢漳河同知。民立碑頌德，祀名宦。固安陳志。

楊馝，字静山，奉天襄平正黄旗人。監生，十九歲知陝西兩當縣，丁父憂，再補直隸固安，時康熙間也。故事，修永定河，秋汛畢，工興，永定道黄某，役不平賈，遲延及冬，朝涉者皸瘃，馝憐之，許日出後下钁，黄巡工遲民之來，將笞督。馝力争不得，直前牽其馬，至涷溜處，曰：公能往，民亦能往。此時日高舂，陽光熏人，公重裘尚縮瑟，乃責袒肩者戴星來耶？黄大恚，適館張牒，將劾馝。會撫軍安溪李光地過柳家口，聞之，召謂曰：汝年少，然古之任延也。勞以酒，解裘衣之，事得釋。袁枚光禄寺少卿楊公墓誌銘。革陋規，固安陳志。調宛平。固安民以爲大戚，聞宛平吏迎，驚聚而逐之。聖祖獵水圍，過固安，老幼争留馝。上曰：别與汝固安一好官，何如？一女子奏曰：何不别以好官與宛平耶？上大笑，以爲誠。許食知州俸，知固安縣事。墓誌銘。四十三年，以霸州知州攝涿州事。性鯁直，厲廉隅，明于吏治，釐奸剔弊，民甚德之。時有永定河之役，胥吏因緣爲奸。謐按籍選丁，單弱者免，年老癃病勿遣，以故民願趨作。善政所及，雖古循吏無以過之。治涿一年去，民立生祠。（涿州吴志。）謐累官湖北、四川巡撫，乾隆二年罷官，尋遷光禄寺少卿。（墓誌銘。）

鄭善述，字孚世，侯官人。舉人，康熙四十六年知固安縣。厲風操，嚴法紀。時旗丁、河兵錯處凌民，有與民譁于廷者，據理鞭之。受責者愬，賂權貴，訟于部，檄佗邑廉理，不能移其判，怨者慴服。歲修永定河，工料輒取給固安，供秫稭至數十萬，民苦疲敝。爲陳其狀，雖未悉除，而追呼稍緩。禮賢下士，修志修署，建倉廒，百廢俱舉。五十五年，以失出放歸，道旁泣者千人，車不得行，慰遣之。（固安陳志鄭蕉溪先生傳。）

王哲輔，浙江人。進士，乾隆初知固安縣事。有廉名，民或挾私妄控，摘伏如神。任數年，案無積牘，奸猾斂迹。嘗云：人心似鐵，官如爐。人號之鐵匠。自奉儉約，每食飯一盂、羹一椀，出則一老馬、一隸，所至隸供刀七，烙麪作餅，裹胡葱啖之。一日，餅焦，以少許進，詰其故，弗之責。其寬惠率如此。嘗有蝗至自北，禦以鎗卽去，禾稼不傷。（固安陳志。）

陳琮，四川南部人。副貢，乾隆初知固安縣。明于斷獄。匪有號羅成總督者，拘刑之，數年匪類斂跡。四十八年，官至永定河道。固安陳志。

馬同書，浙江慈谿人。廩貢，乾隆□年知固安縣。公廉明決，吏不敢欺。同書故回籍，而韓寨回民强悍，同書懲治，無所瞻徇。卒于官，宦況蕭然。固安陳志。

錢錫魁，嘉慶二十二年知固安縣。秋旱，西南一帶大饑。錫魁詳明，撥漕米二千石于被災村莊，適中之區，煮粥設廠賑之，以紳士司其事，凡三閱月，目擊災黎，繪賑廠圖于册，而爲之説。固安陳志。

鄒敏學，字修來，廣西馬平人。進士，道光十九年權知固安縣事，年甫二十有八。杜私謁，訪利害，案無留牘，吏黠弗之貸，老而訟者不使之跪，朔望課士，謙而有禮，多方鼓勵，士風大振。固安陳志。

張夢麟，江南徐州人。道光二十五年投効河工，權知固安縣事。民情知之悉，恤農家疾苦。秋熟，有因竊禾訟者，必懲遣之。嘗云：野老絶不生事，此輩斂迹，則安堵矣。數月去，百姓思之。固安陳志。

余汝修，江蘇武進人。咸豐庚申署永清縣事。永清著名苦瘠，而民尤好訟。汝修判斷明決，案無留牘，健訟之風，爲之頓息。時值海氛不靖，京師戒嚴。永清距京僅百五十里，一日之間，警報數至。汝修乃倡爲團練，行保甲之法。辛酉補固安。固安爲畿南衝要，事既煩劇，民俗剽悍，素稱難治，奸民及外來游勇，每結黨數十百人，晝夜剽掠，居民商旅，均受其害。汝修履任後，即訪拏盜首王三，星夜搜其巢穴。時盜首率衆拒捕，施放洋鎗，鉛彈飛落如雨，汝修不爲動，格斃從賊數名，擒王三，置之於法。廉知本縣捕役實與盜通，亟置是役於獄，而力行團練、保甲諸法，並厚養壯士數十人，率之巡行村落間，或微服密訪，雖親信莫知所往者。嘗因偵盜遇雨，避禾黍中，衣履盡溼，隨從者皆勸汝修少休，汝修勿恤也。以是備知盜之踪跡，獲盜二十餘起，擢知宛平。是時南路之盜雖平，而東路故多盜藪，西、北兩路，亦時有警。畺吏商之汝修，汝修議設捕盜營，規畫營制二十餘條，其法以伍人爲伍，伍有長；二伍爲隊，設隊長領之；一馬隊、一步隊，合爲一哨，設哨長領之；八哨爲一營，營總一員統之。軍裝器械具備，操演精熟，每一最要處所，駐兵一哨，以保衛閭閻，其餘次要處及大道尖宿地方，亦撥馬兵一伍，步兵一伍，往來巡緝，並製造循環木籤，以護送行旅，分其段落，重其責成，依議行之。不數月，畿輔一帶，遂無盜。丙寅，授東路同知，所屬七邑，多患水災，而三河、寶坻、香河三縣尤甚。汝修籌辦賑務，首捐廉以爲之倡，存活飢民以萬計。遇屬邑案有疑難，輒親提勘訊，多所平反。時捻逆張總愚撲犯天津，比連所屬之武清縣告急，汝修親率民團禦賊於楊柳青。賊衆數萬，隔河欲渡，民團見者皆有怯志，汝修諭以賊不得渡，無能爲害，因多設疑兵，以張聲勢，賊果南竄。光緒四年，在省辦撫恤局，以勞卒。總督李鴻章請恤，特加光禄卿銜。（永清吴志参采訪册。）

永清

蘭第錫，山西吉州人。乾隆庚午舉人，二十七年，知永清縣。永清連年水澇，饑黎無以爲生。第錫牒請加賑，又自爲粥，于路食饑者萬千。明年蝗入境，躬率士民力撲之，一夕蝗盡去，封内草木無所犯，聞者異焉。有劇盜剽掠鄉鄙，第錫聽訟，偶詰得其從徒，具知聚落，卽夜發吏卒疾馳赴之，賊負嵎抗，兵吏畏葸，莫敢誰何，第錫奮入其穴，衆踴繼之，盜魁股栗，悉就縛，無得逸者。縣多旗莊，民間賃租旗地，或狡桀侵擾，民苦之。第錫懲其豪猾，帖然無犯。暇則治學校，課士子。三十年擢大興知縣，士民至今思之。（永清周志。）

畢昌緒，山東淄川人。拔貢，道光二十一年知永清縣。未之官，卽布衣芒屩，潛訪邨落間，稔民利病。蒞事果斷，人稱神明。强梗聞風屏氣。縣城地勢汙下，又當桑乾下游，昌緒曰：脱遭河患，土城得毋成巨浸乎？爰築隄堰。是年永定河決，縣南數十邨罹水患，炊煙多不繼，昌緒請賑，先罄橐中俸給饑黎，不足則搜括衣物，納質庫。鵠面菜色至前者，輒流涕温卹之。民走相謂曰：父母愛我如此，填溝壑何恨！任數年，民德之甚，爲立去思碑。永清李志。

延彩，字紫均，山西人。進士，道光二十五年知永清縣。旱久，彩下車即祈雨，日三皆步行，故鄰封未雨，縣雨獨盈尺，百姓懽忭。蝗，親捕之，葛袍草笠，督率隴畝間，民獻食，率麤糲，和涼水咽。遘疾，卒。蝗不爲災。永清李志。

戴沛，字心田，雲南文山人。舉人。咸豐二年知永清縣時，大兵四出，供張絡繹，沛念磽瘠不堪供億，罄橐以代民累，它州縣或不勝擾，永清作息如常，催胥未嘗一至。里民欣相謂曰：我等擁倉箱，坐視父母傾囊橐，忍乎哉！于是踴躍輸償，俸外尚贏倍蓰。沛卻不得，儲之爲民應徭役，民歌之，勒碑。永清李志。

蔣元瑞，字子珍，浙江餘姚人。舉人，咸豐七年知永清縣。善理繁劇，明聽斷，培植士類。七年，蝗，令民捕之，償以資，罄橐中金二千有奇。金盡，焦灼甚，忽有鐵雀無慮萬餘，啄蝗，不爲災。民德之，爲作鐵雀歌。永清李志。

李秉鈞，字衡如，湖北漢陽人。軍功，同治七年知永清縣。性果敢，勇于任事。下車即度地勢，修護城隄，植以柳。工甫竣，而永定河決，城賴以安。鄉之災黎巢樹巔，秉鈞重資募艘數百，艘置食物，親率以拯，出入洪濤中，幾覆者再，全活無算。秉鈞起家行間，然重文教，籌添書院費，增義學三，復建養濟，置義塚地一。調武清，再調薊州，均回任。十三年，修永清志，未成，卒于官。永清李志。

東安

陶弘才，字君實，浙江會稽人，勇，善搏，受學抑損若懦夫。順治五年，爲東安典史，遇事敢爲，知縣重之。秋，大飢，賊劉東坡恣掠渾河左右。冬十月，虐延東安，民皆汹汹懼。知縣以事赴保定，賊攻城急，弘才升知縣堂，伐鼓集衆，誓曰：弘才雖下吏，亦天子所命，義當死爾，百姓有能殺賊者從。衆皆曰：公莅東安，適歲祲民飢且死，大尹卧病，公慨然爲民狀疾苦，伏撫轅三日，獲請，生乃公生，死隨公死，今日惟公命！于是率軍民三百，突西門出，奮擊賊，斬首數十，生擒四以還。賊轉攻，且誘之戰，僞北。弘才追之，至落垡郙西坂，忽黑霧漫天，咫尺兵刃不得見，從者潰。弘才匹馬衝突，當者披靡，卒被執。賊見弘才義勇，欲降之，弘才厲聲裂眦，奪刀刺賊，不中，殺賊數人，遂自刭。賊怒甚，醢之，懸頭于纛，示城中。城中人皆震哭，塞門增堞。會知縣請兵至，賊遁，滿兵駐防始此。弘才貧，年三十八未娶，惟一僕，力不能上聞，民私祀之，歲奠無不泣下者，至今猶道忠烈弗衰。當弘才死時，一少年聞之悼甚，操戈往，門塞不得出，號呼從城上躍，腸裂死。陶自新陶弘才傳。

宗良弼，河南滎澤人。進士，順治九年知東安縣。有訟數年不決，良弼廉得狀，立決之。吏畏民懷，祀名宦。東安李志名宦。

王士美，江西金谿人。康熙十年知東安縣事。自奉若寒素，或以苞苴干，痛絶之。有惠政，民頌之爲慈母。修縣志，詿誤去。事白，補山西聞喜知縣。東安李志參王士美志序。

李光昭，浙江山陰人。監生，武清縣丞。乾隆八年遷知東安縣事。先是，五年之間，易知縣凡八，如宿郵舍，事乃叢。東安地瘠，間有腴壤，旗莊十之六，永定河自西北逕其東南，潦則田爲藪澤，民益病。光昭下車，搔癢櫛垢，因勢利導，民便之。明知縣陸燧所建金臺書院，鞠爲茂草，又前知縣張拔所建義學，亦日就圮，光昭捐俸葺之，置地爲膏火助。十四年，纂縣志告成，東安李志參重建小西街義學碑。明邑紳李侃墓，久爲鑲白旗石姓圈地，犂幾及壟，光昭檄典史，封殖其墓，禁耕侵。東安李志。

莊鈞，字振和，號穀坡，武進人。少育于外王父劉文恪於義。乾隆初，於義修畿輔河道，鈞年十九，隨幕府數言水利事，奇之。直隸總督方舉能任河工者，上其名，補霸州州判，卓異，遷知東安縣。既明習水利，又長于治民，有殊績，而性謙謹，未嘗自言。河水暴出，鈞乘小舟渡，及中，舟覆，僕役皆溺，有躍而呼者曰：此吾賢父母也。遽入水，負之出。官至濟南知府。張惠言濟南知府莊君傳。

香河

呂起渭，字東海，遼東人。順治元年知香河縣。嚴明剛斷。時盜賊蜂起，督材官鄉兵，隨機勦捕，威望大著。遷涇州知州。累官廣平府同知。香河劉志。

佟鳳彩，字高岡，遼東漢軍正藍旗人。生員，少理事内院。順治二年，以才知香河縣。仁慈而鎮静，未嘗遣一追呼，役民苦徭，去其甚者，與民相安。行取御史，累官河南巡撫。卒，謚勤謹。一統志。其後有劉棟、劉一玿、姜調鼎、丘應登之倫，治縣事與鳳彩相頡頏，有古長吏風。棟，字粱選，遼東人，遷龍門知縣。一玿，遼東人，卒于官。調鼎，浙江遂安人，選貢，河工詿誤，降掖縣縣丞。應登，福建汀州人，舉人，引疾去。香河劉志。

劉深，字源長，淄川人。康熙甲辰進士，十四年，授香河知縣。香河地久爲八旗屯牧，其民多爲宗室佃人。深嚴立科條，不畏强禦，旗人凜然亡骫法者。縣西四十里爲河道，通津，會滇閩作逆，朝命禁旅往討，浮戈船南下。深慮民失農時，且不任挽送苦，多方籌畫，募市井丁壯代之，事蕆而民不知役。修縣志。治香河三年，惠政不可殫紀，民尸祝之。帶經堂集八十五。

通州

張斌，奉天人。順治三年知通州。廉絜静鎮，不徇左右一語，出入減騎，恐絲毫擾民。有訟者，輒化導之，刑不輕用。擢昌平道。去之日，民多泣下。通州高志。

閻興邦，字弢仲，號梅公，宣府前衛人。舉人，新城知縣。康熙十年，通州缺人，巡撫以興邦上，部議格于例。聖祖仁皇帝特旨俞允，擢知通州。首務教養，實心實政，士民利賴之。十三年，兵道州境，躬爲經理，閭閻無擾，葺文廟，修州志，興廢舉墜，報最。去後，建生祠。累官貴州巡撫。（通州高志。）

于成龍，字振甲，奉天蓋平人。蔭生，知樂亭縣。康熙十八年，擢知通州。當地震後，席棚以居，爲災黎區畫生計，均賴以安。重建文廟，其它圮者，靡不整。立義學，擇師，俾州之子弟有所造就。善治獄，忠信明決，頑梗皆服，盜裏足不入境。時直隸巡撫，同姓名，多惠政，民有前于、後于，百姓安居之謡。二十一年，遷江甯知府。州人建生祠祀之。歷直隸巡撫，官至河道總督。卒，謚襄勤。五十年，祀名宦。（通州高志參高天鳳重修于襄勤公祠記。畿輔唐志入名宦。）

傅澤洪，字育菴，奉天人。康熙二十一年知通州。公正清廉，均田輕徭，鋤姦決獄，無少徇。以詿誤去，士民叩閽請留。上諭有居官賢良之獎，改知涇縣。去之日，州士賦詩以誌其思，民攀轅泣送。累官揚州知府，著有餘謡集。（通州高志。）

徐人望，直隸祁州人。舉人，康熙間通州學正。性和煦，如遲日春風。課諸生，切究義理，爲講行文繩尺，娓娓不倦，多所造就。好周貧士，嘗舉漷邑學田稅分給之，已則絲毫無所取。士林重之。通州高志。

杜鴻佩，字金章，山東歷城人。監生，康熙二十五年通州吏目。有治才，勇于任事。三十二年，勦噶爾丹，聖祖仁皇帝命巡撫都御史于成龍督運，成龍廉知鴻佩才，疏特薦，賜宴及文綺，充運糧官，儹運至二十七臺，皆如期納。居州尉十餘年，盜戢民安深被其澤。凡監修學校、橋梁，絜己董率，循聲翕然。通州高志。

王光謨，字定菴，奉天人。廕生，康熙三十一年知通州。公正廉明，民苦徭累，興利除弊，不遺餘力。好揚孝友節義，敦世勵俗，有古循吏風。遷江甯知府。去之日，士民感泣，建生祠，祀名宦。通州高志。

陳廷柏，字新甫，奉天人。監生，灤州州同，康熙三十一年，調通州州同。性明敏，善理繁劇，贊轄漕鹽諸務，恤運役，革陋規，釐剔鹽弊，以廉幹稱。嘗攝州事，政聲卓然。民皆悦服。通州高志。

吴存禮，字謙之，號立菴。奉天錦州人。貢生，歷廣宗、清苑知縣，康熙三十五年，擢知通州。有守有爲，殫心吏治，善折獄，雪寃不以催科擾。興起教化，明倫堂久圮，首建之，立義學。通州高志。周貧士，拯流離，肅吏胥，施棺藥，設義塚。杜馨吴公政蹟碑記。州志創明嘉靖間，久殘缺。前知州閻興邦輯稾十三册，存禮損益之，付梓。治三載，遷去。州人士勒政蹟碑。官至江蘇巡撫，祀名宦。高志。

靳讓，河南尉氏人。進士，官御史，康熙四十年，出知通州。加意學校，興仁興讓，俗爲之移，釐姦剔弊，曾不稍假顔色，百姓奉之如神明。歷廣西，浙江學使，祀名宦。通州高志。

許毓芳，江南宜興人。副貢，康熙四十二年知通州。不受苞苴，善政以次第舉。如立留養所，設義塚，其存心惠愛類如此。今八蜡廟中州人塑毓芳並知州王友直像祀之，入名宦。友直，奉天人，四十五年知通州。通州高志。

黄成章，字子達，四川綿竹人，舉人，通州高志。康熙五十五年知順義縣。立學宫牆，建倉廒，每丁向有火耗一分，成章請革，永爲例。城西郭地處窪下，沿城周道，爲水衝裂，成章捐俸築高隄，以障狂瀾。有以賂進，絶之，掩骼，纂縣志。順義黄志。五十八年，直隸總督題補大城知縣，疏内稱其居官勤慎，才猷練達。趙弘燮題補大城縣知縣疏。雍正元年，擢知通州，廉絜有聲，性仁厚，律己廉絜，切于爲民。向無火耗，上官檄解，立請得免。州衝繁，差務絡繹，絲毫不以擾民。治獄平允，務化導，俗爲之移。勵士尚實學，月課季考，人文日起，樂彰潛德，每遇窮簷苦節，輒親詣其門，慰諭交至，書額旌之。彙康熙三十五年後名宦、鄉賢、孝子、節婦爲一編。修城樓、新學校、葺祠廟、建坊表、治橋梁，靡廢不舉。在任五年。去之日，囊橐蕭然，州人如失慈父母，泣送者數千人。高志。

巫櫰孫，字甯葊，江南廣德州人，進士，湖南桃源知縣。雍正元年，補通州州判。雅湛經術，轄理壩務之暇，以厚風俗、勵人文爲己責，嘗著孝弟、忠信、禮義、廉恥與夫勤儉各箴，申勸不倦，分立蒙經、義學，捐俸延師，俾州人子弟，負笈肄業，造就甚衆。通州高志。

杜甲，字補堂，江南江都人，貢生，乾隆六年知通州。洞達治體，政皆裨民，善聽訟，剖斷如神，獄辭必手繕，胥吏不敢爲姦。境有積匪，懲治殆盡。坐糧廳檄添油税，力請得免，例禁錢販堆積，役每借擾，禁絶之。時山左饑，流民踵至，于東關蓋棚數千安插，晝夜督治。潞河書院捐俸延師，助諸生膏火，士林感受其惠。遷東路同知，歷河間知府，州人爲建生祠。通州高志。

曹元端，字侣白，江南歙人。舉人，所至多善政。乾隆三十二年擢知通州。嚴絶苞苴，遇千請，輒逆折之。除稂莠，安善良，人有夏日之畏。差務不擾，用夫必重其直，民樂趨事。市銀輕重不均，爲定官砝，商民俱便。重修文廟，振興書院，造就者衆。留養局久圮，賃屋苦不便，擇地搆局，俾棲止。三載擢南路同知。尋調東路同知，遷宣化知府。通州高志。

高天鳳，字吾莊，江蘇長洲人。乾隆四十三年，臨榆知縣，擢知通州。爲政順民情，不事煩擾。折獄除奸，無少徇。州當孔道，苦差徭，捐備官車，以應雜役，民稱便。葺學宫，修州志，繕常平倉，修烈婦葉氏祠，置試院器具，實心實政，以次舉行。士民請祀名宦。（通州高志。）

李宣範，字蕁村，安徽宣城人。供事，議敘試驛丞，補房山縣丞，調自南昌，徙密雲縣丞。地瘠，歲屢旱，村逃市空，自免去者三。令宣範狀厥事于大府，卽以之宰是邑且賑之，蘇枯贍災，民以大和。捐金五百兩建書院，民慕效者七千人。又建義學，由是縣有鄉舉士。徙知寶坻，蝗四起，人見蝗聚如車輪，浮水東去，時道光間也。遷通州知州，修文廟，備祭器，時訟未決者千事，宣範日夜裁判，以鄉村遠近定傳訊日期，被告在城者，手書付原告呼之，民感甚。千總誤捕人，宣範釋之。上官曰：此總督意也，擅縱懼雷。宣範笑曰：某所畏者天上雷。俗以上官嗔爲打雷也。十八年，徙涿州。刑威不假，然人亦不能欺。訟者或持牒逕訴，隨陳利害，輒釋然去。是時政聲已浸淫上聞，授松江知府。宣範所至，必自刻厲，務有以益民，于名節尤重。密雲張生，死于義成，立其子于通州。建閻忠烈祠，修烈婦葉墓。去寶坻時，邑人送者，皆百里外。通州失捕賊，寶坻人購得之以報。涿州人感亦如是。去後，令者亦難爲功耳。蓋其邑士大夫言如此。（梅曾亮李）

蕁村墓表。按：墓表云，于通州志補閻忠烈傳。

三河

王元魁，遼東蓋州人。生員，順治初知三河縣。正疆界，定版圖，抑豪勢，撫流亡，擿伏如神。樂周寒儒，振作文風。時胥吏舞法，元魁廉得其狀，重治之，士民歡呼。三河陳志。

成王臣，河南河內人。舉人，康熙二年知三河縣。蒞官三年，未嘗以一役擾民。訟無滯，片言輒折。澹泊自甘，然倉儲積漸盈，差務咄嗟立辦，所謂廉幹，非耶？遷景州知州。有去思碑，記德政凡八云。三河陳志。楊正中成公王臣德政碑記：公中州望族也，辛卯薦于鄉，膺命來治洵邑。莅任之始，慨然歎興，茲邑地瘠民貧，衝當孔道，聞而識之者有年，不謂凋瘵若此。鄭監門應上圖者語于衆曰：國家興百利，不如除一害。蓋以利興弊將隨，害除即以利民也。爰詢疾苦孰爲亟。僉謂車馬之在民者，害百倍，聞言悚息。云驛傳車馬俱在官，奉綸已久。三河彈丸之地，去京師僅百里，胡敢偏累吾民？收公廄，民自無鞭箠之苦。德政一。舊例，社撥一役催糧，謂之原善，歲更十有八役，日至其門而督之，民供應不暇。昔人所以有願捕蛇者。飭令停止，民無追呼，公輸更捷。德政二。向來收糧，公耗外復有私加。忽抽查間有增重者笞之，自是親行兑閱，蠲耗平收，執衡者不得高下其手。德政三。兩造質成，素憾差拘，私禁之弊，動費金帛，痛加革除。且涇渭既分，人無寃滯，獄稱平允。德政四。日用所需，時價公買，有虧其直者，重撻於市。由是畏法，貨殖得平。德政五。大軍運石於皇陵，石重千斤，臨境至河，天寒水冽，御者恃欽工索夫百餘，挽車渡，民皆膚水股栗，齒觸有聲。問：不以畜而以人？曰：防水激也。詰曰：畜貴于人乎？叱夫回，力抗不應，車卒自行。德政六。修葺孔殿啟聖祠，春秋享祀豐潔，待師生以優禮。德政七。市廛之地，有架滿僕者，聚夥奪人物，急趨匿，日中幾罷市。令善役巡輯，扭責數次乃止，商賈貿易得安。德政八。至於門盤夜禁，勸農化俗，良法難更僕數。二年餘，歲稔盜息，含鼓耕鑿，地不患瘠，民不憂貧，差不苦衝，熙熙太平景運，何莫非我公深仁厚澤之所被也！邑人士有扶杖住聽，願觀化成之意，爰勒諸石，以誌不忘，兼俟繼美之觀法者。

任塾，字鶴峯，江南懷甯人。進士，康熙十三年知三河縣。蒞政八年，月穀備賑，設汛防奸，舉節孝，恤困窮，免追呼，平訟獄，資貧士，修學校，養人材。值十八年地震之變，百計撫綏，民頌德弗替。遷知磁州。（三河陳志，任塾地震記。）

彭鵬，字奮斯，（先正事略。按：事略又云：號無山，一號古愚。三河陳志，字兼山。）福建莆田人。（三河陳志。）順治十五年舉人。康熙十三年，逆藩耿精忠逼受僞職，椎齒，卧不起。（事略。）二十四年（陳志。）謁選，（道古堂集三十五。）授三河知縣。三河地瘠，當要衝，旗民雜處，（事略。）驛路衝疲。鵬至，建黌宮，設義學，（道古堂集。）置延師膳田，春秋糧未嘗設一卯比，一役火耗，革之。陋規，又革之。云使民苦，甯使官苦。保甲弭盜，分八路、十五鄉，設守望樓八百。（胡繼芳彭公生祠記。）減驛累，禁拷索。詰冒充黄帶子之游棍。（道古堂集。）拊循釐剔，不畏强禦，有中夜矯傳内旨者，延與語，陰遣人發其橐，得奸狀，寘之法。（事略。）御前放鷹者至縣，使索餼，牽蹶于庭鞭之。（道古堂集。）每治獄，發摘如神，吏民不能欺。鄰邑疑獄，檄往輒白冤。（事略。）杜絶請託，日食虀鹽。（徵存録。）有時絶糧。巡撫于成龍特薦之。（道古堂集。）二十七年，聖祖東巡，駐驛三河，召問民間疾苦及在官狀。賜帑金三百。諭曰：爾居官清正，不愛民錢，以此養爾廉，勝民間數萬兩多矣。明年，順天尹許三禮，劾鵬讞獄遲玩。詔于成龍察核，白其枉，部議落職，詔降一級留任。（事略。）歷任一十四年，（道古堂集。）積降十三級，（事畧。）議調十，議削二，聖明洞矚，皆免。命吏部郎赫申，兩日馳七百里，口傳上諭，詢撫臣彭鵬爲人何如？居官何如？居官好處是如何好？九卿列薦十一人，大司馬李天馥啟奏鵬名。上曰：朕召見久知之。於十二人中特簡四人，鵬第一，邵嗣堯、陸隴其、趙蒼璧皆御史，鵬特以給事中用。道古堂集。將行，三河民乞留，有清慈仁義，公明勤樸，八真之狀。立生祠祀之。陳志參生祠記。三十九年，調廣東巡撫。諭大學士等曰：彭鵬人材亦甚壯健，前任三河縣時，但聞有賊，卽帶刀乘馬親往擒拏，毫無畏懼，朕深知之。漢名臣傳。

高蔭爵，奉天人，監生，康熙三十三年知三河縣。沉毅端方，執法平恕。故事，滿營俸米，采之里社。蔭爵慮累民，毅然自辦。時西征需車，亦供自囊中俸。百姓若無聞者。遷南路同知。三河陳志。

熊繹祖，湖北人。拔貢，乾隆十年知三河縣。性果決，多所興舉，如學校，公署，治南大石橋，俱葺之。治民明察，然寬恕。去之日，咸走送泣下，至今感之。三河陳志。

劉寶楠，字楚楨，江蘇寶應人也。道光二十年進士，授直隸文安知縣。文安地故窪下，隄堰久不修，遇伏秋水旁溢，爲居民害。寶楠視履隄防，詢知疾苦，令甲凡隄工、旗丁及民均資修理。如令施行，而旗丁怙勢，不出佽助，相爲觀望。寶楠執法不阿，工賴以濟。在縣三載無水災。再補元氏。咸豐元年，調知三河。值東省兵過境。故事，兵車皆出里下。竇楠謂兵多差重，非民所堪，遣往通州雇車，應差給以民價，空車減半，民得不擾。在官衣冠樸素，如諸生時。勤於聽訟。官文安日，審結積案千四百餘事，每雞初鳴燭入，嘬食少許，興坐堂皇，兩造既備，當時研鞫，事無鉅細，均令具結，口授結狀，或予紙筆，當堂收結，毋許吏胥譏言。凡涉親故族屬訟者，諭以睦卹，槩令解釋。訟獄既簡，吏多去籍歸耕，曹舍晝閉，於是遠近歙然，箸循良稱。五年九月卒于官。先没七日，自譔墓志，祀先正祠。所箸書甚夥，有文安隄工録六卷。戴望劉君事狀。

武清

董起運，陝西乾州人。舉人，順治十年知武清縣。息民困，培學校，刑不輕用。蒞事五載，致仕歸，囊空如洗。士民感德泣下。武清吴志。

程上瑞，陝西鳳翔人。恩貢，康熙元年知武清縣。廉且清，革羨耗。旱，步禱，甘霖立沛。蒞任五載，遷户部主事。武清吴志。

鄧欽禎，廣西全州人。舉人，康熙十年知武清縣。廉明慈愛，緩徵均徭，獄訟衰息。蝗蝻生，將害稼，欽禎步禱，蝗不爲災。盜案詿誤，解任，旅居蕭然，士民感泣。武清吴志。

祖應世，字夢巖，奉天甯遠人。監生，康熙二十二年知武清縣。性公且廉，有惠政。興學校，減徭役，以强項降調，士民思之，爲立祠。二十九年，巡撫于成龍察應世功在武清，民籲保題復任。三十五年以治行調大城。三十八年調固安，明年知通州。武清吴志參趙珣祖公生祠碑銘、李遠吕來亭詞、陳信瘦槐軒記。

章曾印，字宸書，歲貢，浙江會稽人，康熙三十六年知武清縣。才練識明，下車即剔積弊，如蠲耗羡，覈驛騎，陳馬廠，剥船，其彰彰者，所興則築隄、建廨，延社師尤重學宫。去之日，尚分橐中俸交攝學務，通州學政耿潰，繕厥未逮。先是，水旱頻仍，鵠面者相望，出己資倡賑，設粥于路，存活無慮數萬。以事降，百姓如失怙恃，迎蹕保留。報可。以艱去，民立去思碑。武清吴志參去思碑。

胡紹安，浙江平湖人。進士，康熙四十六年知武清縣。有德政。初，糧船轉衛，派置剥船，免糧無幾，而民累甚。紹安痛陳其弊，絶苞苴，撫流離，息爭訟，修學宫，建八蜡廟，民到于今樂道之，祀名宦。武清吴志。胡紹安痛陳剥船苦情詳文：爲恭宣聖恩憲德之深，備陳剥船地户之苦，仰邀鑒照，永荷安全事：竊照順治初年，因念每歲糧船轉衛，恐有淺阻，於順天府屬之永、東、香及通、武、寶就近六州、縣，僉派紅剥船六百隻，每船各准免地糧十頃，以供剥運之費。立法之意，未嘗不欲軍民兩便也。無如所免之糧額有限，剥運之賠累無窮，其間僱覓船户，盗糧棄船，一惟地主是問，因而追提敲扑，中人之産，半耗於賠償，詩禮之家，盡陷於縲絏。此種情形，纂入縣志。康熙九年間，科臣趙之符，有敬陳近畿剥船之累等事一疏，條奏不便於民者八。原疏甚悉，部議不行。至康熙三十九年，蒙倉場總督石口爲請更剥運之例，以恤軍便民事一疏，奉旨議復。將剥船停廢，原地陞糧，小民得豁五十餘年之積累，無不咸慶更生。正在感恩戴德，未免痛定思痛，何期意外追呼，又復接踵而至。如奉文駁增科則也，前照原額免糧，今照原額陞補，全書開載，原難異同，祇因一應文案，久經湮滅，不能備細登答，然就今部文，但以俱係剥船，地畝何得又有每畝徵糧八釐之地，殊不知應船之户，止有此輕糧下地，焉能必其畫一？且當日愚民無知，見糧輕地瘠、出息無多，惟喜免糧，罔知船費，其歷年之苦，甚於别船，今復責其加科，則其苦更不可勝言矣。此加增科則之難，實爲累民者一。如奉文剥船變價也。當日僉派剥船，原照地畝承應，焉有底船可變？今部駁以漕運議單內有紅剥船，每隻原定料價銀八十五兩，按照此數行追，殊不知此項剥船，乃地户僱覓，似與漕運議單無涉，況大凡船隻，即發帑成造，而三年小修，五年大修，十年拆造，亦無追變原造之價，而此項剥船，誰爲小修、大修、拆造？而歷今五十餘年，尚有底船可變乎？是即使官造，已不可問，何況向係民僱乎？今雖會報，每隻捐賠銀十兩，而各船地户零星散處，問一到官，亦無可如何，即剴切曉諭，亦惟有貌相承而已。及至勸令捐賠，力不能辨，稍加督責，哀籲堪憐，此剥船變價之追，實爲累民者二。如奉文查地，可否設立屯莊也。查此項船地，向係民産，自應歸還原業，苦又撥給莊頭，小民有失業之苦，憲臺原詳甚明，院憲題覆倍切，今准部文查看，而此項地畝或有數十户湊成十頃者，有轉售與人以脱卸船累者，有子孫相傳分管者，有展轉脱散茫無著落者，且俱零星磽瘠，即間有一二頃同一地名，仍多間雜他人地畝，或廬或墓，或三坵五段，多至一二十段者，名在一處，地仍錯雜，業非一主，種非一家，焉有一片成頃之好地，可立屯莊之處？況民聞查地，羣驚失業流離，奔走哀號，追無虛日，惟向卑職泣訴前情，以爲民等素有之地，因剥船免糧，苦累五十餘載，今反因此加科，又追船價，且將割去原業，何處安身？是受苦於承應剥船之時既久，而受苦於停廢剥船之後更慘矣。此查地設莊之慮，雖未確實，已爲民累者三。卑職到任，奉行幾及一載，以上三累，雖俱分頭細查，分案報覆，然以六州縣相同，而卑職又以後來末吏，何敢妄爲率瀆？今見各地户如此情形，而聖主豁免剥船之恩，民勿覺也。憲詳院憲題請民地歸民之德，民勿知也。即卑職一一告語，諭以旨憲恩德，民勿信也。是上不能宣布德意，下不能通達民隱，皆以卑職不言爲罪矣。更有苦者，武邑民地，旗圈已去八、九，止存一、二分，爲旗所棄之零瘠地畝，而復爲剥船所苦。且船地雖有六處，而武邑偏多至二百三十八隻，較之五州縣，而武邑已居其四，别邑每船十頃，俱係大地，武清俱係小地，又止三分之一，是派船獨多，免糧獨少，苦中之苦，備詳邑乘，無怪乎數千户民人怨慕泣訴，有不遑朝夕之勢也。伏覩憲臺院憲，憂民愛民，極其深切，歉收則開倉煮賑，徵銅則便富恤貧，舊逋緩徵，新糧撥墊，無不一疏再疏，推恩保赤，皆朝拜奏章，夕奉諭旨，明良遇合，千載一時。況此船地顛末久在憲臺洞照之中者乎？今卑職除加增科則，另備文册申送外，其剥船變價，實難追解。伏思朝廷額賦，動蠲百萬，諒此五、六千兩無船之價，豈堪困此窮黎？尚邀憲恩，轉詳院憲，次第入告，猶可冀望豁免。獨此查地設莊之處，於地户最爲隱憂，最爲迫切，仰祈憲臺電鑒輿情，特疏再請，得蒙浩蕩之皇仁，俯恤窮黎之痛苦，永歸民業，咸獲甯居。并懇批示慰諭，俾各安心耕鑿，勿事憂惶，則民心愛戴，倍仰始終再造之洪恩於生生世世矣。

陳愓，字廷敬，浙江山陰人。監生，乾隆元年知武清縣。初，河工秫稭，臨時采之村落，差至如虎，弊竇乃滋，窮黎且有焚秫稭求免累者。愓備陳厥狀，請先發價買交之工。王慶坨營近三角淀，雈苻易爲患，立哨船，衞民也。船毀借自民，遂成例。始役船，繼役民。前知縣章曾印量工給食，困稍甦，後集資造哨船如初。都司陳元彬，詳剔前弊。惕恐久後累民，永革之，裁里書，汰幫貼，民稱便云。武清吴志參陳惕備陳採辦秫稭累民詳文。曹傳王慶坨營豁免民船記。

吴翀，江蘇如臯人。拔貢，乾隆四年爲永清縣。先是，夏初輒派民夫預守永定河隄，白露爲期。翀上議曰：夏汛正值農忙，勒令坐待未必然之水勢，是驅力作之身，處閒散之地，其不便一；丁壯既拋田，勢必傭工代作，其不便二；夏秋株守，必備供役之饔飧，民力幾何，堪此苦累？其不便三。然置水害于不問乎？是又不然。永定河兵六百，乾隆三年倍其數，汛期官弁董兵，分段防守，不爲不周矣，況附隄之民，更可響應哉！爲民請命，請飭立案。蝗力捕之不爲災，建八蜡廟，七年修縣志。武清吴志參吴翀請免永定河派累民夫議、建八蜡廟碑記。

李騰蛟，字鼎北，號辛峯，山西芮城人。乾隆辛丑進士，知任縣，采訪册。改任武清。河流漲溢，浸五百餘村。騰蛟晝夜焦勞，五閱月衣不解帶，檢災必親往，發粟必親監，胥役無所用其技。民以大甯、武清背海面河，鹽梟强悍，多爲患閭里，故號繁劇。例以練達能吏調治斯土，然能吏老於世事，每以安靜自全，恐激而生擾，弗治也。至其蠶食鄰封，猶秦人視越人矣。騰蛟戢之嚴，桀黠皆斂手。有巨盜李甲，作姦於甯河，竄伏於武清，伍伯懾不敢捕。騰蛟廉得其實，親率數十役，夜入其窟，竟弭耳就縶，四境以安。非定識定力弗能也。遷楊村管河通判，歷官遵化直隸州知州。（紀昀鼎北李公墓表。）

朱杰，嘉慶年知武清縣。多惠政。六年，大水逾城堞，災黎巢高阜樹巔，杰遽發倉穀食之，艤舟坿堞，縋而下，出入怒濤，全活無算。以事降調去，民詣上官泣留。（武清采訪册。）

劉體仁，字樂山，四川人。嘉慶辛未進士，庶吉士，改官知懷柔縣，調武清。訪民疾苦，請減酆莊、東沽港諸邨地租二千有奇，定爲例。積欠逾二萬，悉免之。孝里邨寺僧，巨猾也，擁厚資，起層樓，恣爲不法，無敢問者。仁置之法，籍其産，收穀存之義倉。修文廟，拓書院，立學田。士民歌之，裒爲集，署曰雍陽頌聲。（采訪册。）

吕詔安，字伯□，安徽人。舉人，知武清縣。旱，祈雨不應，遽報災，請蠲，罄囊以賑。時有富者搆訟，欲因其拮据，動以重賄，詔安痛絶之。去之日，民泣下。（采訪册。）

胡啟文，字隨季，河南人。進士。知武清縣時，盜風熾，啟文夜巡，靡僻弗至，捕則以身先之。縣被水，啟文單騎裹餱，遍撫邨落，渴汲水飲，民烹茶進，弗受也。髮匪時，据静海，大兵往來縣境，啟文罄囊爲供億。練團練，嚴保甲，詰間牒，士民安之。調知大興縣。父老有哭失聲者。（采訪册。）

寶坻

薛良心，遼東人。順治元年，授寶坻知縣時，百姓轉徙，境内一空，良心勞來安集之，每諭民父詔兄，勉其敷政，以寬爲本，曰：元氣未易復也。百姓僉曰：薛公生我。明年政最，擢蘇州同知。寶坻洪志名宦。

孫必茂，陝西人。順治初延訪人材，陝撫以必茂應。三年，知寶坻縣。前知縣薛良心擢去，民若有失，慮無繼者。及必茂至，寬大一如良心，民大悦。必茂曰：薛治不可易也，惟民未知禮，當導以學。每朔、望，集衆申訓之，聽者歡忭。及期，擢衡州府同知。寶坻洪志名宦。

萬全，字明宇，旗人。選貢，寶坻洪志。廉且謹。杜立德萬侯門祠碑。初，寶坻令薛、孫相繼，以養以教，有起色，然薛任二年，孫一年耳。順治四年，聞代者旗人，民恐旗丁有所左袒，卧不貼席。全至，開誠，一無偏徇，民乃服。全醇厚廉謹，不欲民有訟，每兩造對簿，輒反覆諭，不聽，則涕隨之，犯法者亦惻然。恤治數年，勸農桑，興禮讓。遷御史。邑人懷之，建生祠。官至雲南布政。寶坻洪志。

毋鶴慶，天津人。歲貢，順治四年，寶坻訓導。時知縣萬全，方拊循士民，鶴慶復多方以訓，風教始此。學宫圮久，鶴慶葺之，轉教諭，遷知金鄉縣。寶坻洪志。

蕭蕙，大湖人。歲貢，順治十年知寶坻縣事。簡静不煩。猾吏以其長者稍稍易之，蕙廉得其舞文狀，置諸法。遇縉紳，温温謙退，或以私干，必力抑之，由是奔競路絶。邑有工部地，窪而腴，數百家恃隄以障，隄壞，紳杜立德倡修。蕙大發夫助之，數十年不潰。引疾歸，民惜焉。（寶坻洪志名宦參大學士杜立德工部地修隄記。）

路坦，三韓人。監生，康熙中知寶坻縣。（寶坻洪志。）不煩不擾，興利除害。（革巡夫説。）立義學，（坦有義學記。）革巡夫。（坦革巡夫説曰：余令寶坻四載，知邑之民淳俗厚，恆勉于急公好義，是以士農工商各肆其業，無相驕梗焉。雖不敢云鳴琴雅化，亦可謂不煩不擾，咸安于無事之天者也。間嘗簿書之暇，静坐以思，興一利不如除一害，然而除一害又欲其盡，必使根株悉拔，不致復滋，始快意焉。即如寶邑守夜巡城之夫，力役雖微，釀害甚大，遍查舊志，原無此例。起自康熙七年，洪水衝頽，城垣缺陷，居多相議，暫借民夫以供巡守，孰知以一時權宜，遂成莫挽之害。且以寶邑煙户，不過千家，而貧不自給者十之八、九。五日一輪，已難支應，加之保甲撥派，不無借端挪移，希圖罔利之弊，煢煢孑遺，俛首就役，莫敢辭勞，其苦甯有底止者哉？以故閤邑士庶公呈在案，咸稱舊有營丁，嚴守門禁，以防奸宄，夜有民壯遊巡城池，以司更漏，各食工食糧餉，正所以衛民也，今乃役及煙户，實所以擾民。余目擊其弊，出示禁革，無爲來年之待。羣相慶曰：吾儕小民，今始得安枕席矣。雖然，除之一時，倘沿久而蠹役奸保，欲圖肥腹，復蹈前轍，害又將作，邑紳士議，欲杜其患，乃請余文以誌之，時有鄉長胡際隆，即協工立石，永爲禁革，以告後人。夫亦除害務盡之義云爾。）

別楣，景陵人。進士，康熙二十年知寶坻縣。廉静慈愛，至性化人。每斷獄，亹亹陳説，多泣謝去。後民有忿争，其長老輒止之曰：奈何負別侯！歸養，百姓攀轅。（寶坻洪志。）

程璇，字驫峯，益陽人。舉人，康熙戊戌知寶坻縣事。才識明敏，有利必興。縣濱海，每伏汛即成巨浸。己亥夏大水，詔賑，璇絶不假手吏胥，按户親給，民以安堵。魯沽、長亭二莊，有水溝與河潮相吐納，璇請改涵洞爲石閘，以便瀦洩，上官以費多弗許。璇輒舉行，被詰，侃侃争之，卒由京東局報銷。禾稼不淹，居民樂業，思爲久遠計，會去不果。雍正丙午，上念畿東苦淹，命度機宜。有薦璇諳水利者，卽以寶坻隄務委之，起三河新集料馬莊，至寶坻江湟口，次濬鮑邱、窩頭河二道。以洩境水，塞香河縣七里莊明口，工成，以知府留工。視工凡六年，鬚髮盡白，去猶惓惓善後計，著渠陽水利一書，讀者感泣。寶坻洪志名宦參程璇申報魯沽閘開工完竣議。按：康熙戊戌爲五十七年。

伍澤榮，字蔭遠，祁陽人。雍正丁未進士，辛亥知寶坻縣事。性耿介，不隨俗俯仰，顧存心利濟，惻如也。程璇以渠陽水利説示之，澤榮曰：善，後當如是矣。一如璇言。新河未濬，捐費治之。遵旨察賑，無一漏。及期，境内乂安。平獄訟，緩催科，請免剥運船底變價。振興文教，省俸製學廟祭器，聚才雋課之。念志久不修，纂未定，以亢直罷。人咸惜之，泣送者相望，至今猶歌思之。寶坻洪志名宦參甯河關志伍澤榮請免剥運船底變價議。按：議詳漕運。

洪肇楙，字時懋，江南歙縣人。儀徵籍進士，乾隆四年，署寶坻事。縣號難治，肇楙下車，興廢舉墜。明年署甯河，治如寶坻，愛民恤士。北門孔道故有橋，圮，治東有東窩渡，要津也，亦壞。肇楙至卽新之，自爲記，民歌慈母。又明年仍調寶坻，邑苦窪，東海、西河，肇楙度水利，加築隄埝，悉出俸，不費民一緡，城渠亦久湮，濬之，修橋梁。暇集博士弟子員課藝，修文廟，備祭器，立社學，繕牆堡，復井泉，修縣志，實心實政，利興弊除，有古循吏風。寶坻洪志參甯河關志名宦，周長發洪侯德政碑、王詢文閣社學引顧光河北寺甘泉井記、洪肇楙疏濬城河碑記、修甯河縣北門橋東窩渡記。

楊瑛昶，字印蘧，又字米人，安徽桐城人。監生，雄縣丞，乾隆四十九年，署永清縣事，□□年，真授寶坻，攝三河。嘉慶四年六月，署薊州。七月去，擢北運河同知，遷天津運同。其在寶坻，人文寥落，鄉試榜出，往往無名。瑛昶至，創修書院，親課之。五年中，中式八人。邑中詫爲僅事。遇蝻孽生，以斗米易斗蝗，米盡按市價給錢代之。在運河河水決，搶修應時，事豫而立。故同時南、北兩岸丞倅，多被劾，瑛昶獨得免。所著有都門竹枝詞。趙懷玉亦有生齋集十四。

甯河

楊奇昌，四川廣安州人。領康熙乙酉鄉薦，雍正九年知甯河縣事。甯河之令始此。書役募自鄉氓，不解任事。奇昌教督之，粗識規模，曰：此已足矣。吏胥不必才能。凡舞文枉法，蒙上凌下，皆若輩爲之也。一切治尚寬厚，每念一開其端，後將踵而甚之，故慎之又慎，黜浮囂，崇儉樸，民到于今猶思其風教弗忘。甯河關志。

沈濬，字巨川，貴州黃平州人。康熙庚子舉人，雍正十一年知甯河縣事。性淳樸，政簡刑清。縣自九年析置，始治者楊奇昌，逾歲憂去。艸創未備，濬適繼之。力董厥事，凡文武官廨、監廒，罔弗以次舉。學宮尤亟亟。甯河關志。時頻罹水患，十二年采訪冊。春，濬以工代賑，爰作學宮，度廣袤，奠基址，購材運甓，工倍其傭，底績于成。沈濬建學宮碑記。課士文，親甲乙之，士争濯磨，繇是文風漸振。縣固澤國，濬曰：水利可由人力。迺令浚溝疊堰，引水灌園。民享其利，至今稱沈公溝。以鹽案謫。舉邑如失怙恃，送者輒涕下，二十餘里，絡繹不絶。甯河關志名宦參采訪册。

屠祖賚甯河關志。字卜百，一字杏村，屠氏家譜。湖北孝感人。乾隆己未進士，十五年授甯河知縣。明年之官，性廉静，然苟利士民，輒勇爲之。學宫圮，分囊中俸倡葺之。采訪册。朔、望集諸生，教以孝弟禮讓，與夫讀書之方。關志。如張以智、于際盛之孝行，孫唐氏、袁徐氏之節義，皆手書榜額奬其門，一時士習民風，胥化于淳。譜。縣地窪，瀕海，水漲輒淹田禾，爲居民病。前令沈濬開渠，祖賚踵之，盡勤勞，奏效。關志。民乃不苦潦。視其荒地可耕者，募開墾，給籽種，逾年成膏腴壤，課額裕，民食亦稍足。譜。嘗出俸鳩工濬河，丁男一無徵。關志。又修潘莊石橋，厥後稱屠公橋。屠祖賚修潘莊石橋記。蝗，督莊户自撲，胥役罔或擾。初，縣遭水患，前令未報，祖賚下車，訪民疾苦，見食艸根木皮，喟然歎息，上其狀。大吏以報踰期，難之。復懷民所食，泣以陳。關志。十八年，調長垣，擢安徽安慶府通判。譜。按：道光中祖賚曾舉名宦于長垣，時因其孫之中布政直隸，格于例，甯河關志列之名宦。

任西華，山西汾陽人。雍正乙卯舉人，乾隆十八年知甯河縣事。環縣治皆河也，恃以衛，然修城難，栅橋各四，傾且圮，西華受事之明年，易栅以木，橋亦次第葺之。十月引疾去。甯河丁志參方澄重修西城樓外橋梁碑記。

謝洪恩，字萊玉，歙縣人，乾隆二十三年八月知甯河縣。勤撫字，省催科，借籽種，平米價，通溝洫。甯河丁志參劉毓珍重建甯河縣學宮謝公德教碑。蘆臺爲薊之運河所經，水闊數十丈，向設舟，冬則行冰上，有顛仆苦。洪恩與巡檢葛立經熟計之，捐槖中俸，令葛董其事，搆巨材爲板三十二，鐵麻綿亘，若浮梁然，冰泮，撤貯巡檢所，歲修之，則邑宰捐資，不費民財。謝洪恩蘆臺跨河跳板碑記。學宮圮，洪恩捐俸金百兩，士慕義，輸者絡繹，修殿廡及名宦鄉賢祠，謝洪恩重修學宮碑。于櫺星門東、西，增建忠義、節孝祠二，謝洪恩建忠義節孝祠碑記。又建義路 禮門兩坊，謝洪恩重修學宮碑。工既竣，餘銀一百有五十兩，權子母，爲歲修費。謝洪恩學宮善後碑記。徒步禱雨，立應。懸金捕蝗。德教碑。二十六年，丁繼母憂去。縣人爲立德教碑。立經，江蘇崑山人，二十一年十月之官，二十七年九月遷東安主簿。甯河丁志。

李清彥，冀州棗强人。廩貢，乾隆二十五年，甯河教諭。受事卽於學校三致意，月集諸生會文於學署，供其飲饌，正其紕謬，有可取則奬誘備至，視塾師之誨弟子，不啻過之。二十六年，縣大水，奉檄歷村落，勘户口，罔有或遺。親散賑票，不假手胥役，其饑甚者，復出已資助之，士有單寒，周急無吝色。援例遷知縣，士至今歌思弗置，言縣之師範者，清彥其首云。甯河關志。

先。下車卽課士，時書院廢，以朝陽寺北閣爲文場，每課具士子一日之饌，禁出入。文佳則重獎之，否則是正之。由是文風蒸蒸，脱穎者踵相接。時以所著十三經拾遺、唐石經考，與雋者折衷焉。又著有艾學間談、需次燕語。二十年去，士攀泣送者數十里。甯河丁志。

王朝渠，江西萬年人。乾隆己亥舉人，嘉慶十七年知甯河縣事。性樸厚，以興文教爲

俞諒，浙江仁和人。乾隆丙午舉人，道光元年十二月知甯河縣。四年，飛蝗蔽日，所過田禾一空。諒集民督捕，愈捕愈衆。諒引咎禱于劉將軍廟，爲民請命。詰旦，有雀如雲，啄食蝗，一、二日蝗盡，是年有秋。十二月去。甯河丁志。

周震青，廣西臨桂人。嘉慶庚辰舉人，道光十三年二月知甯河縣事。縣學宫地濱河，風烈，土且斥鹵，不修者七十餘年。震青下車，卽欲舉墜，時歲歉，方孜孜焉籌賑緩徵。明年，乃出槖中俸倡勸，十六年興修之，泮橋增二爲三，廊廡黌舍，罔不備。十月去。甯河丁志參震青重修文廟碑記。

王蘭桂，陝西中部人。拔貢，道光十九年七月知甯河縣事。興廢舉墜，愛民恤士。縣試嚴搜夾帶，招覆至于九，正案録十二名，謂諸童曰：學額十一，撥府一，數適符，待督學使試後，汝等當信老眼不花也。果無一遺。其公正精詳類如此。二十一年去。甯河丁志

參采訪冊。

喬邦哲，字溥泉，山西徐溝人。道光二十四年五月知甯河縣。識大體，先猛後寬，法立恩明，百姓畏而愛之。縣地窪，頻患水，邦哲謂水能爲害，亦能爲利，勸民種稻，造水車式。二十六年去，民惜其用未竟，然稻田始於邦哲，至今嘖嘖稱遺愛云。甯河丁志。

張昭，字曉崖，貴陽綏陽人。咸豐癸丑進士，五年三月知甯河縣事。凡四載，有政聲。蝗，輒自裹餱履村落，督民捕之，不以役擾。明年春，預買紅糧，士民能掘蝻孽者，以糧易之。會文課士。八年去，至今頌聲不絕。甯河丁志參采訪冊。按：丁志云己卯蒞斯土，己乃乙之譌。

昌平

趙三長，昌平宋志。字遷如，江南人。徐化成趙君去思碑記。貢生，康熙三年，昌平宋志。令山西洪洞，遷守昌平。釐奸剔弊，如撥補民地，前此歲率官徵飲食薪芻，取給不貲，蠹冒罔恤。三長廉其狀，申請永禁，遠近便之。修學宮，申孝義，敦詩書，抑豪右，力役煩興，乃勸墾荒蕪，往來供頓，率咄嗟取辦。地易聚逋，以保釐爲綜，察伍軌什，連民獲安堵，報牒求直者，無不片言剖。碑記。

汪錫齡，江南江都人。貢生，康熙四十六年知昌平州。昌平宋志。昌平衝要，差過，向借民間車馬，蠹役舞弊，用一取十。平時假事勒索，故貨不入城，市肆蕭然，署中費又取之民。城東有山東竄匪，結黨索詐，焚屋移尸，以此破家者不少。錫齡以法繩之。官氈歲取羊毛，亦爲民累。錫齡陳利害。四十七年之費省十之七，有以上聞者，奉旨革。未及三年，詿誤去官，州家祀之。五十年復官，婦孺迎道。八閱月，遷部郎去。昌平吳志。

順義

楊棠，四川萬縣人。進士，康熙三十九年知順義縣。蒞事協民，因犯越獄，部議革職，直隸巡撫疏請留任，報可。縣額徵丁門錢糧各有添，徵火耗不等，地糧五百零四兩，棠爲革去。歷官十有七載，士民愛戴。調江南吳縣。順義黄志參直隸巡撫題留賢令楊棠疏。

密雲

劉應奇，密雲薛志。字平六，順治十七年，知密雲縣。縣學歷百有餘年，日就圮，應奇任甫帀月，身任其事，三閱月而成，翦稂莠，植秀良，課畊桑，除螟螣。據袁懋功重修儒學記。

陳士銓，浙江山陰人。康熙三十五年，知密雲縣。户口久未編審，死且徙者，三千有奇，而丁徭如故額，民苦之。士銓力請之畺吏，得按存口徵。古北口、石匣，既置總兵、副將，益兵額二千。部議歲令知縣由縣採買兵米運之營。士銓極陳挽輸之累，内務府郎中鄧光乾亦言之，乃止。密雲薛志。

薛天培，字子因，雲南建水人。康熙乙未進士，五十七年知密雲縣。采訪册。按：密雲丁志云，雍正乙未進士，非也。雍正無乙未，天培元年即兼攝懷柔，其爲康熙乙未無疑。故事，糶倉穀以銀，解部浮費銀且數百，悉取之民。天培下車，適糶銀存五千九百兩有奇，部促解，民以爲憂。乃遲陳璽吏，請抵支古北口駐防兵餉。六十年，有紳額參董石匣城工所需料未集工，吴有德等三人有所恃，肆辱之，窘甚，額參故吏部郎，大以爲恥，懷狀縊。天培按其事，同官以牽涉大吏，欲寢之，執不可，戍三人者如律。出橐中俸，置縣城、古北口、石匣城之義學，凡三延老師宿儒教之，朔、望課士，手自評定，民始興學。其俗婚姻輒中變，天培懸爲厲禁，有慫期者，濟其貧，遇大役及軍糧倉儲，身任之不以累民，雖不貲，弗顧也。雍正元年夏、秋間，兼攝懷柔縣事，蝻生，捕益滋，乃自責禱于八蜡廟，兩縣之蝻盡抱禾死。父老傳爲異事。密雲丁志參采訪册。是年得邑人郭應儒志鈔，遂修縣志。據薛志自序。

懷柔縣

徐袞，字魯榮，江南淮安人。進士，康熙十二年知懷柔縣。受事四載，澹如也。慈而能斷，錢糧寬徵，不恃鞭扑，聽訟輒勸之息。課士有方。分橐中俸倡修城垣，不憚拮据，心力交盡，以勞卒。百姓思其遺愛，爲立碑，謂碑或邀譽，今死而立，蓋深仁厚澤，民不能忘云。懷柔吴志參杜魁學徐公遺愛碑。

陳倜儀，字夏紱，雍正庚戌進士，知安肅縣，乾隆□□年，補懷柔。中間以母憂去。前後在任纔三年，然其去懷柔調密雲，懷柔人巷哭，而密雲人相慶于道。蓋二邑犬牙相錯，彼有所聞，見以信之，其素故也。縣多旗莊，侵疆影射，訴牒如蝟，倜儀聽之，無壅情，兩造稱便。任密雲五年，以他故去職。歷官鳳陽、懷甯、黟縣。紫竹山房文集十七。

涿州

楊瑜顯，字公潤，山西人，隸旗籍。順治間知涿州。外寬內明，令行化洽，民稱慈父。蝗，瑜顯曰：蝗不捕傷稼，捕則供億繁，田禾蹂躪，益爲民害。昔梁蕭修爲涼、秦二州刺史，親至田所，深自咎責，忽有飛鳥蔽日至，瞬息間食蝗遂盡。今蝗亦長民者不德所致，非以誠弭不可。乃別寢處，潔衣冠，自責如蕭修，衆見神雀逐蝗去。吏民爭籲德。瑜顯止之曰：朝廷以百里畀我，四境內不洽，我責也。我盡我職，何德之有？未幾，去任。貧，無以爲家，偕其弟居涿，饔飧日不給。嘗慷慨謂弟曰：昔朱邑嘗爲桐鄉，嗇夫將死，囑其子葬桐鄉，今我與若如此，欲涿人之爲桐鄉，民能乎哉？相與泣下，聞者莫不隕涕。卒，弟亦歿。吏民營葬於南關之野，以時祭掃，至今父老猶稱其遺愛弗衰。涿州吳志。

又云：瑜顯弟名不傳，嗣無考。

李成龍，奉天人。康熙三十三年知涿州事。時吏治既清，或又務爲刻核。成龍明慎寬和，不爲赫赫名，輕徭緩徵，有古循吏風。遷太原知府，累官至尚書。涿州吳志。

顧欽，吴江人。康熙五十三年知涿州。課士首彝常，訟勸之息，偶用刑，輒惻然曰：吾無德化也。在任十年，無廢事。左遷去，人共惜之。涿州吴志。

彭人俠，安邑人。進士，雍正六年，以易州牧攝知涿州事。有袁六者，謀殺某婦，前牧不能窮其狀。俠夜詣城隍廟鞫之曰：城隍神已告我矣，爾看爾身後，某婦在也。袁惶怖服罪。涿州吴志。

黄理中，卽墨人。舉人，雍正八年，新城令，署涿州事。在任四載，修學宫，建忠孝節義祠。旱，祈雨無應，理中脱帽赤脚，詣城隍曰：爾亦冥寞中一知州也。今民苦旱，何賴神爲？取銀鐺繫其項，與己對縶之，暴於日中，天雨隨至。民有嫌壻貧悔婚者，訴諭不省。理中爲其壻備衣釧奩飾鼓樂，悉具，召某曰：爾壻殊不貧。遣吏送之，其女歸，遂偕老焉。涿州吴志。

許自召，歙人。雍正十三年知涿州，有長厚稱。州城内外，舊有官地，百姓置屋，率出租爲囚糧費。自召曰：何苦吾民居舍也！自置地充之，民租免。涿州吴志。

方嵋，桐城人。乾隆元年，同知涿州事。三年夏，大水暴至，不及堞者數尺，嵋盡力以救漂没，賑災黎，活人甚多。涿州吴志。

張德榮，湖廣澧州人。監生，乾隆二年知涿州。性仁恕，捐俸立義學，修鎮子營閘，士庶稱述之。倉儲收納，舊有陋規，德棻悉革之。加意窮黎，冬施粥。至今以爲例。罷職旋卒，百姓哭之累日。涿州吳志。

陳志緯，字左民，海鹽人。監生，乾隆二十年，爲涿州判官。絜己奉公。牤牛河環州治，有引水洩水各溝，歲時開濬，其責也。志緯身先之，不辭勞瘁，設渠長，募民夫，按籍均役，胥吏不得上下其手，蒞官十載，以勤慎著。涿州吳志。

吳山鳳，字翥堂，湖北漢陽人。乾隆二十八年知涿州事。孜孜民莫。州西爲巨馬河上游，西疃横溪時決，汎濫靡歸。山鳳度厥形勢，分俸築隄，導之由房樹村西北流，水若其性，西北諸村永絶水患。里人爲記樹碑，修州志，時三十年。涿州續志。

劉浩，山西吉州人。拔貢，嘉慶三年知涿州。以慈祥稱。六月水災，撫殘黎，全活者衆。累署東路同知。去，民思之，久愈不忘。涿州續志。

林靖光，福建侯官人。舉人，道光九年，由大興知縣知涿州事。聽斷無留牘，獎誘士子如恐不及。涿州續志。謂書院而外，應置義學，以育童蒙。苦無貲，迺分槖中俸，作師弟子膏火。調開州，猶給之，如在涿州時。采訪冊。後以差至涿州，民爭先赴役。遺愛在人如此，士民祀之書院。涿州續志。

房山

婁應奎，字射斗，遼東甯遠人。順治丁亥知房山縣事。縣田少腴，籍撥税詘，民稱貸艱。應奎申文輕賦，平九則，以三等山田蕪，履勘除之。驛馬爲民重累，畜之廄。兵殘，虛版籍，應奎裁之，曰：他日司農核籍，或少緩一二也。西山號盗藪，乃修墩隍，儲糗精，簡健卒，嚴保甲，清街巷，四境無盗踪。興學省刑，未嘗露穎。疆禦迫之不動，仁智勇廉，民兼稱之。以卓異遷陜西漢羌兵備，累官浙江督糧道。房山佟志參楊之炳婁公德政碑。

佟有年，字孚六，遼東甯遠人。拔貢，康熙二年知房山縣。性廉静，然才識敏練，戴星出入，百廢咸舉。修學宫，葺公廨，嚴保甲，繕城池，革火耗，捕匪亡，振刷有爲，不畏權勢，未期治行丕著，以暇編縣志。房山佟志參田麟房山縣重修學宫碑記、佟彭年房山志序。

羅在公，四川營山人。舉人，康熙三十年知房山縣事。縣土磽薄，又强半爲采地，在公撫字寓催科中，向解蘆溝餉，在公請免，民力得寬。義河廠錢糧，里胥侵漁，廉知之，單騎令親納，編審人丁。七年之中，課農，捕蝗，修署，修韓河邨橋，禁革羊耳峪、范家山煤窰，長于剖決，敦崇孝行，雅意作人。房山羅志參王毓秀羅侯實政碑記、李克家羅侯修署碑記、羅在公續志序。羅志又云：韓邨河橋圮，每年工部大車過，撥運不堪，在公募修石橋，民困斯除。羊耳峪、范家山煤窰，從旗棍攘利争奪，訐告不休，地方受累，在公申禁。流寓官裔殷景隆，幼時被掠賣爲瀋陽鄧包天家奴。在公置掠賣人于法，景隆得復民籍。唐賈島墓，縣舊志云在縣西南，在公訪之不得，越五載，以事至琉璃河歸道二站邨，見殘碣高三尺餘，篆額爲唐賈島墓，蓋縣東南也。其地爲旗人侵據久，在公爲復地六畝建祠。又鈎稽故地二十有五畝，爲祠墓資。房山羅志。遷主事。采訪册。

張汝弼，字丹亭，雲南劍川州人。進士，咸豐二年知房山縣。絜己愛民。事無鉅細，苟便于民，急圖之。初，道光五年，權知縣事李□，倡義重修縣城，工甫興，解任。咸豐元年，重權縣事，續工未竟，又去。至是，汝弼惜城工中止，率好義者鳩工，未逾年而工成。李□，字少伯。房山王志參劉耀重修房山縣城碑記。

高驤雲，字逸颿，浙江山陰人。舉人，知大城縣，有善政。咸豐元年，歷署密雲、薊州。采訪册。三年，署良鄉。六年，署房山知縣。重士愛民。房山西北山民，僻居不知誦讀，驤雲下車，單騎往集父老，從容諭之，人樂其教。咸豐七年，蝗，驤雲晝夜督捕，露宿風餐，憂形於色，出千金爲費，宦囊爲之罄，不惜也。及去，邑人思之不置。又歷知保定、懷柔諸縣事，治如房山。後居房山，疾卒。貧至不能葬，賴親故邑人資之，始成喪，葬之南上洛村。驤雲性耽書，雖鞅掌風塵，偶暇則覽不停手云。房山王志。

霸州

祖延泰，奉天人，知霸州。霸州周志。先是，凡壇廟大役，兵弁支米及解部貼費，俱派民間。畿輔唐志。雜費多于正額，延泰盡爲革除。大兵北征，騾車等需，悉以己資辦，不以煩民。

民至今懷之，祀名宦。一統志五。

韓國瓚，廣甯人。舉人，乾隆二年知固安縣，有政聲。五年，知霸州。絜己愛民，案無留牘，釐剔弊竇，吏畏民安。修先農等祠。詿誤，被議去。村民數百詣上官乞留，日餉米薪，立去思碑。霸州周志。

盧奎，山西永濟人。進士，嘉慶二十三年知霸州事。居官儉，絜己愛民。霸州周志。故事，州貢鴨，民苦厥累。奎捐銀二千兩生息，以爲之費。采訪册。遷順天府治中。去之日，囊橐蕭然，有古廉吏風。霸州周志。

姬均，河南夏邑人。貢生，道光十一年知霸州。下車即清積牘，汰陋規，救偏甾，置義倉，輕徭省役，儉以養廉。築六郎、中亭河等隄，堅固高厚，數十年無水患，百姓利賴，至今思之。霸州周志。

楊應枚，雲南寶甯人。舉人，咸豐三年權知霸州。州境有積年巨盜，向莫能捕，應枚擒之，置之法，人心帖然。霸州周志。

宋維光，山西汾陽人。貢生，同治元年知薊州，采訪册。六年，署霸州知州。時州境戒嚴，維光率兵勇擊賊，城賴以安。霸州周志。

文安

秦世禎，瀋陽人。貢士，順治三年知文安縣。英斷有爲。水汎隄潰，世禎防護有方。文安楊志。按：畿輔志，禎作正。審户額數有虧，請豁除。畿輔唐志六十八。興學校，理寃抑。行取四川道監察御史。民建生祠，立去思碑。官至江南操江巡撫，都御史。楊志。

郗詔，遼東人。順治五年知文安縣。六年，淀賊蜂起，環城而攻。詔親冒矢石，卒保無虞。巡撫疏薦之。時守城與有功者，有典史魯含章。含章，山西人，五年之官。文安楊志。

韓文，陝西富平人。舉人，順治十年知文安縣時，畿南大水，縣當最下，湮没尤甚，文捐貲易粟以賑。築河隄。賊發，親率鄉兵捕誅渠魁。縣境旗民雜處，争訟日多，文常單騎遍歷莊屯開諭之，民賴以安。遷知濱州。一統志五。

許亮，浙江人。康熙十年，文安縣典史。修隄監工，速且固，人稱善于鼓舞，不受私財，以失察去。文安楊志。

崔啟元，藩下舉人。康熙十一年，知文安縣事。令行禁止。築河隄，葺學宫，修縣志，廢墜具舉。文安楊志。鹽梟犯境，率兵親勦。長子爲賊所害，士民悼之。畿輔唐志六十八。遷行人司行人。楊志。

張朝琮，浙江蕭山人。監生，康熙二十五年知文安縣。清廉慈惠，然涖事嚴明，詢積弊，刊榜革之。均傜審編，親河隄之築，設遊船之制，申保甲之條，念皇車獨出霸州，屬請均之。八府斥番役修學宮理城垣。文安楊志。編審持平敘文：安蕞小邑，丁額八千有奇，里三十三區，其間豪强之統避，奸胥之欺隱，伶仃之莫訴，積習既久，難以猝變。公奉檄則指天矢日，務期上不虧賦額，下不失民情，於損益中寓均平法。往例，届期各里民裹糧至縣，動涉旬月，輒不得歸。公曰：何用重困吾子姓爲哉！先示致期某日，審某里某甲，循序以進，朝發夕至。隻日則坐廳事理訟，雙日則對城隍閲户口，及其按籍點名，不無狡詰者朦混希脱。公於去年賑饑時，曾親履邨落，取有十家連名册，一見即識其貌，並記其名。遇此情弊，直詰之曰：某某不當入册耶？亭長、鄉耆無不相顧愕然，咸嘖嘖歎神明也。數日之外，一再詢詰，民不敢欺。逃亡者除，少壯者增，凡經審過，須待彙齊造册，公慮胥吏有以掯勒需索，次晨即出榜示。又勝芳、石溝等里分，僻處水鄉，離城窵遠。公念窮黎跋涉之勞，旅食之苦，遂冒暑行部，親至一一了結，黄童白叟，感激泣下。兩閲月報竣。自始迄終，民間不煩一錢之費，不誤一日之工。張朝琮宰文署自敘：丙寅夏四月，予筮仕得文安令，入其境，見土地荒蕪，人民凋敝，井里蕭條，城垣傾圮，亟呼父老問之，争相告曰：文安，澤國也，地形如釜，九河下流，以苑家口一河匯巨浸者七十，萬派飛流，而轉注於容刀之渡，秋霖泛漲，陸地成湖，其不爲魚鱉者幾希。況乎傜役分繁，陋例相仍，民不堪命，起瘡痍而登衽席，端望我侯矣。聞之心惻然。因思民之痌瘝寄於令，一饑，我饑之，一溺，我溺之，是以不避嫌怨，不憚勞苦，利必興，害必去，廢必葺，以求無忝厥職。幸上憲精察，有所請，罔不應，如桴致鼓。癸酉夏五月，調臨洶。文之民走上谷，籲留者二百餘人，河工泣送者千。今蒞臨洶未三月，恭逢翠華東幸，召對移時。未六月，特陞薊郡，受代之暇，稍取蒭蕘數則，輯而授之梓人。予之心，文民能諒之，文之民，予亦不能忘之也。三十二年，調三河，下車即革火耗。米貴，捐資平糶。運米自通州倉，無絲毫累民。三河陳志。明年遷知薊州。員缺請旨揀授，自朝琮始。薊州張志。遏抑豪强，屏絶私派。如學宫，如譙樓，如西門甕城，鳩工倡葺。丙子、丁丑歲祲，朝琮設廠城鄉，捐米賑粥，冬寒無完襟者，夥製棉衣衣之，歲歲相因，活無算。借給畄黎倉糧，貧者負之三百石，朝琮如數代償實廩，憫子弟或無力讀書，設義學，助脯，延宿儒課之，文風丕振。三十九年二月，丁母憂去。父老泣曰：安必起家甲科者？而能及此，無慮數百。詣闕留。朝琮遇於潞河，力止之。立去思碑。四十一年服闋，補深州，奉旨調知薊州，慰民懷也。采訪册。

大城

吴治滙，字東卿，河南裕州人。進士，順治四年知大城縣。大城張志。邑錢糧非中飽，則漏巵，治滙覈不爽，汰者半，省者半，聽斷輒片言折，一菽一菜，胥準市價。捐俸餘以餉髦秀。劉漢儒賀吴東卿調安鄉序。調安鄉，遷刑部主事。大城張志。

馬騰陞，遼東廣甯人。生員，順治八年知大城縣。純誠不欺，緩徵科，重學校，治巨寇，修隄勤且固，永久攸賴。擢監察御史，民立去思碑。大城張志。

徐伸，字謂廷，浙江德清人。貢士，順治十五年知大城縣。持躳廉静，大城張志。政尚大體，不苛細。學宫爲化理之原，下車分橐中俸，督修進，士子訓迪之，獎誘之，孤且寒者薦恐後。東樞法重，輒陷多家，伸第嚴保甲，鮮它。及勅村落保聚，教父老訓其子弟不爲非，外盜無得攔入。王嘉言賀謂翁榮擢序。減追呼，絶苞苴。劉漢儒賀徐謂廷考績序。水旱少愆，力請得蠲恤如例。沿河隄防以時，督其不率。聽訟耳目一無所寄，吏莫敢以鈞金束矢，引舊例爲嘗試。出俸勸輸，設饘粥以活飢民。完雉堞，禁羨耗，搜隱佔，杜訛詐。王序。士民利賴之。遷中城兵馬司指揮。大城張志。

張象燦，陝西咸甯人。舉人，康熙八年知大城縣。大城張志。邑東濱海，處九河下流，積年停泓，包糧賠累，失所者數千家。象燦下車，即履畝，繪圖爲民請命。辛亥，蠲租令下，豁不毛地五百餘頃，一時户頌之。裁陋規，絶役擾，課士子，修學宫，嚴保甲，（劉楗邑侯豁除水荒地畝序。）修縣志。（據志。）

保定

孫光祚，山東范縣人。舉人，順治元年十月知保定縣。持躬廉絜，下車詢民疾苦，即請撥縣之皇莊充餉等地，區畫得宜。歲饑，輒發常平倉積穀以賑，民賴以蘇。而監司銜之，欲坐以監守自盜。士民譁然，得解。縣有魚税，光祚悉除之。痛士廢學，立社課，爲講經，寒暑不倦。遷户部主事。臨行有羨金五十兩貯之庫，代民湊次年税額。去之日，士民塞路攀呼。（畿輔唐志六十八參保定成志。）

秦簡，關東人。生員，順治六年十月知保定縣。性慈恕，然廉而毅。秋，土賊蠢動，鄰封莊頭或乘機掠鄉鄙婦女。簡不分畛域，置之法。其負隅抗者，飛騎親擒之，威名乃震。以鹽引被誣落職。嗣事得白。十三年，知懷柔縣，有善政，祀名宦。（保定成志。）

陸光旭，浙江平湖人。進士，順治九年知保定縣，以廉著。蒞事仁且敏，凡八載，拮据撫摩，與民同甘苦。十年，大水，隄決，請蠲，請賑，設粥，活老弱無算。時疫作，施藥，罄橐中俸，典衣繼之。復除火耗，己或無炊，弗顧也。請添汎防。擢御史，請免霸州、保定、文安水沖地逋糧。康熙元年，轉冀南道。聞縣隄復決，飛使賫金百，分給窮黎。八年，光旭赴京，聞縣隄再決，迂道親履水口，咨嗟泣下。至京，卽請當道代陳以賑，離任十載，顧復之心未已。民立生祠祀之。保定成志。

成其範，山東樂安人。進士，康熙八年秋知保定縣。廉且敏，差務籌辦，不絲毫擾民。聖駕駐蹕，卽陳民疾苦。明年，修築水岸，給價增犒，民歡呼趨役。縣有水沖沙壓地，地去賦則存，俗謂包糧者是。其範痛陳之，巡撫永除其額。又撥補獻縣地，初誤以小畝起科，積三十載，其範請改折徵。十年，開八達嶺，檄徵縣丁四百。其範以縣小民稀，單騎率百人赴役，委曲哀陳得免。故事，雜派鄉場物料，狀頭歸第等銀，亦請豁之。十一年，采皇木解費，及它供應皆辦自俸，免火耗，禁官價，勤課士，修縣志。善政之繫民思如此。保定成志參志序。成其範請除水沖沙壓文：沿河州縣，俱被水患，未有如保邑之甚。蓋保邑爲九河下流，且當渾水正衝。自康熙七年決隄以後，地爲水佔，小民俱失謀生之資，此積水地之所以累民也。然其不在水沖沙壓中者，隄決水佔，雖暫時不能耕種，隄築水涸，猶有可以耕種之期，獨是水衝沙壓八十六頃，則始於渾河初改之時，以沃壤之地，沖成溝渠，將平厚之區，淤爲沙嶺，此固永久不可耕種者，故水沖沙壓之累民，更甚於積水未退之累民。夫賦由地出，哀我保民，獨地去而賦猶存，地賴人種，念茲殘户，乃人進而地益荒。若官吏徒知地畝而追糧，恐小民必至典妻而鬻子。懇念殘黎，轉請除豁，庶保民得免包税之苦。

薊州

于際清，字執中，周體觀于公德政碑。掖人，遼陽籍。貢生，順治年知薊州。多才幹，薊州張志。愛民好士。碑。建學宮。張志。丁額久失，而數從寡，散之四方者，百計招徠之。屯奸隱抗，際清必欲民得其業。驛安獄決，碑。利興弊除，大綱振起，民甚賴之。遷濟南知府，張志。薊民立去思碑。據碑記。

胡國佐，奉天人。廕生，康熙三年知薊州。薊州張志。性淡泊，專事愛養。林起龍胡公去思碑記。修理學宮，張志。墾荒，不三四年，熟者三百餘頃。禁羨耗，捕逃之功，較諸郡爲簡。薊當九河下流，爲隄孔艱，國佐相勢築之堅，水患止。薊地換旗，民苦奪力，請以薊補薊。碑。寬嚴相濟，人感其德，忘其嚴。張志。治薊四年，碑。遷湖廣德安同知。行之日，士民攀泣，立碑。張志。

董廷恩，奉天鑲黄旗人。廕生，康熙十六年知薊州。性和藹，然遇事敢爲。薊州張志。州境强半旗莊地，撥疆混淆，恆産之家，嘆無立錐。廷恩核其不應撥者三千五百五十頃有奇，申允停撥。郭濬董公遺愛碑記。修儒學，祀鄉賢，張志。興義學，建社倉，清驛遞，嚴保甲，禁火耗，革贖鍰，碑。修州志。遷户部員外郎，累官湖南按察使。張志。又官秩云：康熙十六年十月二十一日任，二十一年八月十九日去。

潘永圖，金壇人。康熙間薊州知州。有犯罪者，賄當事，請寬之。永圖焚其書，立置於法。一統志五名宦。

嚴宗嘉，字二猷，號孚亭，江西分宜人。舉人，雍正十二年知玉田縣，以艱歸。總督以薊運河隄決，淹村落數百，堵禦工急，非宗嘉不可。宗嘉以事關民命，乘小舟，揭來各鄉，幾溺者數四，賑撫有方，貧艱得活。遷薊州知州。乾隆間，金川小醜蠢動，調兵進勦。十年，檄宗嘉赴良鄉辦理，經畫周詳，軍實無悞，而民無驛騷之苦。時有倡爲椎牛饗士者。宗嘉曰：此待凱旋時用之，今方出兵，勞以酒食足矣。若援此例，則沿途廢耕牛萬計。衆皆悟，議遂已。其持論得大體類此。又協辦涿州、順義差務，無不井井。在薊，州民稱其持身清絜云。香樹文集二十五參薊州沈志。

王若常，字心如，惺如，其號也，浙江仁和人。監生。福建福甯知府，乾隆間，左遷山海關通判，尋遷薊州知州。會當軸者營生壙於薊，遣家奴劉姓往，劉要若常出迎，并誅館舍。若常謝焉。劉憾甚，進蜚語。當軸者言于直隸總督，將摭它事劾。若常遽以病免，貧不得歸，薊之民時以酒食餉，并助之歸，此可知若常之所以治薊矣。當軸者敗，天子詔贈故監察御史曹錫寶都察院左副都御史，錫寶嘗劾劉恃勢奢侈者。秦瀛王君墓誌。

沈鋭，浙江歸安人。監生，議敘補永定河武清縣丞，遷知良鄉縣。道光九年，遷知薊州。民張廷祥妻孫之，夫兄廷喜欲汙之，孫堅拒，被折辱死。廷祥故騃弱，廷喜强使以夫毆妻死報。鋭廉得其情，置廷喜于法。十年，修公廨，十一年，纂州志。薊州沈志。遷南路同知。采訪册。

平谷

牟雲龍，奉天杏山人，順治五年知平谷縣。不受私謁，決獄無滯。六年七月，土寇蠭起，直逼城下，雲龍單騎入營，斬其渠魁，餘孽盡殄，績最，行取廣東道監察御史。（平谷朱志。）

賈文龍，字采公，蒲州人，康熙十□年（浦文焯賈公遺愛碑。）知平谷縣。十八年地震，（平谷續志地震記。）歲頻歉，民多流亡。文龍下車即招集之，免其徭役。（遺愛碑。）建書院，惠愛士民。歷二十二年之久，邑人立碑，（平谷朱志。）于今謳歌不去口。（遺愛碑。）

曹濯，字溶舫，陝西人。進士，道光二十二年知平谷縣。不留獄，不煩刑，弭盜詰奸，或干以私，治之。向無書院，濯于城內東南創建之，勸士大夫銀地並輸，以息與稅爲諸生膏火貲。二十四年，調東安，卒于官。（采訪册。）

提督學政

熊伯龍，字次侯，漢陽人。舉人，順治己丑會試第一，提督順天學政。崇尚實學，釐正文體，丹黄甲乙，手自評定。鑑別精，苞苴不行，士風爲之振起。卒，祀名宦。（畿輔唐志六十七。）

李光地，字晉卿，安溪人。康熙丙戌進士，由編修累擢兵部侍郎。二十三年，提督順天學政。以經術勵士子，文體一軌于正。二十九年，遷工部左侍郎，督學如故。後巡撫直隸，築子牙河隄，遷大學士。卒，謚文貞，祀名宦。先正事略參畿輔唐志六十七。

楊名時，字賓實，江陰人。康熙辛未進士，采訪冊。其視學京畿，特擢不由階資。始，聖祖仁皇帝悼學政廢弛，以九卿督學自李光地始，而名時繼之，校士一遵光地成法，士雖擯棄無怨言。方苞李文貞公墓誌銘。猶懼無以興教化，迺頒條約，曰：爲頒行條約，以振士習文風，仰副聖朝作人之化事。照得京師風教，倡率九州，典領之官，責任至重。本院荷皇上隆恩，不次簡用，恭蒙聖訓耳提，敕以精白一心，大昭公道。祇領以來，夙夜懔慄，懼無以興行教化，培育人材，有負皇上委任責成至意。玆值秋闈期迫，即日案臨校録，誠恐師儒習故狃常，罔知鼓舞勵精，荒蔑學行，特頒條約，以示向方。本院下車之日，將案此逐一稽驗功程，率教者褒録，不率教者懲創，務期文行彬彬，咸成髦士。該道、府、州、縣等官，均有師表之責，考核學政，本院攸司，平日各務悉心教養，試事尚務登進真才，則士氣振而風尚端，足以效臣力於涓埃，報聖恩於萬一。本院日夜惓惓，諒自有同心也。楊氏全書三十二。至於再罔或姑息，由是積年弊竇，悉杜絕無餘云。采訪冊。楊名時條約：一、士子莫先立志，志在忠孝仁義，常自激發勇往，方能問學不怠，思勉不已，若頹惰委靡，同乎流俗，則雖有美質，終不免爲鄉人，庠序中何賴有此士乎！他日爲官，亦不過庸碌具臣耳。國家待士至厚，復其丁役，優其廩餼，三歲賓興，以誘勸其志，皇上稽古右文，屢頒恩詔，欲使風俗淳美，咸進於時雍之域。士首四民，而甘自暴棄，亦虛生盛世矣。一、立志既定，須專一沈潛，視聽言動之間，莊嚴整肅，表裏如一，始終不改，自此窮理修身，方有所依據。而日新月長，若視聽散亂，言動輕浮，決非有成之器，多士勉之，坐必如齊，即此是學也。一、五倫之道，乃天經地義，學者當思爲天地立心，爲生人立命，爲世道開太平，不宜自偷簿也。士子果能存心忠孝，友愛恭順，出言不詐，暗室不欺，自此加之學問，則所講明者講明，此五倫之道也，所踐行者踐行，此五倫之道也。士而希賢，賢而希聖，將有以復其性命之理，而不愧爲完人矣。樂何如哉！舍此則平日所學何事？秉彝好德，人心同然，平旦之時，痛加省念，日用之際，力自持養，欽欽翼翼，默乞靈於聖賢，在天之神，以啟牖聰明，庶幾思或啟之行，或翼之誦讀，非口耳之功，言行無矯僞之習矣。爾多士素行修飭者，竭力勉勵，素行不謹者，幡然改悔，數月之後，期年之間，本院將精心察核，有善必賞，有惡必懲，斷不混淆姑息，有違聖世彰癉之化也。一、學者窮理，莫先講明大學、語、孟以及中庸，須是將朱子集注逐字細讀，細看，細講，反復思索玩味，總期於融會白文，圈下注亦不可遺忘忽略。如此則聖賢之意漸見，吾心之理漸明，方能辨別是非黑白。不然則胷中茫昧昏雜，終身不得通曉，發言行事，俱無準則矣。若注中之意，看得未明，則看大全，或問蒙引存疑諸説，以相參互可也。平日各習一經，或有不能精熟者，須刻刻溫理令熟，限於目下三、四兩箇月內，人人先熟本經。本院於兩月後掣背，不熟者記過，茫然者朴懲，決不輕貸。過此兩月之後，各通旁經一經，如習詩經者，則讀書經，習書經者，則讀詩經，習易經者，則或先讀書經，或先讀詩經，各量己力，限爲日課。資質敏鈍不同，本院責成爾等且以下等者爲準，大約卽下等之資，至四箇月亦斷無不能讀熟詩、書、易一經之理。如禮記，帙多，以八箇月爲期，亦斷無不能讀熟之理。凶禮除檀弓之外，且可緩讀。春秋事實俱在左傳，且左傳所載之事，與論語相備，周禮，朱子謂非周公不能作後聖，可復損益，皆不可不讀者。讀書、詩、易、禮之後，卽讀左傳，讀左傳後，卽讀周禮，亦各以八箇月爲率，餘經以次而讀，本院依期捱次於案，臨日掣背，熟者從優超拔獎勵，半熟者令上緊加功，茫然者記過。再過八箇月，若仍前荒怠者量懲，期於勤惰纖毫無隱。立程於先，課效於後，決不託之空言。童生能將四書、集注全讀無遺，成誦熟背者，及能將本經注熟背者，文理粗成，便與録取。如更能誦三經、五經者，仍卽與補廩，一照新例行，急宜晝夜努力。亦知爾等各有家貧授徒，或力耕、服賈者，然士果有志，經學隨處攜帶一編，稍暇卽吟誦思索，亦與營生之計無所妨礙，古人如此者多有，但患偷安自誤耳。總之，學者讀書，虛其心，勤其力，吟誦聖賢語，真覺有踴躍向往不能自已之意，所謂非由外鑠，我固有之也。如此則自不患作輟。若見爲苦難唯圖苟且安逸，則雖率之不前，振之不起，亦終爲棄材而已。一、新例，童生能將小學講誦精熟者，文理平通，便與録取。夫小學之書，所以培固本根，養成德器，終身由而不盡，頃刻離而不得。成人更宜朝夕觀省，其於訓誨童幼，整飭家規及居官行事，皆有裨益。生員、武生，宜人人誦習講貫，父勉其子，兄詔其弟，本院亦以此程士，分別勤惰。武生讀熟小學者，準拔高等。又朱子家禮，宜講求遵守，以變習俗，厚人倫。文武生員有能行家禮者，教官舉報，行優獎賞。一、文章取材，必有原本，古文當讀者多，今不能偏讀，各宜從性之所好，筆路所近，於史記、漢書、韓、柳、歐、曾之文，擇取一、二種先讀，由數篇以及數十篇，擴充至百篇以上，但須不怠不息，久之自能去俗就雅。若竟置不觀，文章何自而好？至前輩程墨房行，及近科名家墨藝窗稿，須擇其典雅醇暢，法老神清者爲式，其膚浮腐爛，撿湊成篇，於題理無所發明，每科中多有倖而獲售者，槩置勿道可也。一、科場論題，奉功令出太極通書、西銘正蒙，皆先賢直探性命切要，示人之書，急宜講誦探討求明，總之，專心致志，屏去一切，則一日有一日之功，一月有一月之益矣。一、卧碑內所開載條件，教官須令生員各寫一册，逐欵遵依。武生亦各一體遵守。以後教官若不行宜講勸戒，致諸生多有違犯，以曠職論。各學中有未立卧碑者，該教官即與長吏設法刊立。一、本院仰體皇上興賢育才至意，考校一秉虚公。凡文武童生入學，以及科舉等第，雖絲毫情弊，必杜絶無餘，或恐棍徒匪類，誘惑爾等，本院嚴加緝獲，立置重刑。爾多士慎毋爲所誘，自罹法網。至於防閑各役，及稽察頂替、傳遞、冒籍等弊，本院亦務在極嚴極密，決不以優柔姑息，致叢姦竇也。官至禮部尚書。墓誌銘。

武職

朱萬祺，字敬迓，涿州涿鹿衛人。年十九，補涿州學生。李自成陷京城，遣兵徇涿。萬祺鳩義士十餘人，奮誅其衆。城中推爲帥。守備粗具，賊衆薄城。隨方備禦，賊多死傷。自成怒，親率其衆，蟻坿緣城。萬祺舉礮擊自成，中其蓋。自成驚遁，城得不陷。本朝定鼎，世祖章皇帝特授爲涿州參將，賜冠帶裘靴。萬祺大度有容，犯而不校。武弁胡毅曾挫辱之，後屬鈐轄，懼不敢見。萬祺召諭曰：昔韓信且不計惡少，但誤公事，不爾貸耳。後佐理河工，以勞卒官。畿輔唐志七十四。

蘇登，字天階，初名日昇，福建南安人，密雲薛志。順治十四年，召自福建汀州副將，賜蟒袍補褂，授石匣副將，教習藤牌，著成效。采訪册。康熙時，親征戛爾旦，命爲前敵，賜名登，以功晉都統銜，秩同一品，賞花翎，兼襲騎都尉，回任石匣。性鯁，遇事不阿，忤權貴，奪世職、花翎，夷然也。天子知其直，命留任訓練，無少懈。以勞卒於官。密雲薛志參册。

官師志四

順天府前代守土官表一

德清傅雲龍纂 江陰繆荃孫覆輯

司馬遷表皆繫年，三代獨曰世表，所謂多闕不可録，非邪。表前首述沿革，班固百官公卿表例也。表目次第，用史記表例。順天府前代官師，曰郡守，曰國相内史，曰州刺史，曰知府，曰尹。京外體異，升降制殊，其治民一也。某也忠，某也佞，舊志闕如，居今曷鏡？明前姓氏尠矣，緯之以代，及明少詳，故以朝經，以職緯，厥官或分或合，亦漢書表例，治異境同，與夫僑治者併及焉。作前代官師表。

周前，侯國也。武王封堯後於薊。據錢坫新斠地理志。治民之官不可攷。按：春秋治民之官，有封人，如潁谷、祭、蕭是；有大夫，若滕、薛是。通鑑：樂毅下齊七十餘城，皆爲郡縣，齊人食邑於燕者二十餘君，有爵位於薊北，百有餘人。秦始皇二十有一年滅燕，取薊城。史記秦本紀。或曰置廣陽郡，據水經㶟水注。其治燕西。曰上谷郡。據史記本紀、水經㶟水注引王隱地道記。治無終。曰北平郡。據水經鮑邱水注。郡置守、丞各一，守治民，丞佐之。杜佑通典。楚漢之際，燕國治薊。據史記月表、史記索隱。高帝六年，置燕國，亦治薊。史記盧綰傳。時郡守秩二千石，有丞，邊郡又有長史，掌兵馬，秩皆六百石。景帝中二年，更名太守。漢百官公卿表。續漢百官志：太守一人，丞一人，郡當邊戍者，丞爲長史，王國之相亦如之。治國之官曰内史，丞相統衆官。景帝中五年，改曰相。漢百官公卿表：諸侯王，高帝初置，掌治其國，太傅輔王，内史治國民，中尉掌武職，丞相統衆官。景帝中五年，令諸侯王不得復治國，天子爲置吏，改丞相曰相，諸官長丞皆損其員。武帝元朔二年，燕國改郡，置太守。漢地理志稽疑。元狩六年，復爲國。史記三王世家。元封五年，始爲幽州刺史治。詳統部。昭帝元鳳元年，改燕國爲廣陽郡。宣帝本始元年，復爲國。據漢地理志廣陽國注、漢諸侯王表、續漢地理志、寰宇記。成帝綏和元年，省内史令，相治民如郡太守，漢百官公卿表。屬幽州牧。漢百官公卿表：綏和元年，更名牧，秩二千石。哀帝建平二年，復爲刺史。元壽二年，復爲牧。漢百官公卿表。凡郡有試守者。漢書音義：試守者試守一歲，乃爲真。按：後漢制同見通鑑四十四。莽改郡太守曰大尹，郡守稱尹始此。據後漢郭伋傳。廣陽國曰廣有。按：水經灅水注，有作公，今據漢書注。光武建武二年，復爲廣陽國。後漢趙孝王良傳。凡郡，太守一、丞一，郡當邊成者，丞爲長史，王國相如之。續漢百官志。六年三月，令：郡太守、諸侯相病，丞、長史行事。中華古今注。十三年，省廣陽，入上谷。寰宇記。十四年，罷邊郡太守、丞，長史領丞職。續漢百官志劉注引古今注。和帝永元八年，復置廣陽郡，後漢和紀。與幽州刺史同治薊。據通典。建安中，省漁陽郡入。方輿紀要。十八年，屬冀州牧。據魏志注。尋復幽州，廣陽郡太守屬焉。其佐屬，丞、長史而外，有農都尉，武帝初置，據漢百官表。即後漢典農校尉也。據東漢會要。又功曹史，五官掾，倉曹史，決曹、賊曹掾，五部督郵曹掾，主記室史，亭長。續漢百官志：每郡國皆置諸曹掾史。本注曰：諸曹略如公府，曹無東、西。曹有功曹史，主選署功勞。有五官掾，署功曹及諸曹事。其監屬縣有五部督郵掾一人，正門有亭長一人。主記室史，主録記書，催期會，無令史，閤下及諸曹，各有書佐幹主文書。通典：兩漢有功曹史，主選署功勞。有倉曹史，掌倉庫。有決曹、賊曹掾，主刑法。有督郵，掌盜。屬縣有東、西、南、北、中部五部，謂之五部督郵。故督郵，功曹之極位。本始元年，廣陽國領縣四：薊，方城，廣陽，陰鄉。據漢地理志燕刺王旦傳。永元八年，省陰鄉入薊，割方城屬涿郡，昌平、軍都由上谷屬，安次由渤海屬。據續漢郡國志。建安十八年，省漁陽郡，潞、安樂、泉州、雍奴來屬。據紀要。凡縣十。又漁陽郡守治漁陽。今密雲據通志。高帝置縣十二：漁陽、狐奴、潞、雍奴、泉州、平谷、安樂、厗奚、獷平、要陽、白檀、滑鹽。據漢地理志。元封五年屬幽州，莽改郡曰北順。據漢書注。後漢徙治潞，今通州。領縣九：漁陽、狐奴、潞、雍奴、泉州、平谷、安樂、傂奚、獷平。據續漢志。建安中，省入廣陽郡。據方輿紀要。又涿郡守治涿，今涿州。高帝六年置，寰宇記。領縣國二十有九：涿、良鄉、利鄉、臨鄉、益昌、陽鄉、西鄉，餘非今屬。漢地理志：涿、迺、穀、邱、故安、南深澤、范陽、蠡吾、容城、易、廣望、鄚、高陽、州鄉、安平、樊輿、成、良鄉、利鄉、臨鄉、益昌、陽鄉、西鄉、饒陽、中水、武垣、阿陵、阿武、高郭、新昌。元封五年屬幽州，莽曰垣翰。漢書注。後漢郡名復故，領縣國七：涿、良鄉、方城，餘非今屬。續漢志：涿、迺，侯國。故安、范陽，侯國。良鄉、方城，故屬廣陽。又章武郡治東平、舒，今大城。建安中析河間、渤海，置屬冀州，縣四：東平、舒、文安，餘非今屬。三國疆域志：章武郡領縣四：東平、舒、文安、東州。章武杜畿傳：子恕，嘉平元年免官，徙章武郡。晉地理志：魏武置郡十二，其一章武。及章武國下復云：泰始元年置。誤也。季漢時，魏有郡守、國相，據通志。如漢，歷代職官表。置中正。通志。通鑑六十八：建安二十五年，尚書陳羣以天朝選用，不盡人才，乃立九品官人之法，州郡皆置中正，以定其選。擇州郡之賢有識鑒者爲之，區別人物，第其高下。胡注：天朝，謂漢朝也。九品中正自此始。九品：上上、上中、上下、中上、中中、中下、下上、下中、下下也。黄初中，廣陽爲燕郡。方輿紀要。太和六年，郡爲國，魏志。屬幽州刺史，領縣十，如後漢。又涿郡更名范陽，領縣八：涿、良鄉、方城、長鄉，餘非今屬。（三國疆域志：涿、良鄉、方城、長鄉、遒、故安、范陽、容城。）黃初五年，爲國，置相，内史。（魏志：曹敏黃初五年封范陽王。）晉，郡皆置太守，諸王國以内史掌太史之任。又置主簿、主記室、門下賊曹、議曹、門下史、記室史、録事史、書佐、循行幹、小史、五官掾、功曹史、功曹書佐、循行小史、五官掾等員。（晉職官志。）郡守皆加將軍，無者爲耻。（通考。）咸甯初，以漁陽郡益燕國，（晉宣武王傳。）爲幽州刺史，治領縣十，如魏。（據晉地理志，周濟晉疆域表。）永嘉後，陷於石勒，改燕郡爲幽州牧治，尋爲幽州刺史治，（據晉書載記。餘詳沿革表。）分置漁陽郡，割潞、安樂、泉州、雍奴、狐奴，時燕郡領縣凡五。燕慕容儁元璽元年都薊，至光壽元年遷鄴，復爲郡，凡都薊六年。（據晉書御覽，引前燕録。）若秦，若後燕，郡太守之屬與領，皆因之。（據晉書載記。餘詳沿革表。）又范陽國，（據晉宗室傳。）泰始元年改郡置太守，（據水經注。）趙、燕、前秦同。又章武國，置内史，領縣同。後漢、石趙因之。前燕改郡置太守。後魏郡置三太守，用七品者。（魏官氏志。）孝文初，二千石能静二郡至三郡者，遷爲刺史。太和中次職，今太守、内史、相，並以六年爲限。通志。世宗班行志令，上郡太守、内史、相第四品，中郡第五品，下郡第六品。正始元年，中正。（魏官氏志。按：燕郡地形志不詳何等。）自道武立燕郡，與幽州刺史同治薊，領縣五：薊、廣陽、良鄉、軍都、安城。北齊燕郡太守，（按：北齊幽州領燕與魏同。）屬官有丞、中正、光迎功曹、光迎主簿、功曹、主簿、五官、省事、録事及西曹、户曹、金曹、租曹、兵曹、集曹等掾，市長、倉督等員，（隋百官志。志又云，北齊，上上郡，太守屬官佐史二百一十二人。上中郡減上上郡五人。上下郡減上中郡五人。中上郡減上下郡四十五人。中中郡減中上郡五人。中下郡減中中郡五人。下上郡減中下郡四十人。下中郡減下上郡二人。下下郡減下中郡二人。按：文獻通考，北齊置郡凡九等，上郡太守屬官合三百一十人，以下郡遞減之。諸州有功曹參軍，又司倉參軍，司户參軍，司兵參軍，司士參軍。北齊以下並同功曹云云。與隋志互異。燕郡未詳何等。隸東北道行臺，詳統部。領縣可攷者五：薊、廣陽、良鄉、安次、歸德。今順義。天保七年，省廣陽、良鄉入薊。武平六年，復良鄉。

北周，郡守户五千以上六命，丞三命，燕郡守丞準此。周盧辯傳：户一萬五千以上，郡守七命；户一萬以上，正七命；户五千以上，六命；户一千以上，正五命；户不滿千以下，五命。七命郡丞四命，正六命郡丞正三命，六命郡丞三命，正五命郡丞正二命，五命郡丞二命。按：魏地形志，燕郡户五千七百四十八。地形志斷於武定末，距周不遠，户數大率相近，準以定品，仿同治徐州府志例也。刺史府官命於朝，州史並牧守自置。通攷。建德六年，燕郡屬總管府，詳統部。領縣三：薊、良鄉、安次。省歸德入薊。又漁陽郡，後魏徙治雍奴，今武清。縣六：雍奴、潞、無終、漁陽、土垠，又徐無，非今屬。據魏地形志。周復置潞，據劉錫信漁陽郡三治潞考。漢以來皆屬幽州。又范陽郡，後魏領縣七：涿、萇鄉、方城，餘非今屬。魏地形志：涿、固安、范陽、萇鄉、方城、容城、迺。齊屬東北道行臺，縣三：涿，又范陽、迺，非今屬。周屬幽州總管府，縣二：涿外爲范陽，非今屬。又章武郡，後魏太和十二年治平舒。東平舒更名。屬瀛州，縣五：平舒、文安、西章武，餘二非今屬。齊、周同。又後魏，密雲郡太守治白檀，皇始二年置，屬安州，領縣四：白檀、密雲、要陽、方城。並詳密雲。齊廢郡入密雲縣。又平昌郡太守治昌平，今州。後魏天平中置，隸東燕州。州刺史同治，縣二：萬言、昌平。寰宇記：於今縣郭城置東燕州，平昌郡昌平縣。魏地形志：平昌郡縣二：萬言、昌平。天平中置。

按：萬言或云萬年。隋，郡置太守、丞、尉、正、光初功曹、光初主簿、縣正、功曹、主簿、西曹，金、户、兵、法、士等曹，市令等員。隋百官志。志又云：曹員并佐史合一百四十六人，上中郡減上上郡吏屬五人，上下郡減上中郡四人，中上郡減上上郡十九人，中中郡減中上郡六人，中下郡減中中郡五人，下上郡減中下郡十九人，下中郡減下上郡五人，下下郡減下中郡六人。開皇初，燕郡官吏視此。三年，罷郡，以州統縣。隋百官志。通典：罷天下諸郡。燕郡領縣屬幽州刺史。後世統縣之州，此其權輿。按：隋前之州，古方伯，猶今布政司也。開皇三年，以州統縣，以刺史爲太守，時因刺史之職，有行臺總管府統之。後煬帝又罷州置郡，漢刺史之制斬矣。改别駕，贊務爲長史、司馬，佐官以曹名者，並改爲司。隋百官志。按：贊務即贊治，隋書避唐諱。幽州屬總管如故。煬帝初，廢總管。大業三年按：隋志無年分，今據通典。罷州置郡，幽州遂爲涿郡，置太守，治薊，隋百官志：太守，上郡從三品，中郡正四品，下郡從四品。罷長史、司馬，置贊務一人貳之，隋志注：上郡正五品，中郡從五品，下郡正六品。次置東、西曹掾，隋志注：上郡正六品，中郡從六品，下郡正七品。主簿、司功，倉、户、兵、法、士曹等書佐，各因郡之大小爲增減。改行參軍爲行書佐，後郡置通守一，位次太守，又改郡贊務爲丞，位在通守下。縣尉爲縣正。尋改正爲户曹、法曹，分司以丞。隋百官志。初，開皇三年，幽州領縣七：薊、良鄉、安次、三縣仍涿、周。廢范陽郡來屬。雍奴、廢漁陽郡來屬。昌平、廢平昌郡來屬。潞。六年，移故安縣於故葨鄉縣，改曰固安，增漁陽，凡縣十。又檀州刺史，開皇十八年置，大業初廢州，是爲安樂郡，縣二：燕樂、密雲。安樂詳下僑治。隋地理志：安樂郡縣二：燕樂、密雲。又長陽郡太守治燕樂，今密雲境。隋置，尋廢。據寰宇記。唐武德元年，改爲幽州。通典：武德元年改郡爲州。

改太守爲刺史，唐書地理志。加號持節。通典。又云：後加號爲使持節諸軍事，而實無節，但頒銅魚符。幽州時爲中州，刺史正四品，其爲上州刺史從三品，則在永徽後。按：唐百官志、唐六典並云，上州刺史一人，從三品；中州、下州正四品。通典云：武德令，二萬户以上爲上州。永徽令，二萬户以上爲上州。開元十八年三月，勅以四萬户以上爲上州，二萬五千户爲中州，不滿二萬户爲下州。舊唐地理志云：幽州舊領縣十：薊、潞、雍奴、漁陽、良鄉、固安、昌平、范陽、歸義也。户二萬一千六百九十八。天寶，縣十，户六萬七千二百四十二。據此，武德時以户升，幽州當爲中州。永徽後或以令升，或以户計，皆當爲上州。佐屬有別駕、長史、司馬、録事、録事參軍事、司功、司倉、司户、司田、司兵、司法、司士各參軍事，又參軍事、市令、丞、倉督，唐六典：上州別駕一人，從四品下；長史一人，從五品上；司馬一人，從五品下；録事參軍事一人，從七品上；録事二人，從九品上；史三人，司功參軍事一人，從七品下；司倉參軍事一人，從七品下；佐三人，史六人，司户參軍事二人，從七品下；佐三人，史七人，帳史一人，司兵參軍事一人，從七品下；佐三人，史六人，司法參軍事二人，從七品下；佐四人，史八人，司士參軍事一人，從七品下；佐四人，史六人，參軍事四人，執刀十五人，典獄十四人，問事八人，白直二十人，市令一人，從九品上；丞一人，佐一人，史二人，倉督二人，史四人。中州刺史一人，正四品上；別駕一人，正五品下；長史一人，正六品上；司馬一人，正六品下；録事參軍一人，正八品上；録事一人，從九品下；史二人，司功參軍事一人，正八品下；佐二人，史四人，司倉參軍事一人，正八品下；佐二人，史四人，司户參軍事一人，正八品下；佐三人，史五人，參軍事三人，帳史一人，司兵參軍事一人，正八品下；佐三人，史四人，司法參軍事一人，正八品下；佐三人，史六人，參軍事三人，正九品下；執刀十人，典獄十二人，問事六人，白直十六人，市令一人，丞一人，佐二人，史二人，帥二人，倉督二人，史三人。下州刺史一人，正四品下；別駕一人，從五品上；司馬一人，從六品上；録事參軍事一人，從八品上；録事一人，從九品下；史二人，司曹參軍事一人，從八品下；兼掌司功事。佐二人，史四人，司户參軍事一人，從八品下；兼掌司兵事。佐三人，史五人，帳史一人，司法參軍事一人，從八品上；兼掌司士事。佐二人，史四人，參軍事二人，從九品下；執刀十人，典獄八人，問事四人，白直十六人，市令一人，佐一人，史一人，帥一人，倉督一人，史二人。又云：參軍事掌出使，市令丞掌市廛交易，禁斥非違之事。按：百官志略於六典，而多司田參軍事各一人，上州從七品下，中州正八品下，下州從八品下，攷之唐會要，判事知營田，卽司田參軍。唐百官志注：武德元年，改丞曰別駕。初，幽州總管府治，六年，大總管治，七年，大都督府治，據新、舊唐地理志。九年，改都督。舊唐地理志。高宗卽位，改別駕爲長史。上元二年，州復置別駕，以諸王子爲之。永隆元年，省。永淳元年復。二年，始參用庶姓。唐百官志。元宗開元元年，幽州防禦大使治，二年，幽州節度使治，據唐方鎮表。十三年，節度使兼領大都督府治。天寶元年，改范陽郡，據新唐地理志，寰宇記。改刺史曰太守，唐百官志。范陽節度使治。唐方鎮表。自是州、郡、史、守，更相爲名，其實則一。通典。八載，郡廢別駕。唐百官志。又云，下郡置表史一員。乾元元年，復爲幽州。舊唐地理志。上元二年，州復置別駕。唐百官志。先是，安禄山於至德元年，僭號大燕，以范陽爲大都。洎寶應二年，史思明又僭號大燕，改范陽爲燕京。據安禄山事蹟，唐史思明傳。德宗時，州別駕復省。唐百官志。初，武德元年，幽州領縣十：薊、良鄉、安次、涿、固安、雍奴、昌平、潞、漁陽，又懷戎，非今屬。二年割潞、漁陽，屬玄州。按：舊唐志，二年分潞置玄州，領一縣。今攷唐書志注，二年置玄州，領潞、漁陽，並置臨泃縣。此正舊志之譌，並可爲隋末置漁陽縣之證。四年，固安縣屬北義州。七年，改涿縣爲范陽，舊唐地理志。割懷戎。貞觀元年，漁陽、潞、固安還屬。八年，置縣歸義。如意元年，析安次，置縣武隆。聖曆元年，改良鄉爲固節。睿宗景雲九年，改武隆爲會昌，據新、舊地理志。分潞，置縣三河。據唐地理志，寰宇記。遼十八年，割漁陽、三河及玉田，置薊州。舊唐地理志。天寶元年，改雍奴爲武清，會昌爲永清。據新、舊唐地理志。析薊，置縣二：廣甯、廣平。三載，省至德，後復置廣平。大曆四年，置涿州，屬以范陽、歸義、固安。據唐地理志。建中二年，析薊，置縣幽都，凡縣九。梁幽州刺史與幽州節度同治薊，縣十：薊、幽都、良鄉、安次、武清、昌平、潞、永清、玉河、廣平。孜玉河，乾甯中劉仁恭析薊置，據五代史雜傳，通鑑，地理通釋。後唐仍刺史之號，通考：五代仍刺史之號。幽州領縣九：薊、幽都、良鄉、安次、武清、北平、潞、永清、玉河。按：昌平改北平，史無明文。長興三年，改北平曰燕平。五代會要。晉天福中，復燕平曰昌平。據清類天文分野之書。又檀州刺史，武德元年改自安樂郡太守，屬幽州總管府。天寶元年，改置密雲郡太守，治密雲，屬河北道范陽節度使。乾元元年，復爲檀州刺史。梁唐因之，縣並如隋。又玄州刺史，武德二年置，治潞，屬幽州總管，縣四：潞、臨泃、漁陽，又無終，非今屬。按：此無終，今玉田。貞觀元年，州廢，潞、漁陽屬幽州，餘縣二省。據舊唐地理志。按：治境玄州有三，一周安州更名，隋徙治無終，爲今薊州境，立總管，故入統部；一唐僑州，入僑治；一卽此治潞州也。遼太宗會同元年，以幽州爲南京，置幽都府，屬南京道。據遼地理志。南京留守行府尹事曰少尹，卽今府丞。遼百官志：某京留守行府尹事，聖宗統和元年，見上京留守行臨潢尹事吴王舒某府少尹，聖宗太平四年，見臨潢少尹鄭宏節。舒原作稍，四當作五，聖宗紀載在五年。王圻續文獻通考：遼南面五京尹，爲五京留守司，俱兼府尹職。歷代職官表：遼分建皆置五京，而四時巡幸，實無定所，故五京留守司令兼府尹事，軍民俱歸統轄。軍曰盧龍。開泰元年，改幽都曰析津，燕京治。遼百官志：天顯十三年，以幽州爲南京。開泰元年，改幽都府爲析津府。又云：南京道，幽州盧龍軍節度使司。南官多財賦官。遼百官志。初，燕都府領縣十：薊北、按：薊北，薊縣更名，詳縣。幽都、昌平、良鄉、安次、武清、永清、玉河、香河。州七：順、檀、涿、薊，及非今屬之莫、瀛三州與易入周。据遼志。

統和七年，取易州，非今屬。開泰元年，改薊北爲析津，幽都爲宛平。遼聖宗紀。太平中，析潞置縣漷陰。重熙中，增景州，非今屬。遼地理志：景州清安軍刺史本薊州遵化縣，重熙中置，領遵化。凡縣十、州六。宋宣和四年入金，據金太祖紀。五年歸宋，郡曰廣陽節度，曰永清軍，燕山府路治。據宋地理志。初，朝臣出守列郡，號權知軍州事，宋史職官志。按：通考，軍謂兵，州謂民政焉。其後，文武臣參爲知州軍事，二品以上，及帶中書樞密院稱判太守，沿邊州郡或當一道衝要者，並兼兵馬鈐轄巡檢都監，通考。次府牧尹、少尹、司録、户曹、法曹、士曹，牧尹以下所掌，並同開封尹關則知事一人，以朝官及刺史以上，或諸司使充通判一人，以京朝官充。宋職官志。通考：宋沿唐制，州有録參軍，諸府爲司録。按：唐惟京郡名府，宋則外郡亦府。唐中葉，藩鎮各立軍號。宋則軍監之。自古稱牧守，其以知府、知州、知軍監稱者，實自宋始。宣和五年，領縣十一：析津、宛平、按：宋志譌宛爲廣。廣甯、本名都市，據宋史、北盟彙編。昌平、良鄉、潞、武清、安次、三河、清化、按：香河賜名清化。漷陰，七年入金。據金史交聘表。太宗天會三年，仍名燕京析津府。七年，屬河北東路。據金地理志。海陵貞元元年，燕京爲聖都，尋曰中都，改析津爲大興府，據金地理志、元混一方輿勝覽。自會甯徙都此。據煬王江上録。大興府尹一，正三品，總判府事，兼領本路兵馬都總管府事；車駕巡幸，則置留守同知、少尹、判官，惟留判不别置，以總判兼之；同知一，從四品，掌通判府事；少尹一，正五品，掌同；同知總管判官一，五品；府判一，從五品；推官二，從六品，内推户舊一，大定五年增一；知事一，正八品；都孔目女直司一，漢人司一，不常置，省則吏目攝；知法三員，從八品，女直一，漢人二；金百官志。又云：總管判官掌紀綱總府衆務，分判兵案之事；府判掌諮議、參佐，糾正非違紀綱衆務，分判吏、禮、工案事；推官掌同；官判分判户、刑案事，内户推掌通檢推排簿籍；知事掌付事勾稽省署文牘、總録諸案之事；都孔目官職同；知事掌監印，監管案牘；知法掌律令格式、審斷刑名。散府、守丞，得並稱尹。歷代職官表：金郡多升爲府，金地理志謂之散府，其守丞得並稱爲尹，與歷代不同。北盟會編二百四十五：有佩服之制，文臣五品以上服紫，七品緋，八品、九品緑，有玉帶、玉雙魚、玉魚、金魚及金笏頭毬、大荔枝、御山、仙花及烏犀、紅鞓等帶，皆金，魚服緋者紅帶，銀魚。金輿服志：舊制，親王宰執任外者，與大興尹皆服小帽，束帶，銀鞍，絲鞭。大定中，世宗以京尹亦外官，三品而與親王無別，遂命不得御銀鞍、絲鞭，惟同外三品例，幞頭、帶展皂視事。金儀衛志：從己人以射糧軍充大興府尹五十人。天會三年，領縣十一：按：宋賜名均復故。析津、宛平、昌平、安次、潞、漷陰、永清、復置。香河、武清、良鄉、三河。州五：薊、順、涿及非今屬之易、灤。新屬。軍一：信安。新屬。天德三年，置通州，以潞、三河屬。貞元元年，改縣析津曰大興，增平州，非今屬。二年，增霸州，及非今屬之雄州。按：北盟會編二百四十四引金虜圖經，刺史七十四，有涿州、薊州、通州、順州、霸州。七年，降信安軍爲縣，屬霸州。十二年，析香河，置縣寶坻。承安三年，寶坻升爲盈州，分香河、武清屬之，尋復。按：元光元年升信安爲鎮安府，時中都已失。凡縣十、州九。又檀州威武軍，晉天福中檀州入遼，更名屬南京道，遼地理志：檀州威武軍下。治密雲，領行唐，宋檀州下。據唐輿地廣記。宣和五年，賜名横山郡，升鎮遠節度，屬燕山府，治密雲，領威塞。七年入金。據舊唐地理志。金詳密雲縣。元太祖十年克燕，置大興府，爲燕京路總管治。據元地理志。至元元年，中都路治，四年都之。元世祖紀：至元元年改中都，其大興府仍舊。九年，大都路治。詳統部。十九年，置大都留守司，兼本路都總管留守五，正二品；同知二，正三品；副留守二，正四品；判官二，正五品；經歷一，從六品；都事二，從七品；管勾承發架閣庫一，正八品；照磨兼覆料官一，部役官兼壕寨一，令史十八，宣使十七，典史五，知印二，蒙古筆且齊三，回回令史一，通事一。二十一年，別置大都路總管府，治民事。元百官志。志又云：至元十九年，罷宮殿府行工部，置大都留守司兼本路都總管，知少府監事。二十一年，并少府監，歸留守司。皇慶元年，別置少府監。延祐七年，罷少府監，復以留守兼監事。秩從三品；置都達嚕噶齊、都總管等官。據元百官志、崔彧傳。二十七年，升爲都總管府，進秩正三品；達嚕噶齊三，都總管一，元百官志。歷代職官表：達嚕噶齊，蒙古語頭目也。原本作達魯花赤，今改正。按：歷代職官表，此三員並入府尹。副達嚕噶齊二，同知二，元百官志。按：歷代職官表，並入府丞。治中、判官、推官、經歷、知事各二，提檢案牘四，照磨兼管勾一，令史九十有五，譯史二，回回令史一，通事知印各二，奏差二十一，元百官志。元食貨志：大都路達嚕噶齊俸一百三十貫，總管同；副達嚕噶齊一百二十貫；同知八十貫；治中，同判官五十貫，照磨同。爲直隸中書省治，明地理志：元直隸中書省。歷代職官表：元於京都不稱府而稱路，特加都字。考地理志，中書省統路二十九，首卽大都路。領府一，凡本府官吏，惟達嚕噶齊一員，及總管推官，專治路正，其餘皆分任供需之事，故又號供需府。元百官志。志又云：大德五年，又分大都路總管管官屬，置供需府，至順二年罷之。初，領縣十：大興、宛平、良鄉、安次、永清、寶坻、昌平、漷陰、香河、武清。州六：涿、霸、通、薊、順、檀。中統四年，升安次爲東安州，固安爲固安州。至元十三年，升漷陰爲漷州，以武清、香河屬之。延祐三年，增龍慶州，非今屬。凡縣六、州十。又大都分府四。至正十八年置之，大都四隅官吏，視都府減半。元百官志：大都分府，至正十八年三月，東安、漷州、柳林日有警報，京師備禦，四隅俱立大都分府，其官吏視都府減半。

其僑治官，無分彊，有領户，後魏偏城郡太守。武定元年，僑昌平境，屬東燕州，縣二，廣武、沃野。齊廢。據魏地形志。地理韻編：沃野今昌平縣地。又廣陽、安樂二郡太守，僑密雲縣境。地理韻編：今密雲縣治。初，延和元年，僑置益州治燕樂，交州治安市。地理韻編：燕樂、安市，今密雲縣東北。太平真君二年，改益州刺史爲廣陽郡太守，後增縣廣興、方城，改交州刺史爲安樂郡太守，後增縣土垠，屬幽州。皇興二年，屬安州。魏地形志。齊廢廣陽、密雲二郡，以安樂、密雲、安市屬安樂郡。周省縣安市。隋廢郡後，再置，非復僑治。唐則以邊州都督都護所領諸蕃部落，列置州縣，首領得襲都督刺史，號爲羈縻。僑薊者三：曰燕州刺史，武德六年徙自營州，縣二：遼西、懷遠。後懷遠省。開元二十五年，由幽州城移幽州北桃谷山。天寶元年，改爲歸德郡。乾元元年，復。建中二年，廢。曰順州刺史，貞觀六年僑治營州，後徙幽州城。天寶元年，改順義郡，置太守。乾元元年，復縣一：賓義。建中二年，徙故燕州治，蓋卽幽州北桃谷山云。按：桃谷山今順義縣。一統志據縣舊志，謂建中二年，燕州廢，始自幽州移順來治，是也。新、舊唐志，燕、順均寄幽州城。寰宇記：順州四至八到與范陽郡同，皆未徙，故燕州前之順州也。遼、元史謂順州即燕州改名，殊溷。曰沃州刺史，開元二年自營州徙薊之南回城，縣一：濱海。又僑治良鄉之古廣陽城，今良鄉。凡三：曰歸義州刺史，總章中以新羅户置縣一：歸義，後廢。開元二十年，復置於幽州之偏，以處李詩部落。曰夷賓州刺史，神龍初徙自營州，縣一：來蘇。曰瑞州刺史，神龍初徙自營州，縣一：來遠。又僑治安次之古常道城。曰昌州刺史，神龍初徙自營州，縣一：龍山。又僑潞之古潞城二：曰崇州刺史，縣一：昌黎。曰鮮州刺史，縣一：濱從。皆神龍初徙自營州。又僑昌平之清水店，曰帶州刺史，神龍初徙自青州，縣一：孤竹。又僑燕北境曰歸順州刺史，本彈汗州，貞觀二十二年以内屬契丹別帥析紇便部置。開元四年更名。天寶元年，改爲歸化郡。乾元元年復，縣一：懷柔。又僑范陽縣境二：曰玄州刺史，神龍初徙自徐宋，縣一：静蕃。曰信州刺史，神龍二年徙自青州，縣一：黄龍。又僑良鄉之故都鄉城境二：曰慎州，神龍初徙自淄青，縣一：逢龍。曰黎州，徙自宋州，縣一：新黎。又僑范陽境二：曰青山州刺史，景雲元年析玄州置，縣一：青山。曰凜州刺史，天寶初置。又僑治良鄉之石窟堡，曰威州刺史。貞觀元年，遼州更名，神龍初徙自幽州境，縣一：威化。又僑良鄉之故東閭城，曰師州刺史，神龍初徙自青山，縣一：陽師。州凡十有九，並屬河北道幽州。據新、舊唐地理志。

	順天府 相、守、使、尹、知府、總管。
周	子之 燕王噲相，三年行王事，齊宣王伐燕，醢之。據國策燕策、史記燕王世家集解引汲家紀年、通鑑三。 栗腹 燕王喜相、四年，趙禽腹。
漢	欒布 燕相，詳傳。 灌夫 字仲儒，潁陰人，建元二年，太僕徙燕相，數歲坐法免。據史漢傳。 趙禹 斄人，廉裾爲少府，九卿以老徙燕相，數
三國	王雄 涿郡太守，詳傳。 黃朗 字文達，沛郡人，黃初中涿郡太守，叡時疾卒。據魏志十三注引魏略。 王觀 涿郡太守，詳
晉	胡矩 燕相。據晉王浚傳。 梁撝 安定烏氏人，晉范陽王虓驃騎參軍事，漁陽太守。永嘉蕩析，淪于僞趙，後還晉，爲散騎侍郎。據廣宏明集禪
後魏	羅衡 代人，世祖時，軍將，征伐有功，官至范陽太守，卒，贈幽州刺史。據魏書羅結傳。 陽尼 漁陽太守，見先賢傳。 陽荆 范陽太守，坿
齊周	李道璩 趙郡平棘人，武定末范陽太守。據魏書李順傳。 源彪 范陽太守，詳傳。 馬嗣明 行燕郡太守，坿斛
隋	郭絢 通守兼領涿守，詳傳。 崔弘昇 字上客，博陵安平人，煬帝即位，信都太守，轉涿郡太守，征遼東，敗績，病卒。據隋書坿崔弘慶傳。
唐	田善集 武德二年閏三月，隋漁陽太守，以郡降。據册府元龜百二十六。 韋弘機 顯慶中檀州刺史，詳傳。 張秀
五代遼	劉訓 字遵範，隰州永和人，天成中，南面行營招討使，責授檀州刺史。據舊五代史列傳。 唐〇後 陳確 梁乾化三年二月，李存暉攻燕，檀州刺史
宋金	劉審瓊 涿州范陽人，太平興國七年，領檀州刺史。據宋史列傳。 皇甫繼明 冀州蓨人，雍熙四年領檀州刺史。據宋史列傳。
元	張柔 中都留守，詳金表。 天舉 大都路總管兼府尹，詳統部表。 郭汝梅 中統三年總管中都路兼大興尹，見先賢傳。

，據燕策，史記燕世家，樂毅傳。

將渠 燕王喜時，繼栗腹爲相，趙解燕圍。據燕策，史記燕世家。○按：索隱：將渠，人名，姓。一云將官，渠其名。

歲免。據史漢傳。○按：禹，武帝時人。

劉屈氂 武帝庶兄，中山靖王子，涿郡太守，征和二年遷左丞相。據漢書傳。

□平 燕相刺王旦與

傳。

張平 范陽方城人，漁陽太守。據晉張華傳。

李定 字文義，漁陽太守。據通志李裔傳。○已上魏。

林寺尼淨秀行狀。○已上晉。

馬鮑 燕漁陽太守，率衆降石季龍。據晉書石季龍載記。

李産 范陽郡太守，見先賢傳。

樊坦 幽州參軍，擢

陽尼傳。

穆羆 孝文帝太和十九年燕州刺史。據册府元龜十三。

司馬紹 字元興，河內溫人，太和中漁陽太守。據魏故甯朔將軍固州鎮將鎮東將軍

律羨傳。○已上齊

薛世雄 字世英，本汾陰人，寓居燉煌。煬帝以世雄爲東北道大使，行燕郡太守，鎮懷遠，仍領涿郡留守。十三年，詔討李密，竇建德襲之，歸涿郡，卒。據隋書北

檀州刺史，見張允伸傳。

李安仁 薊人，承約祖，檀州刺史。據新舊五代史李承約傳。

張宇 范陽太守，因居其郡。據張説府君墓誌銘。

陳確以城降。據通鑑二百六十八。○晉

韓令坤 磁州武定人，世宗將北征，命副王宴爲益津關一部督部署，俄爲霸州都部署，率所部兵戍之。據宋史列傳。○按通鑑

葛霸 真定人，雍熙中爲驍騎軍都指揮使，領檀州刺史。據宋史列傳。

王承衍 字希甫，其先遼西人，徙家洛陽，端拱初永清軍節度。據宋史王審琦傳。

段貞 至元三十一年八月，大都留守，平章政事。據元世祖紀。

鄭制宜 字小阿海，渾州陽城人，元貞元年授大都留守。據元史坿鄭鼎傳。

上官桀交通，桀誅旦，召發兵，平不可。據漢書武五子傳。

崔朝

嚴延年　涿郡太守，詳傳。

徐明　涿郡太守。據漢書王尊傳。

鄭昌

章武内史。衣冠弊壞，勒賜衣服裝錢三百萬，以勵貪俗。據晉石勒載記，通鑑九十二。

賈堅　慕容儁遣慕容評攻王午於魯口，冉閔章武太守賈堅率郡兵邀評戰於高

漁陽太守宜陽子司馬元興墓誌銘。○按：魏書，司馬叔璠傳云，道壽長子元興，非斠墓誌，莫辨厥名。

張仲慮　太原中都人，太和中章武太守，加甯遠將軍。

史傳，通鑑百八十四。

樊子蓋　字華宗，廬江人，大業六年，帝還東都，子蓋爲涿郡留守。據隋書北史傳。

史祥　字世休，朔方人，煬帝拜燕

李詩　奚酋長，開元二十五年，信安王煒降詩部落，以其地爲歸義州，拜左羽林軍大將軍，本州都督，置其部幽州之偏。據新舊唐書奚傳。○僑治。

李延

二百九十四，令坤爲霸州都部署在後周顯德六年。

張令鐸　棣州厭次人，世宗命副韓令坤爲霸州部署。據宋史列傳。

邊退思　幽州薊人，檀州刺

周瑩　瀛州景城人，咸平三年拜永清軍節度，爲三路排陣使，景德間徙檀州。據宋史列傳。

張鐸　知霸州，景德初移檀州，勤政治，以瑞麥生，獄空，連

姚天福　字君祥，絳州人。大德四年拜參知政事，大都路總管兼大興府尹，畿甸大治，後之尹京者，以天福爲稱首。據元史列傳。

齊諾　原作千奴約勒

泰山剛人，涿郡太守，著治迹。據漢鄭宏傳。

彭宏 南陽宛人，漁陽太守，爲莽所害。據後漢彭寵傳。

劉歆 字子駿，哀帝即位，歆轉涿郡太守，病免。

城，擒堅於陣。據晉書慕容儁載記。○已上趙。

李績 章武太守。坿李產傳。

陽裕 燕郡太守。歷官章武太守，見先賢傳。

崔遹 字宵祖，慕容

據魏書儒林張偉傳。

費郁 代人，燕郡太守，卒，贈幽州刺史。據魏書費于傳。

崔隆宗 濤東武城人，燕郡太守。據北史崔逞傳。

宋維

郡太守，被賊高開道所圍，城陷，開道禮之。開道與羅藝通和，送祥涿郡，卒於途。據隋書傳。

陰世師 涿郡留守。詳傳。

田善集 漁陽太守。詳唐表。

龍 詩子，嗣歸義州都督，與契丹叛，爲幽州張守珪所困，延龍降，復叛。據新舊唐書奚傳。○僑治。

史。據宋史邊歸讜傳。○按：密雲鄭志，萬曆六年，知縣張世則請祀名宦。○已上周。

趙延壽 遼太宗時爲幽州節度使，封燕王，及改幽州爲南京，遷留守，

詔嘉獎。據宋史列傳。

柴宗慶 大名人，真宗時永清軍節度。據宋史柴錫傳。

王安中 宣和三年，知燕山府。詳傳。

蔡靖 宣和七年，知

伯里巴約特氏，大德七年授大都路總管兼大興府尹。據元史坿和尚傳。

王伯勝 至大三年大都留守。見先賢傳。

庫庫台 至順元年十二月知

據漢書坿劉向傳。○已上西漢。

郭伋　漁陽太守。詳傳。

張堪　漁陽太守。詳傳。

張豐　涿郡太守。據册府元龜三百四十九。

垂范陽太守。據魏書北史崔逞傳。○已上燕。

盧邈　玄父，慕容氏范陽太守，以儒雅稱。據魏書北史盧玄傳。

竇堪　慕容氏漁陽太守、據魏書北

字伯緒，西河介休人，通直郎，靈太后黜爲燕州昌平郡守。據魏書坿宋弁傳。○按：昌平當是平昌，魏書地形志、寰宇記可證。

盧道將　燕郡太守。見先賢。

。

柳肅　工部侍郎，煬帝每行幸遼東，委之涿郡留守。據册府元龜七十八。

，總山南事。詳傳。

德呼　字蘇蘭，天禄二年十月爲南京留守，封燕王。五年，察剋弑逆，德呼醉，妻扶入幕，從之。明旦，壽安王討亂，不降，淩遲死。據遼世宗紀。

燕山府，降於金。據北盟會編。○已上宋。

圖克坦真　本名塔斯特，赫必喇人，海陵卽位，爲大興尹。據金史逆臣傳。

蕭玉　奚人，正隆六

樞密院事兼大都留守。據元文宗紀。

達爾瑪實哩　至正五年大都留守。據元順帝紀

丁好禮　至正二十年燕京留守。詳傳。

郭庸

彭寵　宏子，行漁陽太守事，謀反，誅。據後漢列傳。

蔡充　光武時漁陽太守。據冊府元龜三百四十一。

張況　趙國襄國人，光武以爲元氏

史竇瓊傳。

慕容評　晉咸安二年，符堅出評爲范陽太守。據通鑑一百二。〇秦。

傳。

盧尚之　范陽太守，章武內史，坿盧道將傳。

李蘊　字宗令，范陽人，秘書中散，侍御史，後出爲燕、范陽二郡太守，延昌二年卒。據魏

逆臣傳。〇按：德埒原作牒臘，蘇蘭原作述蘭。

高勳　應曆初南京留守。

蕭思温　南京留守。據遼史列傳。

韓匡嗣　薊州

年正月，司徒，御史大夫，爲大興尹。據金史海陵紀宗本坿傳。

唐古安禮　大定初大興尹。詳傳。

伊喇慥　本名伊德爾，契丹，伊嚕勒部人，

至正二十七年燕京留守，坿丁好禮傳。

令，遷涿郡太守，時年八十，疏乞身，詔許之，後爲常山關長，戰死。據後漢張禹傳，東觀漢記。

田邑　字伯玉，馮翊蓮勺人。漁陽太守。未到官，徵諫議大夫，

書坿李訢傳。

李肅　字産邕，趙郡平棘人，光祿大夫，熙平初，出爲章武內史，歲餘遷夏州刺史。據魏書坿李順傳。

元羅侯　江陽王繼弟，羅侯家於燕州昌平

玉田人，保甯中南京留守。據遼史韓知古傳。

耶律隆運　即韓德讓，南京留守。據遼史列傳。

耶律道隱　乾亨元年南京留守。據遼史。

大興尹。據金史列傳。

□璋　十三年十一月，大興尹爲賀宋正旦使。據金史世宗紀。

圖克坦克甯　十四年四月，樞密使兼大興尹。據金史世宗紀。

。據後漢書馮衍傳，東觀漢記。

范遷 漁陽太守。詳傳。

廉范 京兆杜陵人，漁陽太守。據大清一統志。

張顯 漁陽太守。詳傳。

郡，不樂入仕，就拜昌平太守，正光末，逆賊大俄佛保陷郡，見害。據魏書坿京兆王黎傳。〇按：昌平乃平昌之譌，說詳上。

祖瑩 字元珍，范陽道人，孝昌中國子祭酒，領

宗室義宗貝傳。 。

耶律休格 統和元年南京留守。詳傳。

蕭孝穆 半 和爾沁，太平三年封燕王，南京留守，兵馬都總管。據遼史列傳。

。 烏庫哩元忠 五十 年知大興府事。詳傳。

完顏永功 十八年大興尹。詳傳。

完顏托里斯 十二

楊震　弘農華陰人，涿郡太守。據後漢列傳。

王暢　山陽高平人。漁陽太守，以嚴明稱。據後漢王龔傳。

李膺　字元禮，潁川人，青州刺史，遷漁陽太守

給事黃門侍郎，幽州大中正。據魏書北史列傳。

魏敬仲　鉅鹿下曲陽人，肅宗時祠部郎中，卒於章武太守。據魏書蘭根傳。

房謨　河南洛陽人，

蕭孝先　字延寧，重熙四年，爲南京留守，卒，謚忠肅。據遼史蕭孝穆傳。

耶律仁先　咸雍元年南京留守。據遼史列傳。

耶律

一年大興尹。據金史列傳。

完顏永蹈　本名尼楚赫，原作銀朮可，初名實古爾，二十六年大興尹。據金史列傳。

富察通　本名富埒琿，原作

。據後漢黨錮傳，畿輔唐志。

鄒丹 公孫瓚所置漁陽太守。附劉虞傳。

鮮于輔 漁陽太守。坿劉虞傳。

温恕 太原祁人，建

正光末昌平太守，著廉惠，假燕州事。據北史列傳。

鄭瓊 字祖珍，滎陽開封人，自太尉諮議爲范陽太守，治頗有聲，卒贈太常少卿。據魏書北史鄭羲傳。

綦連

婁國 燕京留守，遂居於燕。據畿輔唐志七十一。

蒲魯渾，中都路額特赫格明安人，世宗時知大興府事。據金史列傳。

完顏承暉 章宗時知大興府事。詳傳。

張萬公 字良輔，東平東阿人，明昌二年安間涿郡太守。據魏志十五。

元成　代人，燕郡太守。據齊書綦連猛傳。○按：猛，永平中人。

刁整　范陽太守。詳傳。

劉永　字履南，彭城人，神龜中范陽太守。據魏

知大興府事，九月參知政事。據金史章宗。紀列傳

完顏守貞　明昌二年九月爲左丞，知大興府事。據續通鑑。

王翛　二年知大興府。見先賢傳。

書北史坿劉芳傳。

鄭士恭　開封人，燕郡太守。據魏書坿鄭羲傳。

沈嘉慶　吳興武康人，漁陽太守。據魏書北史坿沈文秀傳。

完顏亶　六年知大興府事。據金史趙秉文傳。

尼瑪哈鑑　五年十二月知大興府事，參知政事。據金史世宗紀。

□卞　承安元年九月

韋嵩景京兆杜陵人，武定中燕郡太守，有武功。據魏韋閬坿傳。

盧文偉范陽太守。見雜八傳。

盧恭道范陽太守。坿盧文

，知大興府，以擅逮宰臣，笞四十。據金史章宗紀。

□褒二年九月樞密使兼平章政事，知大興府事。據金史章宗紀。

赫舍哩執中本名

偉傳。

元彥 昭 武定 中漁陽太守。據魏書城陽王傳。

呼沙呼，泰和元年知大興府事。四年，大理孟姬端脩司直溫敦按帶論彈之，坐言不當，削一官。後孟鑄奏，執中貪殘專恣。上寤，改都指揮使。據金史章宗紀。

圖克

坦南平泰和年，大興知府，貴幸用事。據金史李革傳。

溫特赫思齊七年知大興府事。據金史章宗紀。

圖克坦公

弼本名錫林，河北東路算卓和明安人，大安初，知大興府事。據金史列傳。

武都 字文伯，東勝州人，大定十二年進士。貞祐初，由中都路轉運使知大興府，佩虎符，，便宜行事，彈壓中外軍民。都醉酒以褻衣見詔使，解職。據金史列傳。

胥鼎

字和之，代州繁峙人，貞祐元年知大興府，四年拜尚書右丞兼知府事。據金史列傳。

高霖

字子約，東平人，二年兵部尚書知大興府事，三年五月中都破，及於難。據金史宣宗紀列傳。

張柔

字德剛，易州定興人，貞祐末，中都留守

	佐屬
	王尊 涿郡高陽人，由獄小吏除涿郡書佐，召治獄，爲郡決曹吏。據漢書列傳。
	劉沈 燕國大中正。詳傳。○晉 樊坦 幽州參軍，清貧，大甯元年擢章武内史。
	郭絢 涿郡丞。詳傳。
	索氏 元和三年以部酋索氏爲左威衛將軍檀薊州游奕兵馬使。據新、舊唐書傳。○按：舊
	室昉 天禄中，南京留守判官。保甯中，副留守。詳傳。 吴浩 南京副留守。
兼大興尹，本路經略使，行元帥事，以衆降太祖，還舊職。據元史列傳。	黄友 通判檀州。詳傳。○宋。 諾延 温都 烏達 原作耨盌温敦
	高觿 字彥解，渤海人，至元二十二年，同知大都路留守司事。據元史列傳。 孟古

吳漢 漁陽長史。詳傳。

蓋延 漁陽郡列掾。詳傳。

王梁 漁陽郡吏。詳傳。

嚴授 漁陽郡兵馬掾。坿張顯傳。

衛福 漁陽郡主簿。

據晉石勒載記，通鑑九十二。

李績 范陽郡功曹。坿李產傳。

唐書氏作低，左作右，今從唐書。

張不矜 藹

府功曹兼節度使掌書記。據范陽郡憫忠寺寶塔頌。

竇泉 字靈長，扶風人，建中時范陽功曹。據全

統和九年閏月，決諸道滯獄。據遼聖宗紀。

楊佶 開泰八年，燕地饑疫，以佶同知南京留守事，發倉廩，貧民鬻子，計傭出之。據遼史傳。

耶律

兀帶，阿薩水人，天會間同知大興尹。據金史列傳。

張九思 字全行，錦州人，天眷初，大興少尹，同知中都轉運使事。據金史列傳。

哈里 原作海里。天

圖嚕默色 原作忙兀禿嚕迷失，同知大都府事。據元史文宗紀。

雅老

瓦實 燕京大斷事官。據元史氏族表。

坿張顯傳。

徐咸　漁陽郡功曹。坿張顯傳。

唐文四百四十七。

竇禹鈞　天祐末檀州判官。據宋史竇儀傳。

邊行存　順州司馬。見邊敏傳。○僑治。

仁先　重熙十一年，同知南京留守事。據遼史列傳。

蕭滴洌　字托紐，重熙初，鎮國軍節度使，宋還，降，同簽南京留守事。據遼史列傳。

眷時，同知大興府，兼中都路兵馬都總管。據金史列傳。

王偹　皇統二年，同知霸州，遷大興府治中。章宗擢同知大興府。詳府先賢傳。

蘇保

蕭塔喇噶原作塔烈葛，字雄隱，五院部人，重熙十二年，右勒希巴，同知南京留守，十七年，轉左伊勒希巴。據遼興宗紀列傳

耶律都勒

衡字宗尹，雲中天成人，天德間大興少尹。據金史列傳。

蕭恭字敬之，貞元二年，同知大興尹，歲餘，遷兵部尚書。據金史列傳。

李維忠正隆

斡 字伊實揚，咸雍中，同知南京留守。據遼史能吏傳。

耶律佛德 原作頗的，字薩巴。太康四年，南院大王，改同知，南京留守事。據遼史列傳。

五年三月，同知大興尹事。據金海陵紀。

仲 本名實古約，原作石古乃。正隆六年，同知大興尹。據金史列傳。

李惇 大興少尹，以贓敗，海陵置之要近。據金

時立愛 新城人，太康中進士，除燕京副留守。據金史列傳。

耶律坦 大安三年，十一月，同知南京留守。據遼道宗紀。

蕭塔

史佞幸張仲軻傳。

李老僧 海陵時遷同知大興尹，賜名惟忠。據金史逆臣傳。

劉煥 京兆推官。詳傳。

楊伯雄 字希

喇台 原作得里氏，字扎林。壽隆二年，同知南京留守。五年，轉北院樞密。據遼道宗紀列傳。	大公鼎 南京副留守。詳傳。	劉彥
雲，真定藁城人，大定初，大興少尹。據金史列傳。 梁肅 字孟容，奉聖州人，大定二年，中都轉運副使，改大興少尹。據金史列傳。	完顏永中	

宗字魯開，宛平人，進士，授燕京留守判官。據金史列傳。

本名薩喇勒，又名萬僧。五年，判大興尹。十三年，爲樞密使。據金世宗紀、列傳。

伊喇道世宗時同知大興尹。詳傳。

盧彥沖大定十一年，大興

府推官。據金史高德基傳。

完顏烏哩雅　二十二年，同知大興府事。據金食貨志。

完顏守貞　本名蘇頁。二十五年，中都左巡警使，遷大興府治中，進同知。據金史列傳。

完顏鄂博庫原作兀不喝，會甯府海古勒寨人，大定中，同知大興尹。據金史列傳。

李獻可字仲

和，遼陽人，世宗時，大興少尹。據金史附李石傳。

王全　世宗時，大興少尹。據金史布薩忠義傳曹望之傳。

孫德淵　字資深，興中州人。大定十六年

進士。中都左警巡使，歷大興治中，同知府事。據金史列傳。

李愈　字景韓，絳之正平人，章宗即位，同知中都路轉運使事，未幾，授大興府治中。據金史列傳。

蘇德秀 明昌年，大興府推官。四年，尚書省奏爲禮部主事。據金章宗紀。

烏克遜仲和 章宗時，同知大興府。坿馬琪傳。○按：金食貨志又云治中。

郭鑄 承安元年，大興府同知，以擅逮宰臣，笞四十。據金史章宗紀。

賈鉉 二年，同知大興府事。據金史路鐸傳。

高汝

礪 字巖夫，應州金城人。三年，同知大興府。據金史列傳。

李革 泰和六年，大興縣令，遷大興府治中。知府圖克坦南平貴幸用事，遣所親以進取誘革，革拒之。

據金史列傳。餘詳大興縣表。

舒穆嚕元 原作石抹元，字希明，懿州路呼圖克明安人。大興府判官。據金史列傳。

李滌 大興少尹，同

知中都轉運事。據金史曹望之傳。

蕭貢

字貞卿，京兆咸陽人，章宗時同知大興府。據金史列傳。

李遹

字平父，欒城人，大興府推官。據元好問

寄菴先生墓碑。

烏雅恩徹亨原作兀顏訛出虎，隆安府明安人，章宗時，同知大興府事。據金史列傳。

赫舍哩德原作紇石烈德

，字廣之，真定路珊沁明安人，歷同知大興府事。據金史列傳。

富察

羅索

原作蒲察婁室，東北路按春噶爾罕明安人，中都右警巡副使。貞祐初，改京兆治中，據金史列傳。

明太祖洪武元年，置大都督分府于北平，以北平府隸山東行中書省。（據通志引明太祖實録。）二年，屬北平行省。九年，廢行省爲承宣布政使司治，以北平府爲會府。（據明職官志，春明夢餘録。）永樂元年正月，以爲北京，改北平府爲順天府，（據舊聞考引成祖實録。）稱行在。二月，隸北京行部。（據明地理志。）十年，陞爲府尹，設官如應天府。（據明職官志。）十九年正月，正北京爲京師。（據舊聞考引成祖實録。）仁宗洪熙元年，仍稱行在。（據仁宗實録。）英宗正統六年，定名京師。（據英宗實録。）順天府尹一，正三品；丞一，正四品；治中一，正五品；通判六，正六品，嘉靖後革三人；推官一，從六品。其屬，經歷一，從七品；知事一，從八品；照磨一，從九品；檢校一，司獄一，從九品；都税司大使一，從九品；副使一，宣課司，凡正陽門外、正陽門、張家灣、盧溝橋税課司凡二，安定門外、安定門各大使，從九品；税課分司凡二：崇文門、德勝門各副使一，遞運所、批驗所各大使一。（明職官志。志又云：府尹掌京府之政令，宣化、和人、勸農、問俗、均貢賦、節征徭、謹祭祀、閱實户口、糾治豪强、隱恤窮困、疏理獄訟、務知百姓之疾苦，歲立春迎春、進春，祭先農之神，日朔望早朝奏，老人坊廂聽宣諭，孟春、孟冬率其僚屬行鄉飲酒禮，凡勳戚家人文引，每三月一奏，市易平其物價，遇内官暨徵派物料，雖有印信揭帖，必補牘面奏。若天子耕籍，行三推禮，則奉青箱，播種於後，禮畢，率庶人終畝。府丞貳京府，兼領學校；治中參理府事，以佐尹丞；通判分理糧儲、馬政、軍匠、薪炭、河渠、堤涂之事；推官理刑名，察屬吏。又通判舊六人，一人管糧，一人管馬，一人清軍，一人管匠，一人管河，一人管柴炭。嘉靖八年，革管河、管柴炭二人。萬曆九年，革清軍、管匠二人。十一年，復設一人，兼管軍匠。萬曆沈志：本府屬官，府庫官一，都税司官一，正陽門宣課司官一，安定税課司官一，崇文門分司官一，德勝門分司官一，張家灣宣課司官一，壩上倉官一，壩上南倉官一，壩上北倉官一，北高倉官一，浔石橋倉官一，浔石橋南倉官一，義河倉官一，北草場倉官一，黄土倉官一，吳家駝牛房倉官一，壩上北馬房倉官一，壩上東馬房倉官一，鄭家莊馬房倉官一，湯山草場倉官一，南石渠倉官一，東直裏外牛房倉官一，金盞兒甸倉官一，南石渠西倉官一，安仁坊草場倉官一，臺基廠草廠官一，義草場官一，北義草場官一，明智坊草場官一，批驗茶引所官一，大興遞運所官一，陰陽醫學二。洪武元年，領縣十有一：大興、宛平、良鄉、固安、州降。永清、寶坻、東安、州降。昌平、順義、順州降。懷柔、密雲。州五：通、霸、漷、涿、薊。按：龍慶州改屬永平府。十年，增縣一：香河。按：香河由漷州改屬。減縣一：寶坻。按：寶坻改屬通州。十三年，漷州降縣，屬通州。縣十，州四。正德元年，昌平升州，尋復。八年，又升，以順義、密雲、懷柔屬。凡縣七、州五。據明地理志。按：薊州之玉田、豐潤、遵化，非今屬。

明	尹 永樂元年前爲知府。	丞	治中	通判	推官	經歷	知事	照磨 檢校 司獄
洪武	方必壽 知北平府，有善政，祀名宦。據畿輔。							

永樂

唐志。

顧佐 字禮卿，太康人，尹，下同。據明史列傳。

張貫 六年任。詳傳。

郭仕道 江西萬安人，進士，十一年任。據題名碑。

陳諤 十一年任。詳傳。

甄儀 由府

甄儀 陝西麟遊人，舉人，十年任，十九年遷尹。

李庸祥 十九年任。○二人。據題名碑。

	丞，遷歷兵部左侍郎。據題名碑。							
洪熙	王驥 字尚德，束鹿人，進士。元年任。歷兵部尚書，封靖遠伯，謚忠毅。據明史列傳題名碑。							
宣德	李庸 字執中，完人。二年任。修學宮。據大興張志。		朱巽 遷自涿州知州。詳傳。					

正統	天順
姜濤 山西沂人，舉人。元年任。遷户部侍郎。據題名碑。 王賢 十一年任。詳傳。	王福 山西清源人，進士。六年任。謫。據題名
王鐸 四川岳池人，十年任。據綱目三編十注。 蔡錫 浙江勤陽人，舉人，遷大理寺卿。 王弼 江西鄱陽人，進士，十四年任。	余謙 湖廣宜都人，恩生。 王福祥
劉實 字嘉秀，安福人，宣德五年進士，金華通判，母喪起治中，景泰時，侍臣薦其文學，召修宋元通鑑綱目，天順初還任。 楊衡 遷自通州知州。	王淵 浙江山陰人，元年進士，伉直，終治中。
	張瑄 四年任。據諭祭寶坻芮釗母文。

成化	
閻鐸 二年	碑、明史坿陳文傳。 張誎 六年任。詳傳。
彭信 浙江	元年任。 王普 山東 海豐人，舉人，四年任。〇已上據題名碑。 國盛 四年任。據論祭寶坻芮釗母文。 盧祥 廣東 東莞人，進士，八年任，遷巡撫延綏，右僉都御史。
	據明史列傳。

任。坿張諫傳。

李裕 字資德，豐城人，成化七年陝西布政使，入爲尹，政聲大著，進右副都御史、吏部尚書。據題名碑、明史列傳。

邢簡 陝西咸陽人，進士，九年任。遷户部右侍郎。據題名碑。

仁和人，進士，元年任，遷應天尹。

丁川 浙江新昌人，進士，八年任，遷巡撫延綏，右僉都御史。〇已上據題名碑。

張伯禧 十三年任。據崇壽寺置田碑。

徐英 四川内江人，進士，十四年任，遷總漕副都御史。據題名碑。

楊守隨 字維貞，鄞州人。據明史列傳李孜省傳。

張海 山東新城人，十六年任。據宛平王志。

黄傑 河南侑川人，進士，十九年任，遷尹。據題名碑。○按綱目

	弘治
	黃傑 四年遷自府丞，後官户部侍郎。 張玉 吴橋人，進士，八年任，遷巡撫遼東都御史。據題名碑。○按綱目三編云，七年任。
三編十五注云，二十二年任。	畢亨 五年任。詳傳。 藺琦 山東德平人，進士，六年任，後遷尹。 黃寶 湖廣長沙人，進士，十六年任，遷巡撫陝西副都史。 王佐 山西
	舒向 據畿輔唐志 范澤 末年任。據閻本祔鄉祠記。

張憲十年任。詳傳。 韓傳山西絳人，進士，十四年任，南京工部尚書。 藺琦十六年任，遷自府丞。 林泮福建閩人，進士，十八年任，遷南京戶部尚書。 俞俊浙江
和順人，進士，十七年任，遷南京戶部尚書。○已上三人據題名碑。 呂獻浙江新昌人，十八年任，後遷尹。據畿輔唐志。

麗水人，進士，十九年任，遷南京工部尚書。

正德

吕獻二年由丞遷。詳丞表。

李瀚山西汾水人，進士，二年任，遷南京户部尚書，贈太子少保。

沈鋭浙江仁和人，進士，二年任，遷南京刑部右侍郎。

趙璜江西安福人，進士，二年任，遷工部尚書，謚莊靖。

胡汝礪陝西甯夏人，進士，三年任，遷兵部尚書。

沈冬魁阜城人，進士，四

江循詳傳。

王宇由固安遷。詳固安縣表。

周臣二年因御道匿名書詆瑾，瑾矯旨收五品以下官，聞内臣所爲，始釋，而周臣已暍死。據明劉瑾傳。

已上據題名碑。

胡富 字永年，績溪人，成化十四年進士，二年任，遷南京户部尚書，贈太子少保，謚康惠。據明史列傳。

李浩 字師孟，山西曲沃人，二年任。據沈志。

王鼎 福建侯官人，進士，三年任，遷南京禮部尚書。

楊一英 廣東南海人，進士，六年任，遷南京大理寺卿。

王翊 永平衛人，進士，七年任，遷兵部右侍郎。

張潤 山西臨汾人，進士，九年任，遷南京吏部年任，遷右都御史掌院事。據題名碑。

陽旦 六年任。詳傳。

楊廉 七年任。詳傳。

陸珩 劉瑾得志，府尹珩致仕。據明史劉瑾傳。

李充嗣 四川內江人，進士，十年任，遷南京兵部尚書

尚書。○已上六人，據題名碑。

周璽 九年任。詳傳。○按：題名碑奪。

黃鍾 直隸隆慶人，進士，十三年任，遷巡撫山西，右副都御史。

王堯封 正興人，進士，十四年任，後遷南京兵部尚書。○二人

，太子太保，謚康和。

胡韶 江西鄱陽人，進士，十年任，遷刑部右侍郎，謚康簡。

童瑞 四川犍爲人，進士，十三年任，遷工部尚書。

徐蕃 南直泰州人，進士，十六年任，遷工部右

據題名碑。

石禄 劉瑾誅，被言官交劾。據明焦芳傳。

侍郎。〇已上四人，據題名碑。

陳良器 劉瑾誅，被言官交劾。據明焦芳傳。

丁鳳 字應詔，蠡縣人，進士。據畿輔唐志。

嘉靖

張璉 陝西耀州人，進士，二年任，遷户部左侍郎。據題名碑。

王軏 開平

張仲賢 山西陽曲人，進士，二年任，遷巡撫順天右僉都御史。

張孟男 字元嗣，中牟人，四十四年進士，漢中同知，入爲治中。據明史列傳。

張鳴謙 據明史文徵明坿傳。

張仁 山東平原人，遷自三河知縣。據三河陳志。

許東明 遷自宛平主簿。

衞人，進士，二年任，遷右副都御史，巡撫四川。據明史列傳。	**聞淵** 字靜中，浙江鄞人，進士，三年遷吏部尚書、太子太保，諡莊簡。據明史列傳、題名碑。	**萬鏜** 字仕鳴，江西進賢人，六年任，遷太子少
唐鳳儀 湖廣邵陽人，進士，六年任，遷巡撫四川，右僉都御史。	**朱隆禧** 崑山人，進士，坐大計，黜。據明史顧可學傳。	**張嵩** 四川成都人，進士，十六年任，遷巡撫順天右僉都御史。

保、兵部尚書。據明史列傳，題名碑。

陳祥 江西 高安人，進士，六年遷巡撫應天都御史。

黎奭 湖廣 京山人，進士，七年任，遷兵部左侍郎。

程正誼 永康人。據明程粹

羅輅 應天 上元人，進士，十二年任，遷大理寺少卿。

張漢 湖廣 鍾祥人，進士，十三年任，遷兵部右侍郎。

郭登庸 山西山陰人，進士，十四年任，遷巡撫宣府右僉都御史。

坿錢德洪傳。	王俊 浙江 建德人，進士，十年任，遷刑部右侍郎。	胡鐸 浙江 餘姚人，進士，十二年任。二人據題名碑。	劉淑相 湖廣麻城人，進士，十三年任，坐所親贓私被鞫。據題	
王楨 陝西 乾州人，進士，十五年任，遷巡撫順天右僉都御史。	段麒 灤州 人，進士，十五年任。	姜潤身 山東膠州人，進士，十七年任。	張湘 山西 石州人，進士，十八年任，遷光禄寺	

名碑，明史霍韜傳。

曹蘭陝西咸甯人，進士，十五年任，遷巡撫山東，副都御史。

邵錫安州人，進士，十二年任。

蔣塗廣西全州人，進士，十八年任，遷工部右侍郎。

卿。

尤魯南直無錫人，進士，十九年任。

景溱山西蒲州人，進士，二十年任。

端廷赦南直當塗人，進士，二十二年任，遷南京右都御史。

任瀛山東兗州衛人，進士，

劉杲 湖廣鍾祥人，進士，十九年任，遷巡撫山西，副都御史。

楊銓 江西豐城人，進士，二十一年推，未任。

高擢 灤州人，進士，二十一年任，遷南京督儲副都御史。

胡奎 江西峽江人，進士，二十三年任，遷巡撫鄖陽右僉都御史。

竇一桂 山西武鄉人，進士，二十八年任，遷光禄寺卿。〇已上十三人據題名碑。

王紳 滄州人，進士，三十年任，遷總監，右僉都御史。

十五年任，遷巡撫雲南副都御史。

郭鋆 山西 高平人，進士，二十九年任，遷工部左侍郎。

馬坤 通州 人，進士，嘉靖三十年任，遷户部尚書。

盧紳 陝西 咸甯人，進士，三十年任，遷南京户

葉鏜 江南 上饒人，進士，三十一年任，遷南京大理寺卿。

李敏 山西 榆次人，進士，三十五年任，遷尹。

馬斯臧 河南鈞州人，進士，三十九年任。

趙鏜 浙江 江山人，進士，四十年任。遷都察院

部尚書。	馮岳　浙江慈谿人，進士，三十年任，遷南京刑部尚書。	雷禮　江西豐城人，進士，三十二年任，遷工部尚書。	扈永通　山東曹人，進士，三十年推，未任。	高擢　清苑
右僉都御史。	梁夢龍　字乾吉，真定人，三十一年進士，由給事中四十一年任，坐京察拾遺，出爲河南副使，官至兵部尚書、太子太傅，謚貞敏。據明史列傳。	郭汝霖　江西永豐人，進士，四十二年任，遷		

人，進士，三十三年任，遷户部尚書。

汪宗元 湖廣崇陽人，進士，三十五年任，遷通政使。

黄懋官 福建莆田人，進士，三十五年任，遷南京户部右侍郎。

劉養直 四川内江人，進士

大理寺右少卿。

冀鍊 山東益都人，進士，四十四年任，遷巡撫河南右僉都御史。

李邦義 廣東連州人，進士，四十五年任，遷南京鴻臚寺卿。○已上三人據題名碑。

齊之鸞

，三十六年任，遷户部右侍郎。	字瑞卿，桐城人，河南、山東副使，召爲府丞，未行。據明史列傳。
劉大實 河南確山人，進士，三十七年任，遷户部右侍郎。	
萬寀 江西豐城人，進士，四十年任，遷大理寺卿。	
査秉彝 浙江海甯人，進士，給事中，數建白	

時事，四十年終府尹。據題名碑，明史萬汝進傳。

吕時中

清豐人，進士，四十年任，遷户部右侍郎。

王國光

山西陽城人，進士，四十年任，遷户部右侍郎。

魏尚純

河南鈞州人，進士

，四十二年任，遷巡撫保定副都御史。

劉畿 十四二年任。詳傳。

張玭 山西石洲人，進士，四十三年任，遷南京工部右侍郎。

徐綱 湖廣興國人，進士，四十三年任，遷工部右侍郎。

	隆慶
任士憑山東平原人，進上，四十五年任。 李敏十四五年任。詳府丞。	陳紹儒廣東南海人，進士，元年任，遷大理寺卿。 徐貢元南直繁昌人，進士，元年任，遷大理寺卿。
	宋纁字伯敬，河南商邱人，嘉靖二十八年進士，隆慶改元，擢府丞。據明史列傳。 邢守廷河南臨潁人，進士，元年任，遷太常

曹三暘　南直宜興人，進士，隆慶二年任，遷巡撫雲南副都御史。

栗永禄　山東長治人，進士，四年任，遷巡撫河南副都御史。○已上據題名碑。

姚一元　字維楨，浙江長興人，四年任。據弇

寺少卿。據明史列傳。

吴時來　字惟修，仙居人，嘉靖三十二年進士，元年任，二年遷南京都御史。據明史列傳。

顧存仁　太倉人，二年任。

何起鳴　四川内江人，進士，二年任。

州山人續藁。

郭朝賓 山東汶上人，進士，五年任，遷巡撫浙江副都御史。

徐栻 南直常熟人，進士，五年任，推，未任。

曹金 河南祥符人，進士，五年任，遷刑部右侍郎。

孫一正

宋纁 四年又任，遷巡撫保定右僉都御史。

路王道 山西屯留人，進士，四年任。

傅希摯 衡水人，進士，五年任，遷巡撫山東右僉都御史。

劉堯誨 湖廣臨武人，進士，五年任，遷巡撫

	萬曆前
陝西渭南人，進士，六年任。	
福建右僉都御史。〇已上六人據題名碑。	
	李鼐陝西秦州人，舉人。 吳遠南直歙人，進士。 于瑁 楊浩 楊承祖河南人，官生。 李旼任邱人，舉人
	孫琢山東青人，舉人。 郭經山西廣平人，舉人。 陳肅直隸人，舉人。 李霆汲人，舉人。 張偉 黃伸

潘路　四川戎縣人，監生。

徐口　江西貴溪人，監生。

嚴世藩　江西分宜人，官生。

李天倫　河南洛陽人，舉人。

毛文炳　浙江餘姚人，舉人。

侶璞

洪瑛

韋沆

張通

陳翼　崇甯人，舉人。

王宗賢　山東沂人，官生。

張弁　山西代州人，進士。

王瀛　陝西汾州人，舉人。

杜萱

劉養任　四川内江人，舉人。

畢鸞　陝西鳳翔人，舉人。

陳德文　江西泰和人，舉人。

彭宣　湖廣茶陵人，選貢。

王尚友　陝西淳化人，舉人。

林㬌　福建德人，官生。

馮鼇

李朝宗

范澤

程湆

張木　浙江鄞人，舉人。

鄭湆　任邱人，貢生。

張潾　北直定興人，監生。

崔子才

從字 湖廣承天衛人，舉人。

李孝先 山東濮州人，官生。

周璣 江西餘干人，舉人。

黃國奎 江西廬陵人，舉人。

郭鋐 山東平衛人，舉人。

潘静 浙江

，南直吳人，官生。

黃完 江西鉛山人，舉人。

白世卿 陝西秦州人，進士。

何相 廣東新會人，舉人。

張忠弼 南直宣城人，舉人。

夏必賢

黎瞻

嘉興人，舉人。
李宗 河南陳留人，舉人。
彭汝成 江西廬陵人，舉人。
顧咸和 南直崑山人，官生。
張孟男 河南中牟人，進士。
張德恭

劉思信
毛文炳 浙江餘姚人，舉人。
唐汝承
范賢
周賢 廣西人，舉人。
李國紀 江西甯都人，舉人。
張鳴謙 南直上海人，舉人

河南光山人，進士。

劉巡 河南鄢陵人，官生。

蔡迎恩 浙江臨人，官生。

顧嗣衍 浙江嘉興人，官生。

許俠 河南靈寶人，官生。

吳尚朴 南直長洲人，官生

。

陳德文 江西泰和人，舉人。

林逢春 福建長樂人，官生。

顧應陽 浙江人，官生。

姜南 浙江仁和人，舉人。

張元藩 浙江山陰人，官生

。張邦伊浙江鄞人，官生。傅希孟山西蒲州人，舉人。傅作霖河南息人，官生。郭履準浙江海鹽人，官生。肅怡韶湖廣江陵人，官生
。辛珊陝西耀州人，舉人。劉燭江西吉水人，舉人。陳孟熙浙江餘姚人，官生。寇陟山西榆次人，舉人。王綬任邱人，官生。王恆河南

。

郭治統 山西高平人，官生。

李茂德 興化人，官生。

人，貢生。

李華

馬逢乾 陝西綏德人，官生。

尹玉 陝西孝義人，舉人。

張遜業 浙江永嘉人，官生。

施道光 東人，舉人。

趙以文

江西安福人，舉人。

顧逵　浙江餘姚人，舉人。

徐大經　南直興化人，舉人。

潘忠

丁璋　南直山陽人，監生。

陳時伸　浙江鄞人，舉人。

江璡　浙江

杭州人，官生。

張宗錦 冀州人，恩貢。

王淑 江西新建人，進士。

朱潤身

馬會

王學吉 陝西西安人，進士。

仇炅 江西長治人，進士。

趙禮 山東

觀城人，監生。

張治芳陝西鄠人，舉人。

陳策山西翼城人，監生。

傅誠湖廣人，官生。

張民範陝西鞏昌人，舉人。

王佑雄人，監生。

徐一正

萬曆

施篤臣 南直青陽人，進士，元年任。據萬曆沈志。

曹科 二年推，未任。

曾同亨 字于野，江西吉水人，進士，大理少

湖廣荊州人，歲貢。

周寵 河南人，舉人。

李己 字子復，磁州人，嘉靖四十四年進士，元年遷大理寺少卿。據明史陳吾德坿傳，沈志。

趙煥 字文光，山東掖人，嘉靖四十四年進士，

張汝紀 浙江嘉興人，官生。

屠本畯 浙江鄞人，官生。

張指南 開州人，舉人。

周尚禮 江西鉛山人，舉人

孫惟順 南直合肥人，官生。

及萬祺 河間人，官生。

邢子嚴 陝西人，舉人。

鮑治 南直無錫人，舉人。

杜業 福建晉江人，舉人，七年任。

倪湯 山東館陶人，進士，九年任。

吳應選 陝西會甯人，舉人，遷户部主事。

周體信 錦衣衛人，監生。

成汝礪 河南甯陵人，監生。

楊師皋 據儒學碑。

趙鳳 二十四年任七月請開礦

王全名 四川人，監生。

許懋松 福建龍溪人，監生。

李士彬 南直高郵人，監生。

鮑欽祈

趙邦教 山東益都人，監生。〇照磨，下同。

羅棟 南直吳人，監生。

劉文潤 湖廣人，監生。

阮時霖 浙江山陰人，儒士

卿，三年任。

王之垣 山東新城人，進士，四年任，遷巡撫湖廣副御史。

金立敬 浙江臨海人，進士，六年遷工部右侍郎。

施堯臣 南直青陽人，進士，七年任。

朱卿 山西

御史，三年任。據明史列傳。

朱南雍 浙江山陰人，進士，四年任，遷右通政。

郭庭梧 河南新鄉人，進士，六年任。

袁三接 廣東香山人，進士，十年任，遷太僕寺卿。

。

楊應尾 二十一年任，遷自府通判。

袁鶚 南直吳人，以廕官治中，饘粥不繼，死。據明袁洪傳。

許志文 據儒學碑。

劉孟銑 據學田碑。

馬自勉 陝西同州人，貢生。

王峯 山西代州人，官生。

胡宗洵 湖廣京山人，舉人，五年任。

徐庭竹 江西上饒人，舉人，六年任。

張平路 山西永甯人，官生

聞道立 貴州永甯衛人，舉人，戶部主事，言事謫，十四年任。

周復元 河南信陽人，六年任。

袁應祺 興化人，進士，十八年任。

凌雲鵬 休甯人，舉人，十六年任。

助大工。據明史紀事本末。

據儒學碑。

。

張邦輔 陝西涇陽人，儒士。

汪道弘 南直歙人，儒士。

長子人，進士，九年推，未任。

張國彦 邯鄲人，進士，九年任，遷巡撫鄖陽副都御史。

臧惟一 山東諸城人，進士，二十一年任，遷巡撫四川左都御史。

徐元太 宣城人，進士，十

韓必顯 山東安邱人，進士，十二年任，遷左通政。

張文熙 廣西臨桂人，進士，十四年任。

劉光國 河南上蔡人，進士，十四年任。

宋仕 山東平原人，進士，十五年任，遷大理寺

，七年任。

唐鶴徵 南直武進人，進士。

周弘鑰 詳傳。

馬魯卿 四川内江人，進士。

曹鑰 山東定陶人，官生。

張問仁 福建晉江人，進士

施三捷 據儒學碑。

涂雲雁 據畢懋康學田碑。

易時中 據明史列傳。

一年任，遷巡撫四川副都御史。○已上據沈志。

沈思孝 字純父，浙江嘉興人，隆慶二年進士，十三年任，縱冒籍舉人，貶三秩，視事服三品服，自若，被劾。據明史列傳。之任年分據沈志。

王用汲

少卿。

郭東 山西 高平人，進士，十六年任，遷南京太僕寺卿。

孫旬 山東 萊陽人，進士，十六年任，遷大理寺少卿。

李楨 陝西 慶陽衛人，進士，十八年任。○已上十一人據沈志。

。

饒大英 甯國人，舉人，十六年任。

蔡桂 南直 沛人，舉人，十六年任。

湯煥 浙江 仁和人，舉人，十七年任。

易道源 廣東南海人，舉人，十八年任，遷南字明受，晉江人，進士，十四年任。據明史列傳。

周繼 東山 歷城人，進士，十四年任，遷太常寺卿。

石應岳 福建龍巖人，進士，十六年任，遷南京操江副都御史。

朱孟震 字秉器，江西新淦

郭惟賢 字哲卿，福建晉江人，二年進士，十九年任，遷湖廣巡撫右僉都御史，謚恭定。據明史列傳，沈志。

魏允貞 樂陵人，進士，二十年任，遷通政使右通政。

譚希思 湖廣茶陵人，進士

京戶部主事。

許夢熊 南陵人，進士，十九年任，遷戶部主事。

周汝登 浙江人，進士，十九年任，遷南京兵部主事。

程光裕 浙江永康人，官生，二十二年任。

楊應尾

人，十八年任。

王體復　山西太平人，十九年任，遷貴州巡撫副都御史。○已上據沈志。

謝杰　十二年任。詳傳。

沈應文　浙江餘姚人，進士，二十□年任，修府志。

黄吉士

，二十一年任。○二人據沈志。

邵輔忠　據明史王德完傳。

黄吉士　據學田記。

畢懋康　字孟侯，歙人，二十六年進士。據明史列傳。

喬允升　字吉甫，洛陽人，二十年進士，遷府

容城人，恩生，二十年遷自太常寺典簿，二十一年遷治中。

吴承烈

葉世俊

韓逢禧　已上三人據儒學碑。

葉濟衆　據畢懋康學田記。

張羽鳳　據同上。

吴有豸

由丞署。

喬允升 遷自府丞，齊楚浙三黨用事，移疾歸。據明史列傳。

吳獻台 莆田人，萬曆庚辰進士，官順天府尹。據世範萬曆三十一年重刊本序。

李長庚 湖廣麻城人，四十三年任，據明史列

尹。據明史傳、儒學碑。

浙江山陰人，恩生，二十一年任。

譚好善 南直邳州人，舉人，二十一年任。

陳三畏 四川資縣人，舉人，二十一年任。

詹延 山海衛人，上書頌父榮功。據詹榮傳。

傳。	天啟
王惟儉　萬曆末任。據金石文字記，吳涿雲龕將軍斷碑記。	畢懋良　字師皋，歙人，進士，四年任，遷户部侍郎，不坿魏忠賢，落職。據明史畢懋康坿傳。 李春茂　七年任，建魏忠賢
	劉志選　慈谿人，萬曆中進士，六年任，劾張國紀，詆王之寀等，魏忠賢論死。據明史列傳。按：明史王之寀傳，府尹劉志選劾之。今攷劉
	葉廷秀　濮州人，五年進士。據明史黄道周傳。

	崇禎
生祠宣武門外。據明史閻鳴泰傳。	詹士龍 永豐人。據明史詹兆恆傳。 劉宗周
志選傳，天啟五年，尚寶少卿，明年擢順天府丞，七年擢右僉都御史。閻鳴泰傳，七年順天府尹李春茂。然則志選無爲府尹事。之宷傳，尹字疑丞之譌。	張至發 淄川人，萬曆二十九年進士，五年任。據明史列傳。
	孫如洌 二年忠賢敗，從逆處決。據明史崔呈秀傳。
	劉有瀾 字漪若，南宮人，庚辰進士，城破，縊。據明季北略二
	施溥 十七年遷，未任，城陷，仰藥死。據綱目三編三十九。
	陳貞達 城陷，自縊。據甲申傳信錄三，明季北略二十一。

元年任。詳傳。

孫傳庭 字伯雅，代州振武衛人，八年任，後進兵部尚書，督師殁。據明史列傳。

李繼貞 字徵尹，太倉人，萬曆四十一年進士，十二年遷自尚寶卿。據明史列傳。

戴澳 據明史沈迅附宋玟傳。

侯峒曾

十一。

按貞一作自。

	年代未詳
字豫瞻，嘉定縣人，天啟五年進士，十七年舉賢能，召爲丞，未赴，京師陷。據明史列傳。	沈政 字以政，福建閩人。據無聲詩史。 周相 據疇人傳。

官師志五

前代治竟統部官表二

德清傅雲龍纂　江陰繆荃孫覆輯

統部弗緣屬箸録統，不第此也，源溯漢前，變例也。治竟則僑治亦輯，刴曰部治。作前代治竟統部官表。

粤稽唐堯命和叔宅幽都，官則伯也。禮疏：堯有四伯，堯末分置八伯。周禮疏按：書傳云，元祀巡守四岳八伯。注云：堯以羲和爲六卿，并方岳，是爲四岳，出則爲伯，其後乃置八伯。虞舜曰幽州牧。據馬融書注。史記集解引鄭玄書注。夏、商并之冀州牧。殷復幽州，州有伯。禮王制：千里之外設方伯，五國以爲屬，屬有長。十國以爲連，連有帥。三十國以爲卒，卒有正。二百一十國以爲州，州有伯。按：王制，殷制也。鄭康成謂殷州長曰伯，虞、夏及周皆曰牧。今攷左、右二伯，伯爲定名，州長之伯，似得通稱爲牧。唐九州爲八伯。虞十二州爲十二牧。殷制八州八伯。鄭據周邦國建牧之文，謂畿内不置伯，有鄉遂之吏主之。周曰幽州牧。禮曲禮：九州之長曰牧。周官宗伯八命作牧，九命作伯。注：一州之牧長，諸侯爲方伯。佐爲伯。詩旄丘鄭箋：衛侯曰，伯時爲州伯也。周之制，使伯佐牧。春秋傳曰五侯九伯。侯爲牧也。秦監郡曰監御史。漢百官公卿表：監御史，秦官，掌監郡。自堯以來，治難可據，統部綿蕞，庶在兹云。漢幽州刺史，元封五年置，領郡國十有一。據漢百官公卿表。漢何武傳：刺史，古方伯，一州表率也。綏和五年，更名牧，秩二千石。建平二年，復爲刺史。元壽二年，復爲牧。據漢百官公卿表。漢朱博傳：初，何武爲大司空，與丞相方進奏：今部刺史居牧伯之位，秉一州之統，下大夫而臨二千石，失位次之序，請罷刺史，置州牧。博又奏請罷牧，置刺史，如故。建武十八年，復置刺史，秩六百石。據後漢光武紀。續漢百官志：外有十二州，每州刺史一人，六百石。延熹元年，更選幽州刺史。資治通鑑：延熹元年，帝乃更選幽、并刺史，自營郡太守、都尉以下，多所革易。初制，昏姻之家及兩州人士，不得對相監臨。熹平四年，有三互法，幽州久缺不補。蔡邕上疏，但對相部主不從。資治通鑑五十七：初，朝議以州郡相黨，人情比周，乃制昏姻之家及兩州人士不得對相監臨。至是復有三互法，禁忌轉密，選用艱難。幽、冀二州，久缺不補。蔡邕上疏曰：伏見幽、冀舊壤，鎧馬所出，比年兵饑，漸至空耗，今者闕職經時，吏民延屬，而三府選舉，踰月不定，臣怪問其故，云避三互。十一州有禁，當取二州而已。又二州之士，或復限以歲月，狐疑遲淹，兩州縣空，萬里蕭條，無所管繫。愚以爲三互之禁，禁之薄者，今但申以威靈，明其憲令，對相部主尚畏懼不敢營私，況乃三互，何足爲嫌？臣願陛下上則先帝，蠲除近禁，其諸州刺史器用可換者，無拘日月，三互以差厥中。朝廷不從。胡注：冀州之人刺幽州，幽州之人刺冀州，是爲部主。中平五年，又改刺史爲牧。議選列卿、尚書，各以本秩居任州，任之重自此始。通鑑五十九：中平五年，議選列卿、尚書爲州牧，各以本秩居任州，任之重自此而始。胡注：列卿秩中二千石，尚書秩六百石耳。東都以後，尚書職任重於列卿。初與燕國內史同治薊，厥後燕爲廣陽，郡國迭更，治皆同。漢官舊儀：刺史有常治。續漢百官志：刺史以八月巡行所部，初歲盡詣京奏事，中興，但因計吏皆有從事史假佐。漁陽、涿郡太守在屬中。建安十八年，并入冀州牧，尋復。據魏志注，獻帝春秋。魏幽州刺史徙治范陽郡之涿，領兵，不專民事，通鑑補：魏黃門侍郎杜恕，以爲古之刺史奉宣六條，以清靜爲名，今且勿領兵，以專民事。俄而鎮北將軍呂昭又領冀州。恕上疏曰：荊、揚、青、徐、幽、并、雍、涼，緣邊諸州皆有兵矣，其所恃以內充府庫，外制四夷者，惟兗、豫、司、冀而已，宜別置將守。領四州之牧守，獨修務本之業。領郡國十。范陽、燕國、北平、上谷、遼西、昌黎、遼東、樂浪、元菟、帶方。涿郡更名范陽。據三國畺域志。凡庶姓爲州，而無將軍者，謂之單車刺史。通典。有都督，其資輕者爲監軍。通鑑八十胡注。晉太康三年，罷刺史將軍官刺史，依漢制，三年一入奏事。玉海引王隱晉書。司馬光資治通鑑：太康元年，詔曰：漢末刺史，內親民事，外領兵馬，今刺史分職如漢民故事，悉去州郡兵。按：漢制，歲盡詣京奏，晉依奏事制，變爲三年。通典：魏、晉後，刺史多帶將軍開府，州與府各置僚屬，州官理民別駕、治中是；府官理戎長史、司馬是。晉職官志：州置刺史別駕、治中從事、諸曹從事等員，所領中郡以上，各置部從事一人，小郡亦置一人，主簿、門亭長録事、記室、書佐、諸曹佐守從事、武猛從事等，凡吏四十一人，卒二十人，諸州邊遠近寇者，又置弓馬從事五十餘人。初，幽州治涿，後治燕國之薊，領郡國七。燕、范陽、代郡、上谷、廣甯、北平、遼西。通鑑八十：咸甯五年，傅咸上書：禹分九州，今之刺史，幾向一倍。胡注：時有司、豫、徐、兗、荆、揚、梁、益、甯、交、秦、雍、涼、冀、幽、并、青十七州。有范陽都督，如魏。通鑑八十：咸甯五年，傅咸上書：設官太多，舊都督有四，今并監軍乃盈於十。胡注：魏初置都督諸軍，隨其資望輕重，而加以征、鎮、安、平之號，有四而已。其後增置凡十，其資輕者為監軍。按：通鑑胡注，都督十，其一為都督幽州諸軍。永嘉後，石趙幽州刺史戍薊，詳府。領郡五。范陽、幽、上谷、代、漁陽。有范陽、漁陽。據晉載記。燕秦、後燕，刺史之名若治如之。後魏，幽州置三刺史，魏官氏志：天賜二年制，州置三刺史，用品第六者宗室一人，異姓二人，比古之上、中、下三大夫也。刺史令長各之州縣，自前功臣為州者還京師，司州牧從第二品；上州刺史第二品；中州刺史從第三品；下州刺史第四品；司州別駕，從事史，司州治中從事史，從第四品；司州主簿從第七品；司州西曹書佐、祭酒從事史第八品；司州議曹從事史、司州文學從第八品。按：幽州刺史之佐，可以司州遞推。領郡三：燕、漁陽、范陽。據魏地形志。齊刺史如魏，隋百官志：齊制，官多從後魏，州刺史屬官有別駕從事史、治中從事史、州都、光迎主簿、主簿、西曹書佐、市令及史、祭酒從事史、部郡從事、皂服從事、典籤及史、門下督、省事、都録事及史、箱録事及史、朝直、刺姦、記室掾、户曹、田曹、金曹、租曹、兵曹、左户等員。上上州屬官佐史合三百九十三人，上中州減上上州十人，上下州減上中州十人，中上州減上下州五十一人，中中州減中上州十人，中下州減中中州十人，下上州減中下州五十人，下中州減下上州十人，下下州減下中州十人。于幽州刺史治置東北道行臺，寰宇記。行臺兼總民事，自文宣元年始，通考：魏武定八年，東徐州刺史郭志殺郡守，齊文宣敕術曰：江淮初附，百姓難向京師，留卿為行臺，亦欲理邊民冤枉，監理牧守，所統十餘州地，諸有犯法者，刺史先啟聽報，以下先理後表，齊行臺兼統民事自術始。按：術，辛術也。行臺始于曹魏，其稱尚書省為中臺，見吳志諸葛恪傳。後亦曰内臺，見宋百官志。為專征討，隨置于外州行尚書事，則曰行臺。後魏始別置官屬。通典云：魏末，晉文帝討諸葛誕，以行臺從。晉永嘉四年，東海王越以行臺自隨。後魏謂之尚書大行臺，別置官屬。今攷後魏道武又置中正行臺，皆不理民。理民始齊洎隋，謂之行臺省，是為元行中書省之權輿。州領郡三，燕、上谷、范陽。治燕郡之薊，有范陽。周建德六年，置總管府，據周書武紀。通典：周改都督諸軍事為總管，又有大都督、帥都督。按：周明紀，武成元年正月，改都督為總管，總管始此。如安成公憲，天水公廣，尉遲綱，尉遲迥，見明紀。邵國公會，趙國公招，杞國公亮，衡國公直，見武紀。皆在王謙為益州總管前。通考謂始武帝時，王謙非也。總管刺史加使持節諸軍事，周書盧辯傳。幽州刺史計户爲正八命，按：總管刺史府治幽，所管非一州也，仍有州刺史，周武紀及盧辯傳可證。盧辯傳云：户三萬以上者正八命。幽州在周領燕、范陽、上谷三郡，據魏地形志，合户三萬三千五百三十八，其志斷于武定末，距周不遠，準以定品，幽州刺史當是正八命。領郡三，有燕、范陽刺史，府官命于天朝，州吏並牧守自置。通考。周書盧辯傳：户三萬以上州，刺史正八命。户二萬以上州，刺史八命。户一萬以上州，刺史正七命。户五千以上，刺史七命。正八命州：長史、司馬、司録六命。八命州：長史、司馬、司録五命。正七命州：長史、司馬、司録，正八命州：呼藥五命。七命州：長史、司馬、司録；正八命州：別駕；八命州：呼藥正四命。正六命州：長史、司馬、司録；正七命州：別駕；正八命州：治中；正七命，呼藥四命。正八命州：列曹參軍；正六命州：別駕；正七命州：治中；七命州：呼藥正三命。八命州：列曹參軍；正六命州：治中正六命，州呼藥三命。正七命州：列曹參軍正二命。七命州：列曹參軍三命。正六命州：列曹、參軍正一命。隋刺史九等如齊，總管刺史加使持節。開皇三年，置燕郡，以幽州刺史領縣，自是刺史之名存而職廢。通典：隋州刺史同北齊九等之制，總管刺史加使持節。開皇三年，郡以州統縣，自是刺史之名存而職廢。隋百官志：上上州置刺史、長史、司馬、録事參軍事、功曹、户、兵等曹參軍事，法曹、士曹等行參軍，典籤州都光迎主簿、郡正主簿、西曹書佐、祭酒從事、部郡從事、倉督、市令丞等員，并佐史合三百二十二人；上中州、上下州、中上州、中中州、中下州、下上州、下中州、下下州減。煬帝初，廢總管。通考：隋文以并、益、荆、揚四州置大總管，其餘總管府置于諸州，列上、中、下三等，加使持節，煬帝罷之。大業三年，罷州，置涿郡。據通典。武德元年，復置總管府，與幽州刺史同治薊，領州八，有檀。幽、易、平、檀、燕、北燕、營、遼。據舊書地理志。六年，改大總管，管州三十九。七年，改大都督府。據舊書地理志。唐百官志：七年改總管曰都督，總十州者曰大都督。通典：唐諸州復有總管，加號使持節。武德五年，以洛、荆、并、幽、交五州爲大總管府。七年，改大總管府爲大都督府。按：通典云，五年，與舊唐志異。唐六典：大都督府都督一人，從二品；長史一人，從三品。中都督府都督一人，正三品；長史一人，正五品上。下都督府都督一人，從三品；長史一人，從五品上。九年，改都督，領州十七。幽、易、瀛、東、鹽、滄、潞、蒲、蠡、北易、燕、營、遼、平、檀、玄、北燕。貞觀元年，屬河北道。唐志：太宗元年，十道，四曰河北。二年，邊州別置經略使。先天二年，除幽州節度經略鎮守使。據玉海百三十二。元宗開元元年，置幽州防禦大使。二年，置節度使，然幽州節度之名，景雲元年命薛訥兼幽州都督時已有之，蓋節度自幽州始也。領州六。（唐方鎮表：開元元年置幽州防禦大使。二年，幽州節度使領幽、易、平、檀、嬀、燕六州。舊書地理志：至德後，刺史皆治軍戎，遂有防禦、團練、制置之名，要衝大都，皆有節度之類，或易以觀察之號。唐六典：節度使八，河北幽州節度使。謝維新合璧事類：唐天寶前，軍城鎮守皆有使，而道有大將一人曰大總管，已而曰大都督。太宗時，行軍曰大總管，在本道曰大都督。永徽，都督帶使持節者曰節度使，然猶未以名官。景雲二年，以賀拔延嗣充河西節度使，自此開元、天寶間，置節度八。按：通鑑二百十云，景雲元年，以幽州鎮守經略節度大使薛訥爲左武衛大將軍，兼幽州都督，節度使之名，自訥始。玉海依之，是也。而通典三十二，謂始於景雲二年，以賀拔延爲河西節度使，新唐書兵志同，似非無據。然攷新唐書方鎮表云，景雲元年，陳繼儒指掌編，謂節度始于景雲元年，疑二年之二，爲元之譌。唐百官志：節度使、副大使、知節度事、行軍司馬、副使各一人，同節度、副使十人。燕史：唐置節度使，自幽州始；軍士立帥，自平盧始；節度據故鎮，自盧龍始。其事莫非燕也。）十三年，昇大都督府，仍以節度使領厥職。（據舊唐書玄宗紀。）二十年，幽州節度使兼河北採訪處置使，領州十六。（據通鑑補二百十三。增領衞、相、洺、貝、冀、魏、深、趙、恆、定、邢、德、博、棣、營、鄚十六州，及安東都護府。）開元已前，節制幕府無帶憲官者，自二十三年幽州節度張守珪加御史大夫，幕府始爲要津矣。（宋王讜唐語林八補遺：開元已前，諸節制並無憲官，自張守珪爲幽州節度加御史大夫，幕府始帶憲官，由是方面威權益重，遊宦之士以朝廷爲閒地，謂幕府爲要津，坐致郎省，彈劾之職遂不復舉。）天寶元年，更爲范陽節度使，增僑治郡二：歸德、歸順。（據唐方鎮表。通鑑：范陽節度臨制奚、契丹，統經略威，清夷静塞，恆陽、北平、高陽、唐興、横海九軍，屯幽、冀、嬀、檀、易、恆、定、莫、滄九州之境，治幽。）寶應元年，復爲幽州節度使兼盧龍節度使。（據舊書李懷仙傳。）梁、唐因之。（按：後唐盧龍道領幽、薊、涿、順、平、營、瀛、莫、灤、檀、嬀州。五代史王處直傳，此中之法，自將校爲刺史，升團練、防禦，而至節度使。據知五季節度遷進，亦自有序。）遼會同元年，置南京道于幽都府之薊，北有幽州盧龍軍節度使司。（據遼地理志。遼百官志：南面方州官某州某軍節度使。又云，南京道幽州盧龍軍節度使司。王圻續通考：遼北面著帳郎君，有節度使，所掌非軍民事，南度使設官甚衆，冠以節度，承以觀察、防禦、團練等使，分以刺史、縣令，大略採用唐制，宗室外戚大臣之家，築城賜額，謂之頭下州軍，惟節度使朝廷命之，往往皆歸王府。）宋宣和五年，燕京改置燕山府路。（據金太祖紀。柯維騏宋史新編：開封，從二品，諸府九州牧同。歷代職官表：宋制，帥臣任河東、陝西、嶺南路，則爲經略安撫使兼都管，河北近地則止為安撫使。金天會三年，為燕京路。金百官志：諸總管府謂府尹兼領者，都總管一員，正三品。七年，改河北東路治析津如故。海陵貞元元年，改曰聖都，尋改中都路。據金地理志。以大興府尹領都總管府事。詳府。元太祖十年克燕，置燕京都總管府，達嚕噶齊、總管各一。據元地理志。元百官志：諸路總管，上路達嚕噶齊、總管各一員，並正三品；下路秩從三品。續通考：元都督總管，蓋節度使也。至元元年，改中都路總管府；四年，徙都于此；九年，改為大都路總管府；大興府屬如故。據元世祖紀，元百官志。二十一年，于大興府改置大都路總管，而以直隸中書省領之。元百官志：行中書省丞相一員，從一品；平章二員，從一品；右丞一員，左丞一員，正二品；參知政事二員，從二品；丞相或置或不置。按：元地理志，中書省統山東、西、河北之地，謂之腹裏，統路二十九，大都督路其首也。餘詳府。明太祖洪武元年，置山東行中書省，治北平府之大興。明地理志：直隸中書省，有元年四月分河南、山東兩行省。明職官志：太祖略定地方，即置行省，其官自平章政事以下，大略為中書省同。二年，置北平行省。明職官志。明地理志：二年三月，置北平等處行中書省，治北平府。九年，罷行省，改參知政事為左、右承宣布政使司，以北平為會府。明職官志。明太祖紀：洪武九年六月甲午，改行中書省為承宣布政使司。永樂元年正月，以北平為北京，稱為行在。二月，罷布政使司，以所領直隸北京行部。明地理志。明職官志：永樂元年，置北京行部尚書二人，侍郎四人，其屬置六曹清吏司，後又分置六部，各稱行在某部。十八年定都北京，罷行部。又六曹以六部官屬移之北，不稱行在。洪熙元年，置各部官，屬于南京，而以在北京者加行在，仍置行部。宣德三年，復罷行部。正統六年，于北京去行在字，遂為定制。其陞順天府為尹，蓋在十年云。詳府。

僑治刺史，後魏凡五，曰益州刺史、交州刺史，並延和元年僑置密雲境，太平真君二年，降益州為廣陽郡，交州為安樂郡，置太守，曰燕州刺史。太和中，分恆州東部，僑置昌平。孝昌中廢，曰東燕州刺史。天平中，僑置幽州軍都城，與平昌郡同治昌平，領郡三，平昌、上谷、偏城。

有偏城。北齊廢。曰安州刺史。皇興二年置，治方城，天平中陷。元象中，僑治幽州北界，領郡三：密雲、廣陽、安樂。後周改安州曰玄州，置刺史。隋開皇十六年，徙玄州，置漁陽郡之無終，立總管府。大業初廢。詳僑治郡。

陶唐		和叔 詳傳。
漢		王駿 琅琊皋虞人，元帝時幽州刺史，遷司隸校尉。據漢書王吉傳。西漢。 朱浮
三國		崔林 幽州刺史。詳傳。 常林 字伯槐，河内温人，幽州刺史。據魏志二
晉		孫歷 樂安人，魏晉際爲幽州刺史，右將軍。據晉書孫旂傳。按：晉孫旂傳，不云旂爲幽
後魏		張兗 字洪龍，上谷沮陽人，幽州刺史。據魏書列傳。 封沓干 幽州
齊周		尉長命 都督西燕幽冀滄瀛四州諸軍事，幽州刺史。詳傳。 斛律
隋		李崇 幽州總管。詳傳。 周搖 幽州總管。詳傳。 陰壽
唐		羅藝 自稱幽州總管。詳傳。 李瑗 字德圭，盧江王，高祖從父兄子，武德九
五代	遼	劉守光 仁恭子，梁開中元年攻仁恭，囚別室，自稱盧龍節度使。二年，梁以爲使
宋金		潘美 字仲詢，大名人，太平興國年征范陽，以美知幽州行府事。據宋史列傳。
元		郭汝梅 中統年，總管大都路，兼尹大興府。詳先賢傳。 天舉
明		華雲龍 定遠人，北平行省參知政事。據明史列傳。 朱守仁 字元

沛國蕭人，幽州牧。據後漢書列傳。

馮煥 幽州刺史。詳傳。

龐參 幽州刺史。據後漢書耿夔傳。

楊熙

十三。

賈敷 賈彝本武威姑臧人，六世祖敷，魏幽州刺史。據魏書賈彝傳。按：賈思伯碑云，思伯，武威姑臧人，九世祖□，魏青龍中爲幽州刺史，其名剥蝕。

州刺史，爲之者旂父歷也。周濟晉略表，于武帝泰始元年，首列刺史孫旂，誤矣。

辛怡 隴西狄道人，幽州刺史。據晉書隱逸辛謐傳，通志辛紹先傳。

高光

刺史。據通鑑一百十一。

劉素延 桓帝後，爲曲陽侯，道武時，幽州刺史。太祖時，欲以純風化俗，素延豪奢，放逸，左遷上谷太守，後賜死。據魏書傳，册府元龜二百

羨 都督幽安平南北營東燕六州諸軍事、幽州刺史。詳傳。

獨孤永業 字世基，本姓劉，中山人，武平三年，遣永業取斛律豐，因以爲北道行臺僕射，幽

字羅雲，武威人，周位開府，隋文爲丞相，壽以行軍總管鎮幽州，開皇中，拜幽州總管，封趙國公。據隋書北史列傳。

燕榮 字貴公，華陰弘農人，幽州總管。據北史酷吏傳。

年，遷幽州大都督，朝廷以瑗懦愞，遣王君廓助典兵事，君廓反，給瑗，禽縊之。據新舊唐書廬江王傳。

王君廓 并州石艾人，故盜也，歸國，鎮幽州，以誅李

，同平章事。刑人以鐵籠盛之，薪火四逼，爲鐵刷，以剮剔人面，燕士多逃佗境。乾化元年，自號大燕，晉執斬之。據五代史列傳，舊五代史僭僞傳，據唐書劉仁恭傳，通鑑二百

元達 初名守昺，洺州雞澤人，端拱二年，領幽州刺史。據宋史列傳。

劉保勳 字修業，河南人，雍熙三年，知幽州行府事。據宋史列傳。

王安

郝哈尚巴圖子，大都路總管，兼府尹。據元史郝哈尚巴圖傳。按：此太宗時人。

實迪 原作沙的，大大德元年大都路總管。據元成宗紀。

姚天福 大德

夫，徐州人，洪武四年，北平行省參政，以餽餉不繼，謫蒼梧知縣，拜太僕卿。據明史坿單安仁傳。

薛祥 八年，北平布政。詳傳。

張昺 三十一年十一

幽州刺史。詳傳。

朱龜　幽州刺史。詳傳。

韓暹　興平二年，征東將軍領幽州牧。據後漢紀二十八。

陶謙　字恭祖，丹陽人，幽州刺史

王雄　幽州刺史。詳傳。

毋邱儉　字仲恭，河東聞喜人，建興十五年，幽州刺史。據魏志二十八。

杜恕　幽州刺史。詳傳。

字宣茂，陳留圉城人，魏太尉柔子，武帝初，尚書郎，出爲幽州刺史，官至尚書令。據晉書列傳。

衛瓘　河東安邑人，幽州刺史。據晉書列傳。

張華

八十。

張度　衮子，持節都督幽州，廣陽、安樂二郡諸軍事。據魏書張衮傳。

封豆　代人，皇始初，領衆三萬東征幽州，平安三郡，拜幽州刺史。據魏書

州刺史。徵爲領軍將軍，除雒州刺史，封臨川，降周。據北齊北史傳，斛律羨坿斛律金傳。

潘晃　北齊武平末，幽州道行臺右僕射，幽州刺史。據通志傳。

竇抗　幽州總管。詳傳。

田軌　隋幽州刺史。據舊唐書田仁會傳。

李子雄　幽州總管。坿竇抗傳。

獨孤整　幽州

瑗功，拜左領軍大將軍，兼幽州都督，加左光祿大夫，居職不守法，被召，亡奔突厥，野人斬之。據唐書列傳盧江王傳，舊唐書坿盧江王傳。餘詳瑗注。

王詵

六十六。梁。

周德威　幽州盧龍等軍節度使。詳傳。

符存審　字德詳，陳州宛邱人，天祐二十年，幽州盧龍節度。據五代史列傳。

中　宣和三年，燕州府路宣撫使，知燕山府。詳傳。已上宋。

郭藥師　渤海鐵州人，太宗以爲燕京留守。據金史列傳。

完顏尼楚

四年，大都路總管兼大興府尹。詳府表。

齊諾　大德七年，大都路總管兼大興府尹。詳府表。

巴延特穆爾　原作卜顏鐵木兒，

月，北平布政使，後爲燕府長史。詳傳。

郭資　北平左布政，成祖命掌北平布政司。詳傳。

李讓　舒城人，選爲燕府儀賓，戰功，署掌北平布政司事，佐

。徵拜議郎參軍，車騎將軍，將温軍事。據魏志八。
劉虞 幽州刺史。詳傳。
段訓 幽州刺史。坿劉虞傳。
公孫瓚 督幽并青冀。

何楨 字元幹，廬江人。魏幽州刺史，入晉爲尚書。據魏志十一注引文士傳。已上魏。
文欽 字仲若，幽州牧。據魏志二十八。
孫韶

持節都督幽州諸軍。詳先賢傳。
李陽 字景祖，高尚人，武帝時幽州刺史，京都大俠。據通志王戎傳，世説新語注引晉百官名。
唐彬 持節監幽州。

封勑文傳。
奚斤 代人，都水使。皇始初，出爲晉兵將軍、幽州刺史、爵山陽侯，明元即位，爲鄭兵將軍，後爲萬騎大將軍，謚昭。據魏書列傳，通志傳。
尉諾

張亮 北齊幽州刺史。據册府元龜三百六十九。
庫狄盛 北齊幽州刺史。據通志傳。
平勝 燕郡薊人，安州刺史。據齊書平鑒傳

刺史。據通志外戚傳。
張永
濟
崔昇
麴稜 已上三幽州刺史。據畿輔唐志。

北燕州刺史。隋遼西郡，武德元年曰燕州，六年自營州遷于幽州城中，李藝自幽州入朝，誅爲長史，掌州事，幽州人信服之，李瓊召與計事，以兵屬誅，王君廓斬之。

李嗣昭 權幽州軍府事。詳傳。
李存賢 幽州盧龍軍節度使。詳傳。
趙德鈞 幽州節度使。詳雜人傳。已上後唐。

赫 天會十年，燕京留守，十三年致仕，配享太祖廟。據金史列傳。
宗固 燕京留守。據金史宗强傳。
宗强 本名阿嚕，天眷三年，代宗

字珍卿，唐古鄂摩克氏，天曆初，累除大都路達嚕噶齊，都轉運鹽使，肅政廉訪使。據元史列傳。
道通 原作道童，高昌人，至正元年，遷大都路達嚕噶齊，謚

仁宗居守，永樂元年，掌北京行部事。據明史公主成祖二女傳。

據後漢劉虞傳。	王懋 太原祁人，漢司徒允弟，幽州刺史。據宋書王懿傳。	袁熙 字顯雍，汝南汝陽人，紹中子。幽州刺史。為其將焦觸、張南所攻，		
字公禮，吳人，本姓俞，策賜姓，權加領幽州牧，赤烏四年卒。據吳志六。已上吳。				
詳傳。	許猛 幽州刺史。詳傳。	劉弘 沛國相人，假節兼幽州。據晉書列傳。	許奇 晉元康中，幽州刺史。據郝經續後漢書。	
幽州刺史。詳傳。	張昭 幽州刺史。詳傳。	陳建 代人，幽州刺史，高宗以建貪暴懦弱，遣使就州罰杖五十。據魏書列傳。	張赦提 中山	
。	趙□ 唐瀘溪令，曾祖北齊幽州大總管。據張九齡故瀘溪令趙公碣銘。	已上齊。	宇文深 字奴干，性鯁正，有器局，武成	

據新舊唐書列傳，李瓊傳，通鑑百九十一注。按：唐書，誅作銑，然其下文及通鑑，並作誅，與舊唐書同，燕作齊。今从唐書，通鑑。	唐璿 字休璟，晉昌酒泉人，夏官			
劉在昭 初仕後唐，晉高祖授幽州道行營都部署。據冊府元龜三百六十。	趙延壽 天福三年，范陽節度。詳雜人傳。已上後晉。	盧國		
固為燕京留守。據金史列傳。	劉筈 天德二年，授燕京留守。詳雜人傳。	蕭仲恭 本名珠嚕準，原作木里者，天德二年，除燕京留守。據金史		
忠烈。據元史列傳。	巴克實 至正五年，大都路達嚕噶齊。據元順帝紀。	蘇天爵 字伯修，真定人，至正九年，大都路總管。據元史列傳。		

奔遼西烏桓。據後漢書袁紹傳，魏志六。

焦觸 自號幽州刺史。據後漢書袁紹傳。

王浚 字彭祖，太原晉陽人，永興元年，持節都督幽州諸軍，自領幽州，進大都督。據晉書列傳。

石堪 幽州刺史。據晉書王浚傳。按：石堪，晉書王浚傳，

安喜人，幽州刺史。據魏書列傳。

孔昭 位侍中，幽州刺史，魯郡公，諡康。據通志孔伯恭傳。

胡尼 幽州刺史。據魏書陽尼傳。

盧仲義 小名

元年，除幽州刺史，入爲司會中大夫，天和三年卒。諡成康。據周書宇文測傳。

劉雄 鎮幽州。詳傳。

于翼 幽州總管。詳傳。

宇文

尚書兼幽營二州都督。據蘇頲右僕射太子少師唐璿神道碑。

李祐 齊王祐，太宗弟五子，貞觀初，幽州都督。

李靈夔 貞觀十年二月，幽

用 晉幽州節度使，神册元年，降契丹，爲幽州兵馬留後。據遼太祖紀。餘詳遼薊州表。按：此即盧文進也，五代史云，字大用，大，當依舊五代史傳作國，當是入遼以字。

列傳。

世宗雍 天德二年，判大宗政事，改中京留守，俄改燕京。據金世宗紀。

通吉義 大定元年，利涉軍節度使，參知政事，中都留

星吉 至正時，大都路總管府達嚕噶齊。據宛平王志。

伊嚕布哈 原作日魯不花，字彥明，蒙古蘇達蘇氏，至正年，大都路達嚕噶齊。據元史列傳。

毛本、殿本均作堪，而懷帝紀永嘉元年五月馬牧帥汲桑聚衆反，殺前幽州刺史石尠。毛本，尠，殿本作勘，勘與堪形近。周濟晉略，浚傳作堪。表則作尠，自相矛盾。其表云：刺

黑，幽州刺史。據魏書坿盧玄傳。

李崇 范陽人，延和初，降世祖，以爲平西將軍，北幽州刺史，固安侯，卒，諡襄。據魏書李訢傳。

趙邕 幽州刺史。

亮 字乾德，大司徒，宣帝出爲安州總管。據周書邵惠公傳。

于毅 幽州刺史。據通志傳。

賀璪 幽州刺史。據通志傳。

田仁恭 字長

州都督。據通鑑百九十四，冊府元龜二百八十一。

李賢 章懷太子賢，字明允，高宗第六子，顯慶元年，歷幽州都督。據新、舊唐書列傳。

李文暕 襄邑

行。

。據金世宗紀。

阿蘇 原作阿瑣，大定元年十一月，阿蘇殺同知中都留守事薩勒札，阿蘇自稱中都留守。據金世宗紀。

宗憲 大定元年中都留守。據金世

李稷 字孟豳，滕州人，至正十九年，命爲大都路總管，兼大興府尹事，諡文穆。據元史列傳。

史石匙，遷軍馬列和演上卽石堪矣。然則石堪，石匙，非二人。堪、匙必有一譌。

王斌 幽州刺史。據晉書成都王穎傳。

段匹磾 東部鮮卑人，建興

據通志。

常訢 幽州刺史。據魏書外戚坿闞毗傳，通志外戚傳。

高閭 幽州刺史。詳先賢傳。

李肅 孝文二十三年，幽州刺史，州民王惠定反

貴，平涼長城人，從武帝平齊，加授上開府，拜幽州總管。高祖受禪，進上柱國，拜大將軍。據隋書列傳。按：周書坿田弘傳云，子恭，無仁字。北史坿田宏傳，云仁恭。

恭王子，幽州都督，垂拱中，貶藤州別駕，誅。據唐書宗室傳。

李晦 隴西成紀人，檢校幽營二州都督，永昌元年薨，賜幽州都督。據李晦碑。按：碑云，父河間元

宗紀。

完顏永成 大定二十五年，以豳王永成爲中都留守。據金世宗紀。

高霖 貞祐年，改中都留守，兼本路兵馬都總管。據金史列傳。餘詳府表。已

二年，據薊，自領幽州刺史。大興四年，没于石勒。據晉書列傳，又盧諶坿欽傳，元帝紀，通鑑八十九。

劉翰 建興二年，石勒以晉尚書劉翰爲甯朔將軍，行幽州刺史，

，肅斬之。據魏書。

王唐 字文政，瑯琊臨沂人。宣武初入魏，拜中書侍郎，卒于幽州刺史。據通志王肅傳。

堯雄 雄初仕後魏，爲鎮東將軍燕州刺史，後歸

趙跋

扈 幽州刺史。據通志傳。

王孝恭，唐書宗室世系表，河間元王孝恭，生崇晦。金石萃編跋云，碑泐字某，疑即崇晦。史表往往以字爲諱。王說甚辨。然考宗室傳，載孝恭子晦，是稱晦，不始於碑。宗室傳

上金。

戍薊。翰以薊歸段匹磾。據晉書段匹磾載記，通鑑八十九，周濟晉略。

陳昣 太甯元年，都督幽平二州諸軍，幽州刺史。據晉書明紀。

段遼

神武。據册府元龜三百五十四。

康王

世遵 臨淮王他曾孫，幽州刺史。據魏書陽平王熙傳。

韋欣宗 京兆杜陵人，世宗初，河北太守，轉大中大夫

僅云，贈幽州都督，未詳其檢校幽州都督。碑可補史。

李多祚 長安二年十二月，以羽林衛大將軍檢校幽州都督。據通鑑二百七。

狄仁傑 萬歲

咸和六年二月，以幽州刺史大單于段遼爲驃騎將軍。據晉略。

田洛　太元九年幽州刺史。據晉書謝玄，坿安傳苻堅載記。已上晉。

石勒　字季龍，初名

，行幽州事，卒諡簡。據魏書坿韋簡傳。

李宣茂　趙郡人，正始初，遷平東將軍幽州刺史，延昌二年卒，遺言薄葬，諡惠。據魏書坿李靈傳。

崔延伯　博陵

通天中，幽州都督。詳傳。

李峴　則天朝，歷幽州刺史。據册府元龜二百八十一。

張仁愿　萬歲通天二年，檢校幽州都督。詳傳。

盧齊

甯，上黨武鄉羯人，劉聰署勒開府幽州牧，建興二年，襲幽州刺史王浚，斬之。大興四年，幽州陷于勒。據晉書愍帝紀。

漢。

李孟 石季龍所置幽州刺史，季龍

人，荆州刺史。永平中，轉後將軍，幽州刺史。據魏書北史通志傳。

常景 孝昌元年，幽州刺史，八月，杜洛周反，圍燕州，詔景爲行臺征虜將軍。據魏書。

崔康

卿 涿人，長安初，雍州參軍，及拜幽州刺史，張守珪隸幽州良社府果毅，齊卿深禮遇之，終太子詹事，廣陽縣公。據唐書坿承慶傳，舊唐書張守珪傳。

薛訥

將伐遼西鮮卑，段遼，遼從弟屈雲襲幽州，孟退奔易京。據晉書石季龍載記。

石光

石季龍所置幽州刺史，咸康六年，慕容皝襲趙，直抵薊城，光擁兵數萬，閉城不敢

燕州刺史，杜洛周圍攻。據册府元龜。

韋旭

永安二年，拜右將軍，南幽州刺史。據通志傳。

元篤

鍾葵弟，字阿成，光禄勳卿，出爲平北將軍，幽州刺史

幽州鎮守經略節度大使，兼幽州都督。詳傳。

李璡

燕州刺史。坿薛訥傳。

李蔚

周

世祖第七子，燕州刺史，蔡烈王。據唐書宗室世系表。

出。燕兵所至，焚燒積聚，略三萬餘家而去。光坐輭弱，徵還。據晉書石季龍載記，通鑑九十六。

劉準 彭城人，隗兄子，晉永和七年，冉閔以準爲幽州刺史，

。據魏書陽平傳，冊府元龜二百八十。

惠王

景略 字世彥，世宗時襲封，除持節，冠軍將軍，幽州刺史。據魏書樂陵王傳，冊府元龜二百八十一。

王秉

孫佺 汝州郟城人，左羽林將軍。太極元年，爲幽州大都督，不知兵。延和初，討奚李大酺見獲，送默啜所殺之。據唐書孫處約傳，裴懷古傳，通鑑百二十。

宋璟

燕慕容儁使高開討準，準降儁。據晉書劉隗傳，冉閔坿季龍載記，通鑑九十九。

王午

趙幽州刺史，晉永和六年，燕慕容儁南伐，午保薊，三月，燕兵次于無終，午棄城

字文政，琅琊臨沂人，世宗初，司徒咨議，出為幽州刺史。據魏書，北史王肅傳。

元謐

趙郡王幹之子，肅宗時，除平北將軍，幽州刺史。據魏書趙郡王列傳，冊府元龜二

邢州南和人，其先自廣平徙，睿宗進幽州都督，遷右丞相，諡文貞。據唐書列傳。

李業

開元三年夏四月，兼幽州刺史。李王。據舊唐玄宗紀。

張說

字說之，洛陽

走，保魯口，留其將王他守薊。乙巳，僞陷其城，斬他，都之。據晉書慕容僞載記，通鑑九十八。已上趙。

慕容廆 字奕雒，晉武帝太康中，持節都督幽州諸軍事

百八十一。

崔休 幽州刺史。詳傳。

高雙 遼東新昌人，幽州刺史，貪穢，罪未判，赦，復任，卒。據魏書高道悦坿傳。

李興

祖 自中

人，檢校幽州都督。據新唐書列傳。

張嘉貞 字嘉貞，蒲州猗氏人，中書令，開元十一年出爲幽州刺史，累封河東侯，卒謚恭肅。據新舊唐書列傳。按：

，車騎將軍。據册府元龜二百十九，又二百二十。

慕容皝　廆子，嗣父位，幽州牧。據册府元龜二百十九。

慕容德　字玄明，慕容儁僭

山遷幽州刺史。據通志傳。

高聰　字僧智，本勃海蓚人，徙劇縣，明帝以其素坿高肇，出爲幽州刺史，爲元匡所彈，廢于家，拜光禄大夫，卒諡獻。據魏書北史列傳。

唐書，幽謫豳。元宗有授嘉貞幽州刺史制。

李瑤　鄂王瑤，玄宗第五子，開元十二年，遙領幽州都督。據册府元龜八十一。

李涓　開元十五年，以鄂王涓爲幽

位，爲幽州刺史，暐改封范陽王。據慕容德載記。

乙逸 幽州刺史，慕容儁光壽元年，徵爲左光祿大夫，夫婦共載鹿車。據通鑑一百及胡注。

慕容

畢祖暉 東平須昌人，幽州刺史，以全守勳，封新昌縣子。逢蕭寶夤退敗，祖暉拔城，東趣華陰，坐免官爵。尋行幽州事。建義初，詔復州爵，後爲賊宿勤明達所攻

州都督。據舊唐玄宗紀。

李適之 恒山愍王孫，始名昌，御史大夫，開元二十七年，兼幽州大都督府長史，知節度事，遷刑部尚書，與李林甫不協，自殺。據新舊

農建興元年幽州牧。詳傳。

慕容盛 慕容垂建興四年，以長樂公盛鎮薊城。據通鑑一百七。

慕容寶 後燕 慕容垂以子寶領侍中，大單

沒。據通志畢敬衆傳。

元譚 幽州都督，平北將軍。據冊府元龜三百五十四。

侯淵 燕州刺史。詳傳。僑治。

盧道度 幽州

唐書列傳。按：唐書賈循傳云，范陽節度使李適之。

裴寬 范陽節度使。據舊唐書朱泚傳。

安禄山 營州柳城雜種胡人，本姓康，突厥呼鬭戰爲軋于，驃騎大將軍，幽州牧。據册府元龜三百二十五。

慕容豪 慕容盛所置幽州刺史，建中元年，叛，誅之。據晉書慕容盛載記。

盧溥 慕容盛幽州刺

刺史。據魏書盧玄傳。

王誦 字國章，左將軍，幽州刺史，與盧義僖交欵，每與舊故李神儁等書，曰盧冠軍，時復惠好，輒留連數日，得諮詢政道。謚文宣。據魏書盧

舉山，遂以名之。安延偃妻其母，更名祿山。開元二十年，張守珪拔爲偏將。二十八年，爲平盧兵馬使。天寶元年，節度使。三載，范陽節度。十四載，反范陽。明年僭號燕，建

史，隆安中，魏襲幽州，執溥去。據晉書慕容盛載記。已上燕。

郭慶　晉太和五年，符堅以慶爲持節都督幽州諸軍事，揚武將軍，幽州刺史。據晉書符堅載記，通鑑一

玄傳。按：北史左作右。

盧文翼　幽州都督。據魏書盧玄傳。

裴延儁　幽州刺史。詳傳。

王仲智　北海劇人，幽州刺史，有清平稱

元聖武。至德二載，李豬兒斫腹死。據新、舊唐書列傳。

李光弼　營州柳城人，襲父楷洛封薊國公，天寶十五載，詔加范陽大都督府長史，范陽節度使。乾元二年，兼

百二。

符洛 健兄子。晉太和五年，符堅遣安北將軍、幽州刺史。符洛爲北討大都督，自稱大將軍、大都督，堅執洛。據晉書符堅載記，通鑑一百二。按：册府元龜

。據魏書王憲坿傳。

劉靈助 幽州刺史。詳鑒誠傳。

李檦 字靈傑，李弼弟，遼東襄平人，魏大統十三年，幽州刺史。據周書北史李弼傳。

幽州大都督府長史。寶應元年，封臨淮王。薨，謚武穆。據新、舊唐書列傳。

李懷仙 柳城胡人，史朝義以爲幽州節度，朝義敗，遂降。寶應二年，授幽州大都

。洛作雒

平顏　符洛以顏爲輔國將軍，幽州刺史。據晉書符堅載記。

梁讜　符堅建元十四年，分幽州，置平州，以中書令梁讜爲安遠將軍，幽州刺史，鎮薊城

盧同　幽州大中正，幽州刺史兼尚書行臺。詳先賢傳。

張亮　字伯德，西河隰城人，幽州刺史。據北齊書列傳。

董徵　字文發，頓丘衛國人，輔國

督府長史，檢校侍中，幽州、盧龍等軍節度使，自署文武將吏，私貢賦。大曆三年，朱希彩、朱泚、朱滔斬懷仙。據新、舊唐書列傳，舊唐書代宗紀。

王縉　河南副元帥，

。據晉書符堅載記，通鑑一百四。

王永

建元十八年，堅以扶風太守永爲幽州刺史。丕僭位，使持節侍中，都督中外諸軍事，車騎大將軍，尚書令，進封清河公。據

將軍，安州刺史，因述職過家，置酒高會，誠二三子弟曰：家貴，乃勤學所致耳。入爲司農少卿。據魏書北史列傳。

江文遥 安州

刺史。詳傳。按：安州時非

黃門侍郎，同平章事，爲幽州節度使，詔赴鎮。縉晏然，建旌節，朱希彩謁甚恭，縉度不可制，勞軍閱旬還。據唐書朱希彩傳。

朱希彩 自稱

幽州留後，朝

晉書符丕載記，通鑑一百四。

張哲

符生所置幽州刺史。據晉書符生載記。

符亮

符丕以太元十年僭位，高邑侯符亮為鎮北大將軍，督幽并二州諸軍事，進爵郡公。

僑治。

江果

行安州刺史事。詳江文遙傳。

盧琇

同兄為都水使者，同為幽州大中正，啟求同身二階以加琇，琇遂除安州刺史。據魏書北史同傳。

廷不獲已，授幽州節度副使，權知軍州事，加御史大夫，充幽州節度留後，加幽州大都督府長史，幽州盧龍軍節度使，驁恣不軌，州人不堪。大曆七年，孔目官李瑗因人之怒，斬據晉書符丕載記。

符謨 重合侯符謨爲征西將軍，幽州牧。慕容垂圍鄴城，遣慕容楷等攻幽州，謨降。垂聞丕稱尊號，遣使謝罪。據晉書符丕慕容垂載記。

盧文偉 安州刺史，行幽州事。詳先賢傳。

盧胄 安州刺史。據北史盧同傳。

竇毅 字天武，扶風平陵人，魏恭帝元年，幽州刺史，孝閔進

之。據新、舊唐書列傳。

朱泚 大曆七年，拜檢校左散騎常侍兼御史中丞，幽州盧龍節度等使，幽州長史兼御史大夫。詳鑒誠傳。

朱滔 泚弟，建中二

爵武都公，隋開皇初，定州總管，謚肅毅。據周書坿竇熾傳。

李雄 幽州刺史。據梁肅越州長史李鋒墓誌銘。

年，加檢校司徒，爲幽州盧龍軍節度使。詳鑒誡傳。

張孝忠 建中盧龍節度使。據册府元龜三百五十九。

王武俊 字元英，本出契丹怒皆部，興元元年三月，加司空，同中書門下平章事，兼幽州盧龍兩道節度使。朱滔圍貝州，武俊邀于隘，滔大敗。會詔復滔官爵，武俊表讓幽州盧龍節度使，許之。升恆州爲大都督，以爲長史。卒，謚威烈。據新唐書列傳。

劉怦

朱滔時幽州留後，署范陽留守。貞元元年，朝廷授幽州大都督府長史，兼幽州盧龍副大使，知節度事。詳雜人傳。

劉濟

怦子，權知幽州事。德宗以爲幽州長史，兼盧龍節度，遷幽州節度使。詳鑒誡傳。

劉緄

濟子，幽州節度。坿濟傳。

劉總

濟子，幽州節度。詳鑒誡傳

。

張玘 幽州留後。詳劉總傳。

馬季龍 燧父，幽州經略使。據册府元龜三百九十一。按：權德輿所撰馬燧行狀云副使。

張弘靖 長慶

元年，檢校司空，同平章事，兼幽州大都督府長史，充幽州盧龍軍節度使。幽州亂，囚宏靖，推朱克融領軍務。據唐穆宗紀，舊唐書朱克融傳。

劉悟

長慶元年七月

詔，以悟檢校司空兼幽州大都督府長史，充幽州盧龍軍節度副大使，節度事馳往不得，入奏，且授克融節鉞，徐圖之。據舊唐穆宗紀，唐書朱克融傳，通鑑二百四十二，元稹集，授悟幽州節度事使制。

朱克融 滔孫，長慶元年十二月，以幽州都知兵馬使，充檢校右散騎常侍，幽州盧龍軍節度使。詳鑒誠傳。

朱延嗣 克融

次子，克融被殺，立爲留後，李載義殺而代之。據舊唐穆宗紀，唐書朱克融傳。

李載義　盧龍軍節度副大使，知節度使。詳傳。

李運　嘉王，遥領幽

州節度。詳楊志誠注。

楊志誠 大和五年，以嘉王運遥領幽州節度，以志誠爲節度觀察留後，檢校左散騎常侍兼幽州左司馬。尋改檢校工部尚書，節度副大使，

						李醕 通王，遙領幽州節度。詳史元忠注。 史元忠 大和八年詔，以元					

知節度事。復進左僕射。八年，爲下所逐。據唐書坿李載義傳，舊唐書列傳。

忠爲幽州大都督府左司馬，知府事，充節度留守。明年，轉節度副大使，知節度事。會昌初，爲陳行泰所殺。據唐書李載義傳。

李紘

撫王，遙領幽州盧龍節度使

。據舊書武宗紀。

張仲武　幽州

兵馬留後，拜節度副大使，知節度事，檢校工部尚書，幽州大都督府長史兼東面招撫迴鶻使。詳先賢傳。

周綝

幽州節度使。據舊唐書宣宗紀。

張允伸 檢校散騎常侍，幽州節度使。詳先賢傳。

李茂勳 本回鶻阿布之裔，張仲武以將兵，積功賜姓名。乾符二年，襲殺陳貢言。張公素擊不利，走。茂勳主州務。朝廷因以爲留後，盧龍節度使。三年，進右僕射，致仕。據唐書傳通鑑二百五十二。

李可舉 乾符

三年，盧龍節度李茂勳病，請以其子幽州左司馬可舉知留後，進節度使。據唐書坿茂勳傳，通鑑二百五十二。

唐昭宗曄

唐昭宗于懿宗乾符四年，授開府儀同三司

，幽州大都督，幽州盧龍等軍節度使，押契丹管內觀察、處置等使。據冊府元龜十一。

李全忠 范陽人，李可舉死，自爲幽州留後，朝廷拜節度。據舊唐書。

列傳。

李匡威 李全忠子，自襲幽州，稱使。據新、舊唐書垍李全忠傳。

李匡籌 匡威弟，據城自爲留後。乾甯元年，以爲盧龍節度使。據唐書坿李全忠傳，通鑑二百五十九。

劉仁恭　深州樂壽人，乾甯二年，李克用表爲幽州留後。八月，檢校司空，盧龍軍節度使。據唐書，五代史列傳，通鑑二百五十。

佐屬

崔朝 涿郡安平人，昭帝時幽州從事，諫刺史無與燕刺王通。刺王敗，擢侍御史。據後漢書崔駰傳。

王尊 幽州刺史從事。據漢書列傳。

祁弘 幽州主簿。據晉書王浚傳。

韓咸 幽州從事。據同上。

王悌 幽州長史。據同上。

盧諶 依劉琨，投段匹磾，建興末

盧玄 神䴥四年，辟召儒儁，以玄爲首，遷本州大中正。詳先賢傳。

平恆 幽州別駕。詳先賢傳。

陽尼 幽州中正。詳先賢傳。

趙達 廣平人，幽州録事參軍。據北齊書趙起傳。

陽休之 皇建初，幽州大中正。見先賢傳。

崔子元 齊幽

元弘嗣 河南洛陽人，幽州長史，據隋書酷吏傳。

敬肅 字敬儉，幽州長史。據北史坿柳儉傳。按：隋書傳云，字弘儉，幽作豳。

温彦博 字大臨，太原祁人，幽州司馬，歸國授總管府長史。據唐書列傳。

靳帥 幽州長史。據張九齡故襄州刺史靳恆遺愛碑銘。

馮道 字可道，瀛州景城人，天祐中，劉守光署爲幽州掾，以利害箴之，寘于獄，尋免。據舊五代史傳。

孫鶴 梁以劉守光爲盧龍節度使，

孫全照 字繼明，莫州清苑人，授南京巡檢，俄隸幽州部署，曹彬麾下。據宋孫行友傳。

郭藥師 同知燕山府。坿王安中傳。

實喇卜丹 至元十五年，同知大都路總管府，毆部民至死，御史韓昺劾實，詔杖之，免官，籍没家貲十之二。據元世祖紀。按：此原作舍里甫丁。

華雲龍 大都督府僉事。詳前表。

王岑　幽州牧從事。據後漢書朱浮傳。
蓋延　幽州從事。詳傳。
郭涼　字公文，右北平人，武將，通經，曉邊事，爲幽州兵曹掾，擊彭寵，有

，取諶爲幽州別駕。詳先賢傳。
趙至　幽州三辟部從事，斷久獄精審。據册府元龜。已上晉。
李績　幽州主簿。詳先賢傳。趙。

陽鳴鵠　幽州司馬。
穆遵　代人，幽州司馬。據魏書穆崇傳。
陽季智　幽州司馬。
高雅　幽州別駕。
房伯

州司馬。據北史隋書崔廓傳。
呂□　處貞曾祖，北齊幽州長史。據張九齡唐呂處貞碑銘。

王詵　幽州長史。詳統部。
王利涉　幽州兵曹參軍。據唐書李瓊傳。
張蘊古　相州洹水人，幽州總管府記室，直中書。據舊唐書列傳，唐

守光衣赭黃曰：我可帝乎？賓佐孫鶴骨鯁方略士也，對曰：未見良圖。據舊五代劉守光傳。梁。
周光輔　幽州中軍兵馬使。坿周德威傳。
宋琪

詹度　同知燕山府。坿王安中傳。
何灌　字仲源，開封祥符人，徽宗時，燕山路副都總管。據宋史列傳。
蔡攸　宣和四年十月，判燕山府事，

蕭儀　至元二十六年二月，大都路總管府判官，坐贓，帝貸其死。據元世祖紀。
蕭拜珠　成宗時，檀州知府，擢同知大都路總管府事，謚忠愍。據元

功，封廣武侯。

牟化 幽州別駕從事。史坿朱龜傳。

魏攸 幽州東曹掾。坿劉虞傳。

程緒 幽州從事。坿劉虞傳。

公孫

陽裕 幽州主簿，轉治中從事。詳先賢傳。燕。

祖 清河繹幕人，平原相，轉幽州輔國軍長史，坐事免。據魏書通志房法壽傳。

盧仲義 幽州別駕。據魏書坿盧玄傳。餘詳統部。

盧洪

書謝偃傳。

蔣儼 常州義興人，幽州司馬。據舊唐書列傳。

楊德裔 幽州司馬。詳傳。

王璥 貝州人，景雲二年，幽州都督法曹參軍。據石浮屠銘。

字儼寶，薊人，天福六年，幽帥趙延壽辟琪爲從事。據宋史列傳。後晉。

扈智周 盧龍軍節度使。據宋史扈蒙傳。

。據宋史坿蔡京傳。已上宋。

田灝 字默之，興中人，太祖時，同簽燕京留守司事。據金史列傳。

范承吉 字寵之，熙宗時，同簽燕京留守事

史列傳。

劉德溫 大德十一年，同知大都路都總管。詳傳。

崔敬 至正十一年，同知大都路總管府事。詳傳。

忽辛 大都路總管，

紀　幽州從事。坿劉虞傳。

尾敦　幽州長史。坿劉虞傳。

田豫　幽州長史。坿劉虞傳。

田疇　幽州從事。坿劉虞傳。

韓珩

，字曾孫，太和中幽州中正。據通志坿盧元傳。

盧道裕

盧道虔

盧道約

盧元明　以上四人，均幽州

按：銘云，唐中興七年，歲次辛亥。攷辛亥為景雲二年。銘末云三年，蓋造銘年。

徐浩　字季海，越州人，進監察御史裏行，辟幽州張守珪幕府。據新、舊唐書列傳。

，順天軍節度使。據金史列傳。

高楨　遼陽渤海人，熙宗幸燕，兼同知留守，封戴國公，改同知燕京留守。據金史列傳。

劉煥　天德年中都令。詳傳。

行中書省左丞。據元史氏族表。

幽州別駕。據後漢袁譚傳。

大中正。詳先賢傳。

許思祖 安州長史。坿江文遥傳。

庾導 潁川人，無宦情。正光中，除幽州左將軍府主簿。據魏書江悦之傳。

劉靈

劉悚 幽州兵馬使。據白居易集。

劉待援 幽州節度使參謀，立操端精術數。都督張説奏取考覆，三載不至，請勅州縣禮徵。據張説舉陳寡尤等表。

芬徹 正隆初中都路兵馬判官。詳傳。

薩勒扎 原作沙離只，大定元年，阿蘇璋殺同知中都留守事薩勒扎。據金史世宗紀。

□璋 自稱同知中都

助 領幽州大中正。詳鑒誠傳。

盧輔 州別駕。

盧同 爲幽州大中正，善事在位。詳先賢傳。

盧叔仁 舉秀才，魏景明中，散騎常侍，

臧敬之 幽州經略副使。據顔真卿東莞臧氏糺宗碑銘。

趙含章 幽州長史。詳傳。

薛楚玉 開元中幽州長史。坿薛訥傳。

張守

留守。詳上及統部阿蘇注。

鈕祜祿守愚 原作女奚列守愚，字仲晦，本名和掄克們，真定府路烏濟赫明安人，泰和年伐宋，爲大興都總管判官。據金史列傳。

出爲幽州司馬，辭歸里，時稱高尚。據周書儒林盧誕傳。

盧誕 郡辟功曹，州舉秀才，不行，遷幽州別駕，以功封固安伯。詳先賢傳。

盧恭

珪 幽州良社府果毅，開元二十一年，轉長史。詳傳。

郭英傑 字孟武，瓜州晉昌人，幽州副總管，戰歿。據唐書郭知運傳。

王斛

已上金。

道 幽州 主簿。

元偉 字獻道，河南洛陽人，魏大統十七年，除幽州都督府長史。據周書列傳。

陽休之 幽州 刺史，常景、王延年並召爲

斯 范陽大都督府長史。據孫逖授王斛斯守金吾衛大將軍制。

馬元慶 幽州 節度副使。據孫逖授元慶河西節度副使制。

蕭誠 幽州節度副使

州主簿。武定七年，進號中軍將軍，幽州大中正。齊受禪，復領幽州大中正。詳先賢傳。

據孫逖授誠太子左贊善大夫制。

臧希莊 金紫文安太守，范陽節度副使。據顏真卿東莞臧氏糺宗碑銘。

李過折 開元二十三年，同

幽州節度副大使。據實錄唐大詔令封過折北平王郡制。按：唐百官志，有同節度副使十人，過折，其官也。通鑑考異疑過折未必爲幽州節度使，是于唐官制未詳耳。是年，節度使爲張守珪。

王悔 幽州管記，右衛騎曹。坿張守珪傳。

張休 字祥，范陽人，爲范陽節度安祿山判官。據崔祐甫衛尉卿洪州都督張公遺愛碑頌。

王俌

字靈龜，辟范陽節度使張守珪幕府，契丹屈烈部謀入寇，俌至虜中，脅說禍福，虜乃不入。據唐書坿王綝傳。

康阿義屈達干

范陽經略副使，仍充節度副

使。詳傳。

賈循 范陽節度副使，知留後。詳傳。

顏杲卿 字昕，琅邪臨沂人，開元中，書判超等，遷范陽戶曹參軍。安祿山表爲營田判官。玄宗擢常山司馬。禄山節解之。謚忠節。據唐書忠義傳，舊唐書列傳。

朱懷珪

天寶初，事范陽節度使裴寬，爲衙門前，對授折衝將軍。據舊唐書朱泚傳。

張通儒 天寶三載，安祿山為范陽節度。四載，引張通儒、李廷堅、平洌、李史魚、獨孤問俗署幕府，高尚典書記，嚴莊掌簿據。據新、舊唐書傳。按：廷，舊唐書作庭。

李廷堅，平冽，獨孤問俗，高尚，嚴莊已上五人詳張通儒注。

李史魚參范陽軍事。詳傳。

。

甄濟 字孟威，定州無極人，范陽節度掌書記。據唐書列傳。

李之芳 蔡國公璜孫，有令譽。天寶十三載，安祿山奏爲范陽司馬。祿山起逆，自拔歸西京，歷禮部尚書，改太子賓客。據新、舊唐書坿蔣王惲傳。

權皋

字士繇，秦州略陽人，安祿山以幽州長史充河北按察使，表爲薊縣尉，署從事。皋欲行，慮禍及，親。天寶十四載，獻俘京師，以疾卒。謚貞孝。據唐書，卓行傳舊唐書德興傳。

封常清 蒲州猗氏人，天寶十四載，禄山叛，天子以爲范陽節度副大使，戰敗，削官，誅，爲表以謝。人多哀之。據唐書列傳。

韋元

誠　范陽倉曹參軍。詳傳。

李瑗　幽州孔目。詳統部朱希彩下。

蔡廷

玉 幽州節度使朱泚奏署幕府。詳先賢傳。

劉濟 參幽州軍事，轉兵曹掾，後爲幽州行軍司馬。詳雜人傳。

王潛 范陽節度都巡使。據雲居上

寺詩刻。

張敬殷　幽州參軍。據李儉清河張仁憲神道碑。

李益　隴西成紀人，貞元末，幽州劉濟辟置幕府，爲從事。據唐書列傳，舊書李揆傳。

張徹 幽州節度判官。詳傳。

李載義 幽州牙中兵馬使。詳傳。

楊志誠 太和五年，幽州後院副兵馬使，自爲都知兵馬使。詳統部表。

。

張建章　太和中，幽州從事。據宋張淏雲谷襍記引程氏攷古編。

李儉　大中二年，幽州節度使掌書記。據全唐文七百八十八。

蔡陵

大中二年，幽州節度參軍。據同上。

張直方 仲武子，襲幽州節度留後，進副大使。詳鑒誠傳。

張允伸 幽州押衙，兼馬步都知兵馬使。

詳傳。

張簡會　幽州副大使。坿張允伸傳。

董廓　乾符二年，幽州節度押兩蕃副使，檢校秘書兼御史中丞。據公乘億魏州故禪大德奬公塔碑。

韓玄紹 幽州 軍司馬。據唐書坿李茂勳傳。

馬彧 負文藝，李匡威領鎮盧龍幕職。據全唐詩。

劉令璆 幽州 押衙。據白居

易前幽州押衙瀛州刺史劉令璆除工部尚書致仕制。

盧衆　幽州判官。據白居易、盧衆等除御史評事制。

王仲堪　幽州大都督府户曹參軍。詳先賢

傳。

王緘 劉仁恭故吏，從莊宗戰没。詳雜人傳。

竇禹鈞 天祐末，起家幽州掾。據宋史竇儀傳。

李承約 弱冠爲幽州牙門遷

山後八軍巡檢，歸後唐。詳後先賢傳。

華陽吳祖椿校